BALONCESTO

Claves para mejorar las destrezas técnicas

HAL WISSEL

Editor: Jesús Domingo
Coordinación editorial: Paloma González
Revisión técnica: Javier Portela Vicente. Entrenador de la cantera del Estudiantes.
Traducción: Antonio Gude

Título original: *Basketball. Steps to Success*
Publicado por primera vez en EE.UU. por Human Kinetics Publishers, Inc.

Marqués de Urquijo, 34. 28008 Madrid
Telf.: 91 559 98 32. Fax: 91 541 02 35
E-mail: info@edicionestutor.com
www.edicionestutor.com

Diseño de cubierta: Keith Blomberg
Fotografía de cubierta: Andrew D. Bernstein/NBAE/Getty Images
Ilustrador: Roberto Sabas

ISBN 13: 978-84-7902-671-4
ISBN 10: 84-7902-671-5
Depósito legal: M-36486-2007
Impreso en BROSMAC, S. L.
Impreso en España – *Printed in Spain*

Dedicado a

David M. Wissel

1967 - 2000

El carácter afable y cariñoso de David llegaba a quienes lo conocían. David tenía tendencia a sonreír, sabía hacerte reír, sabía escuchar y apreciar las cualidades de los demás.

La Fundación David M. Wissel para jóvenes ha sido creada en homenaje a su amor por los niños y para conceder oportunidades a los jóvenes sin recursos, con el fin de ocuparse de su formación y desarrollo.

David M. Wissel Youth Foundation
955 Russell Avenue, Suffield CT 06078 (EEUU)
www.highgoals.com

Sumario

Cómo dar, en baloncesto, los pasos para alcanzar el éxito

El baloncesto es un deporte colectivo en el cual se ayuda al equipo mediante una mejora en las cualidades individuales. Requiere la integración del talento individual en el juego colectivo. También implica la correcta ejecución de los fundamentos técnicos que, una vez asimilados, deben integrarse en el juego de conjunto. Los ejercicios de baloncesto inculcan confianza, trasladan la eficiencia del jugador a las situaciones de partido y contribuyen al disfrute general a largo plazo.

Sea cual sea la talla, forma física o talento, el éxito de un jugador profesional de baloncesto vendrá, determinado por su capacidad para ejecutar los fundamentos técnicos de forma eficiente. Entre ellos se encuentran el juego de pies, el tiro, la recepción y el pase, el bote, el rebote, los movimientos con y sin balón, y la defensa.

Aunque este libro pretende ser un medio auxiliar para instructores, entrenadores y padres, está dirigido, sobre todo, al jugador. Los jugadores amantes del baloncesto siempre buscan la forma de mejorar sus cualidades. Este libro se centra en el desarrollo de esas virtudes personales y su integración en el juego de equipo, a través de ejercicios individuales, en pequeños grupos y en equipo. La práctica disciplinada de los principios descritos en la obra mejorará su destreza general y reforzará la confianza en su juego.

Muchos jugadores jóvenes se sienten frustrados cuando ven que no adquieren la suficiente destreza en el tiro, o no dominan el control de balón. La confianza en los fundamentos atacantes debe cimentarse desde muy pronto, porque dominarlos requiere más tiempo que los relativos al juego sin balón. El alto nivel de los jugadores profesionales se debe tanto a la competición, como al entrenamiento individual. La lucha competitiva permite al jugador fuerte mejorar su nivel, además de indicarle los puntos débiles de su juego que debe corregir. Los jugadores de nivel medio practican aquello que hacen bien. Los jugadores excepcionales practican sus puntos para convertirlos en puntos fuertes. Si tiene problemas con el tiro, entrénese para lanzar correctamente. Si tiene problemas para botar con su mano *mala*, practique con esa mano. De ese modo, no sólo mejorará sus cualidades, sino que también reforzará la confianza en sí mismo.

El éxito consiste en confiar en uno mismo. Aunque la confianza aumenta con el éxito, sólo se consigue a base de entrenamiento. Se cree que la confianza en uno mismo está directamente relacionada con el talento natural. Sin embargo, es un error considerar que depende sólo del talento. En su carrera, un jugador deberá enfrentarse a otros con mayor talento, y a fin de adquirir la confianza necesaria para derrotarlos, debe creer que ha trabajado duro y está mejor preparado, sobre todo en determinadas destrezas.

Cada uno de los diez pasos que se desarrollan en este libro le permite acceder al siguiente nivel de destreza. Los primeros pasos aportan una sólida base de los conceptos y fundamentos técnicos. Mientras practica cada destreza fundamental, su progreso le permitirá conectar unas con otras. Entrenar las combinaciones habituales de baloncesto le reportará la experiencia que necesita para tomar en la cancha decisiones rápidas e inteligentes. Aprenderá a realizar las jugadas correctas en las distintas situaciones de partido. A medida que se vaya acercando al último paso, habrá adquirido mayor confianza en su juego y una mejor comunicación con sus compañeros de equipo.

Siga la misma secuencia en cada paso:

1. Lea la explicación del paso, porqué es importante, y cómo ejecutarlo.
2. Siga las figuras y su descripción.
3. Repase y corrija los pasos mal realizados, que denotan errores habituales.
4. Realice los ejercicios que siguen a las instrucciones; de este modo puede consultar fácilmente éstas, en caso de que tenga problemas con el ejercicio.

Una vez que confíe en su capacidad para ejecutar el paso, búsquese un observador cualificado, como un entrenador, un instructor o un jugador de buen nivel, para que evalúe su técnica. Esta evaluación subjetiva de su capacidad le ayudará a identificar eventuales puntos débiles, antes de dar el siguiente paso.

Agradecimientos

Como en todo proyecto de esta magnitud, mucha gente ha contribuido a su feliz realización. Me gustaría agradecer a Human Kinetics la oportunidad que me ha brindado de compartir mis experiencias en baloncesto. De modo especial, mi sincero agradecimiento a la Dra. Judy Patterson Wright, editora de la primera edición de este libro, así como a Cynthia McEntire, editora de la segunda edición, cuya paciencia, sugerencias y buen humor me ayudaron a perseverar en la escritura de la obra. Gracias también a Roberto Sabas, autor de las ilustraciones. Gracias igualmente a los modelos de las fotos empleadas para ilustrar la primera edición, estudiantes y atletas del Lafayette College: Keith Brazzo, Charles Dodge, Elliot Fontaine, Ross Gay, Stephanie Hayes, Jon Norton, Nuno Santo, Christine Sieling y Leslie Yuen.

Este libro se basa no sólo en mis experiencias como entrenador, sino también en mi estudio de publicaciones sobre la práctica y entrenamiento del baloncesto, así como en las asistencias a numerosos *clinics*, y debates con entrenadores y jugadores acerca del baloncesto.

Me gustaría expresar mi sincero aprecio a Paul Ryan, mi entrenador de la escuela superior; al Dr. Edward S. Steitz, mi mentor en el college, asesor y entrenador, quien me dio la primera oportunidad de entrenar a nivel de college; a Hubie Brown, Mike Dunleavy, Frank Hamblen, Del Harris, Frank Layden y Lee Rose, destacados entrenadores que me dieron la oportunidad de trabajar en la National Basketball Association (NBA); a mis leales y dedicados entrenadores asistentes Wes Aldrich, Ralph Arletta, P. J. Carlesimo, Tim Cohane, Seth Hicks, Kevin McGinniss, Scott Pospichal, Joe Servon, Sam Tolkoff y Drew Tucker; a Hank Slider, gran profesor que contribuyó enormemente a enriquecer mis conocimientos y comprensión del tiro; y a Stan Kellner, entrenador, autor y ponente en *clinics*, que estimuló mi interés por la investigación y la psicología deportiva.

Gracias igualmente a los muchos jugadores a quienes he tenido el privilegio de enseñar y entrenar, y que siguen siendo para mí una fuente de inspiración.

Gracias, por último, a mi esposa Trudy, y a nuestros hijos Steve, Scott, David, Paul y Sharon, por escuchar mis ideas, leer mis textos, cuestionar los métodos descritos, prestarse como sujetos para las fotos de las ilustraciones y, sobre todo, por su amor, comprensión e inspiración.

El deporte del baloncesto

El baloncesto fue inventado en diciembre de 1891 por el Dr. James Naismith, miembro facultativo de la Escuela Internacional de Entrenamiento YMCA (actualmente conocida como Springfield College), en Springfield, Massachusetts. Naismith concibió el baloncesto en cumplimiento de una misión que le encomendó el Dr. Luther Gulick, director del departamento de educación física, quien le pidió a Naismith que imaginase un deporte de competición como el fútbol americano o el lacrosse, que se pudiese jugar en pista cubierta durante los fríos meses del invierno. El baloncesto inmediatamente se hizo popular y rápidamente se difundió a nivel nacional e internacional, gracias a los viajes de los graduados en la escuela de entrenamiento YMCA.

La competición entre colleges se fue expandiendo a lo largo del siglo XX. El Torneo Nacional por invitación (primer torneo nacional colegiado) se inició en 1938, y el torneo de la National Collegiate Athletic Association (NCAA) se inició en 1939. Las ligas profesionales se fundaron ya en 1906. La National Basketball Association (NBA), la más importante de esas ligas, se creó en 1946. El baloncesto se convirtió en deporte olímpico en 1936.

Hoy el baloncesto es el deporte de más rápido crecimiento en el mundo, por muchas razones. En primer lugar, el baloncesto es un deporte que ejerce mucha atracción sobre el espectador, es decir, es un deporte especialmente telegénico. La retransmisión de los partidos de la NBA llega a todo el mundo, y la de los partidos de la liga universitaria (tanto masculinos como femeninos) se difunde en todo el ámbito nacional, y ha influido en la decisión de muchos jóvenes de dedicarse a este deporte.

La naturaleza del deporte hace que la gente se implique. Aunque el baloncesto fue inventado como deporte de pista cubierta, actualmente se juega tanto en pista cubierta como al aire libre en todas las épocas del año. Casi un 40% del juego lo practican aficionados al aire libre, de forma no organizada.

El baloncesto es un deporte para todos. Aunque se trata de una actividad para jóvenes, con chicos varones por debajo de los veinte años en su mayoría, lo practican personas de ambos sexos de todas las edades y hasta discapacitados físicos, muchos de ellos en silla de ruedas. Aunque una buena estatura ayuda, también ofrece amplias oportunidades a jugadores de baja estatura, pero hábiles. Por otro lado, la participación de jugadores masculinos y femeninos de mayor edad está aumentando. En el baloncesto universitario juegan más chicas que en ningún otro deporte, y las peñas femeninas de hinchas están creando cadenas que seguirán ampliando la participación femenina.

El crecimiento internacional del baloncesto ha dado lugar a una mayor emoción y participación competitiva. La inclusión de jugadores de la NBA en los Juegos Olímpicos de 1992 ejerció un tremendo impacto sobre la popularidad del baloncesto, un deporte que ya estaba siendo practicado a lo largo y ancho del mundo. Actualmente, hay más de 200 países con federación nacional de baloncesto.

La competición de baloncesto es única porque, a diferencia de otros deportes, puede modificarse fácilmente para acomodar a grupos más pequeños, por diferente nivel de habilidad o diferente tipo de jugadores. Aunque la mayor parte de las competiciones de baloncesto organizadas están formadas por equipos de cinco jugadores, competiciones no organizadas de baloncesto pueden formarse desde cinco contra cinco en plena pista, hasta equipos de dos o tres jugadores en media pista, o incluso de uno contra uno. El auge de los torneos de baloncesto de tres-contra-tres ha sido particularmente rápido. La NBA es el paladín de este tipo de competiciones, con su patrocinio de torneos específicos en más de 60 países. Por otra parte, los concursos individuales de tiros libres y otro tipo de tiros están siendo promovidos por escuelas, clubes y otras organizaciones cada vez más numerosas.

Por último, el baloncesto puede practicarse en solitario. Lo único que se necesita es un balón, una canasta, un espacio reducido (como un patio casero) y la imaginación para acceder a una experiencia competitiva con la que otros deportes, sencillamente, no pueden competir.

EQUIPAMIENTO Y NECESIDADES

Las zapatillas específicas de baloncesto son necesarias para evolucionar en la cancha. Pantalones deportivos, camisetas o T-shirts y calcetines blancos también son recomendables. Puede llevar rodilleras flexibles para proteger sus rodillas y codos, y gafas especiales para proteger los ojos. Está prohibido llevar cualquier tipo de joyas.

El balón oficial de baloncesto es de color anaranjado. La circunferencia del balón para hombres debe tener un máximo de 76,2 cm y un mínimo de 74,9 cm. El balón femenino ha de tener un máximo de 73,7 cm y un mínimo de 72,4 cm.

El tablero es un rectángulo plano, que mide 1,83 m de largo (horizontal) y entre 1,06 y 1,22 m de alto (vertical), en cuyo centro se encuentra el aro, con la línea de fondo alineada con el aro.

La canasta tiene 45,7 cm de diámetro interior y está unida al tablero con su borde superior a una distancia de 3,048 m del suelo de la cancha y con su extremo más próximo a 15,2 cm del tablero.

La pista de juego es una superficie rectangular de 15,2 x 28,5 m (en las ligas universitarias, el largo suele ser de 25,6 m). Las marcas que señalan las áreas específicas de la cancha se muestran en la figura 1.

Hay zonas de la cancha que tienen nombres específicos. Las líneas que señalan el límite de la pista en sentido longitudinal se denominan líneas laterales, y las que señalan el final de la pista (a ambos lados) se llaman líneas de fondo. La línea que marca la división de la pista en dos mitades iguales recibe el nombre de línea central. El campo de un equipo se refiere a la mitad de la cancha entre su línea de fondo y la línea central.

Hay tres círculos en la cancha: dos de ellos indican las respectivas zonas de tiros libres (uno en cada extremo) y un círculo central. La zona de tiros libres se encuentra a 4,60 m del tablero, que bisecciona cada círculo de tiros libres. Las líneas de los extremos de la línea de tiros libres hasta la línea de fondo se llaman líneas de zona. Junto con la línea de tiros libres y la línea de fondo, las líneas de zona marcan un área llamada zona de tiros libres o zona. Las marcas adicionales a cada lado de las líneas de zona se denominan bloques.

En las pistas de college y universitarias, la línea de tres puntos se marca a 6,01 m de la canasta. En las pistas de la NBA está situada a 7,24 m.

REGLAS DEL JUEGO

El baloncesto se juega en una pista entre dos equipos de cinco jugadores. El objetivo de cada equipo es anotar puntos introduciendo el balón en la canasta contraria e impidiendo que el otro equipo lo introduzca en la suya. El balón sólo puede avanzarse pasándolo con las manos o botando en el piso, una o varias veces, antes de tocarlo simultáneamente con ambas manos. Entre las figuras fundamentales del baloncesto se cuentan el juego de pies, el tiro, el pase, la

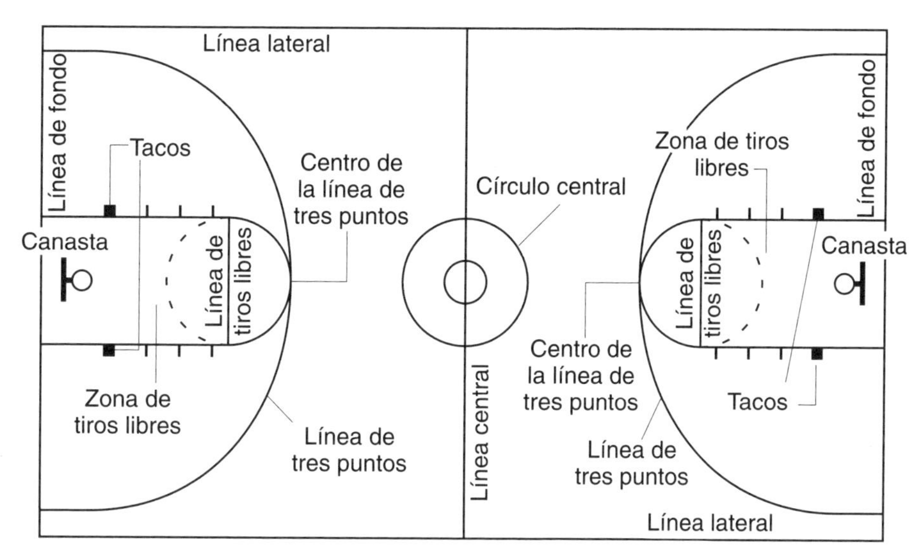

Figura 1 La cancha de baloncesto.

recepción, el botado, el rebote, los movimientos con y sin balón y la defensa.

Aunque los jugadores pueden ocupar cualquier posición, las posiciones más habituales son el número uno o base (el jugador más hábil con el balón), el número dos o escolta (el mejor tirador exterior), el número tres o alero (un jugador versátil, tanto en juego interior como exterior), el número cuatro o ala pívot (un fuerte reboteador) y el número cinco (un pívot anotador, reboteador y taponador).

Actualmente, hay varios reglamentos de baloncesto en todo el mundo. El reglamento internacional para la competición entre países está fijado por la Federación Internacional de Baloncesto (FIBA). En Estados Unidos, los jugadores profesionales siguen el reglamento de la National Basketball Association (NBA). El baloncesto universitario (masculino y femenino) se juega bajo diferentes reglas, establecidas por la Federación Nacional de las State High School Associations. En años recientes, se ha producido un movimiento que propugna la unificación de estos reglamentos. Las diferencias, sin embargo, subsisten, sobre todo en términos de longitud, distancia y tiempo, más que en contenido y sustancia. Para estimular el disfrute y desarrollo de los niños, se han creado reglas modificadas, que fundamentalmente afectan al tamaño del balón, canastas más bajas y canchas más reducidas.

Una canasta desde más allá de la línea de tres puntos vale 3 puntos. Cualquier otra canasta vale 2 puntos, y un tiro libre vale 1 punto.

Los partidos profesionales (FIBA) constan de cuatro tiempos de 10 minutos cada uno. Los partidos de la NBA duran cuatro cuartos de 12 minutos cada uno. Los del campeonato universitario en EE.UU. tienen dos tiempos de 20 minutos cada uno. Los torneos de las *High Schools* en EE.UU. constan de cuatro tiempos de 8 minutos cada uno. La duración de las competiciones jóvenes se ajusta en función de la edad de los jugadores.

El cronómetro del partido se detiene entre cada tiempo (cuarto o mitad), durante los tiempos muertos, cuando el balón sale de los límites de la pista y durante el lanzamiento de los tiros libres. La bocina varía de tamaño, según la competición sea profesional, internacional, universitaria (masculina o femenina) o de *high school*.

Faltas

La misión de los árbitros es señalar las faltas, con el fin de que ningún equipo pueda aprovecharse de un juego irregular. Las faltas acarrean penalizaciones. En el baloncesto profesional (FIBA) y en el universitario, el jugador que comete cinco faltas personales es expulsado del partido. (En la NBA los jugadores pueden cometer hasta seis faltas personales.)

Un jugador al que se le ha hecho falta en el momento de lanzar a canasta puede lanzar tiros libres: dos, si el jugador estaba lanzando desde dentro de la línea de tiros libres, y tres, si intentaba un lanzamiento desde más allá de esa línea. Cuando a un jugador se le hace falta en una situación distinta a la de lanzamiento, el equipo de ese jugador recibe el balón en la línea lateral. Cuando un equipo comete un número mayor de faltas que las especificadas en un cuarto (o mitad), el equipo contrario puede lanzar tiros libres, incluso en aquellas faltas en las que no interviene un lanzamiento. He aquí algunas de esas faltas:

- Bloquear, empujar, cargar, zancadillear o impedir que un contrario progrese, extendiendo una parte del cuerpo a una posición distinta de la normal, o utilizando algún tipo de táctica dura.
- Utilizar las manos sobre un rival de tal forma que inhiban la libertad de movimientos o actos del contrario, como ayuda para frenar.
- Extender total o parcialmente los brazos, de forma no vertical, para obstaculizar la libertad de acción de un contrario.
- Recurrir a un bloqueo ilegal al seguir moviéndose cuando un contrario establece contacto.

Violación de las reglas

Las violaciones de las reglas por retención de balón y de tiempo conceden posesión de balón a la defensa. Las que siguen son algunas de las violaciones más frecuentes en el manejo de balón:

- Fuera: cuando el balón sale de los límites de la cancha.
- Campo atrás: cuando el balón regresa al propio campo, una vez que ya ha cruzado la línea central, sin que la defensa lo haya tocado
- Pasos: cuando un jugador da más de un paso antes de iniciar un bote o da dos o más pasos antes de lanzar un pase o un tiro.
- Dobles: volver a botar después de haber parado de botar o botar simultáneamente con ambas manos.
- Carga: hacer caer o empujar a un defensor estático.

He aquí algunas violaciones corrientes de tiempo:

- Cinco segundos: cuando un equipo no pone el balón en juego cinco segundos después de una canasta, o después de que un árbitro haya entregado el balón a un jugador.
- Diez segundos en campo propio: cuando un equipo invierte 10 segundos o más en atravesar con el balón la línea central.
- Tres segundos en zona: cuando un jugador atacante permanece tres o más segundos en la zona contraria sin que ningún jugador de su equipo lance a canasta.

CALENTAMIENTO Y ENFRIAMIENTO

Preparar el cuerpo para la práctica de baloncesto en un partido supone dos fases: un calentamiento de cinco minutos para incrementar el ritmo cardíaco, y los ejercicios de calentamiento propiamente dichos.

La primera fase de preparación para la intensa actividad del baloncesto consiste en calentar durante cinco minutos, a base de juego de pies ofensivo y defensivo. Esto incrementará la circulación de la sangre y preparará gradualmente el cuerpo para las demandas del baloncesto. Elija actividades de calentamiento como trote, cambio de ritmo y dirección, pequeños sprints, y movimientos defensivos. Recorra la cancha en sentido longitudinal (de una a otra línea de fondo), utilizando un tercio (por ejemplo: de zona a zona). He aquí algunos ejercicios de calentamiento con juego de pies ofensivo:

- Trote: Corra a ritmo lento de una a otra línea de fondo y regrese. Dos recorridos de ida y vuelta al menos.
- Esprintar: Corra media pista, cambie el ritmo al trote, y continúe hasta la línea de fondo opuesta. Regrese del mismo modo.
- Cambio de ritmo: Corra desde una a otra línea de fondo con, al menos, tres cambios rápidos de ritmo, de sprint a trote, y de trote a sprint. Regrese del mismo modo.
- Cambio de dirección: Corra desde una a otra línea de fondo, cambiando de dirección. Comience con una postura ofensiva, con su pie izquierdo tocando la intersección de la línea de fondo y la línea de zona a su izquierda. Corra en diagonal en un ángulo de 45 grados, con la zona a su derecha. Realice un brusco cambio de dirección de 90 grados, de derecha a izquierda y corra en diagonal hacia una zona imaginaria extendida a su izquierda. Realice ahora un brusco cambio de dirección de 90 grados, de izquierda a derecha. Continúe de esta forma hasta la línea de fondo opuesta. Regrese del mismo modo.
- Paradas en dos tiempos: Corra hacia la línea de fondo opuesta, realizando, mientras corre, cuatro veces paradas en dos tiempos. Alterne el pie en que descansa en cada una de estas paradas. En una parada descanse primero sobre su pie izquierdo, y en la siguiente des-

canse primero en su pie derecho. Regrese del mismo modo.

El juego de pies defensivo también requiere buenos ejercicios de calentamiento. En cada ejercicio, comience de espaldas a la canasta lejana, en postura defensiva, con un pie adelantado, tocando la línea de fondo, y el otro pie extendido, directamente detrás. He aquí algunos ejercicios recomendables, inspirados en el calentamiento defensivo:

- Zigzag. Realice pasos defensivos de retroceso, moviéndose en diagonal, hasta que su pie trasero toque la línea lateral más próxima a la zona. Retroceda rápidamente un paso con su pie débil y dé pasos de retroceso en diagonal, hasta que su pie trasero toque la línea imaginaria más próxima a la zona ampliada o línea lateral. Continúe cambiando de dirección hacia cada línea de zona imaginaria ampliada o línea lateral, mientras llega hasta la línea de fondo opuesta. Regrese del mismo modo.
- Presión defensiva y retroceso. Practique la presión defensiva y los pasos de retroceso hasta que su pie trasero toque la línea central. Retroceda rápidamente un paso con el otro pie, y siga hacia atrás hasta la línea de fondo, dando pasos de presión y retroceso, hasta que su pie trasero toque la línea de fondo. Cambie los pasos de presión y retroceso durante la retirada. Regrese del mismo modo.
- Reverso y giro. Retroceda con pasos de presión defensiva y retroceso. Imagine que un bote golpea en su pie débil y debe recuperarse mediante un reverso y giro. Reverso hacia el lado de su pie, manteniendo la vista en el bote imaginario, y dé al menos tres pasos antes de asumir una posición defensiva con su pie débil inicial. Desde la línea de fondo hasta la línea central haga dos reversos y giros, comenzando con el pie izquierdo adelantado. Desde la línea central hasta la línea de fondo opuesta, haga dos reversos y giros comenzando con el pie derecho adelantado. Regrese del mismo modo.

La segunda fase del calentamiento comprende ejercicios específicos de baloncesto. El calentamiento con balón descrito en el segundo paso (página 40) y los ejercicios con doble bote de balón, descritos en el tercer paso (página 61) son excelentes ejercicios de calentamiento para todo el cuerpo. También permiten mejorar el manejo del balón y el bote y aumentar la propia confianza. El cuarto paso describe varios ejercicios de calentamiento para el tiro. El calentamiento con tiro de gancho y ejercicios alternativos para el tiro de gancho son excelentes para distender los hombros y para mejorar los lanzamientos de gancho, tanto con la mano buena como con la mala. Los tiros de calentamiento, además de ayudarle a calentarse, mejoran su mecánica de tiro, el ritmo y la confianza. El entrenamiento a base de salto vertical con un pie, descrito en el primer paso, y el pase a *toss-back*, descrito en el segundo paso, también constituyen un excelente ejercicio de calentamiento que contribuye a mejorar su destreza y su confianza.

Al finalizar la práctica de baloncesto, tómese unos cinco minutos de enfriamiento. Es un momento excelente para realizar estiramientos, porque sus músculos están calientes. Elija al menos un estiramiento para cada parte del cuerpo.

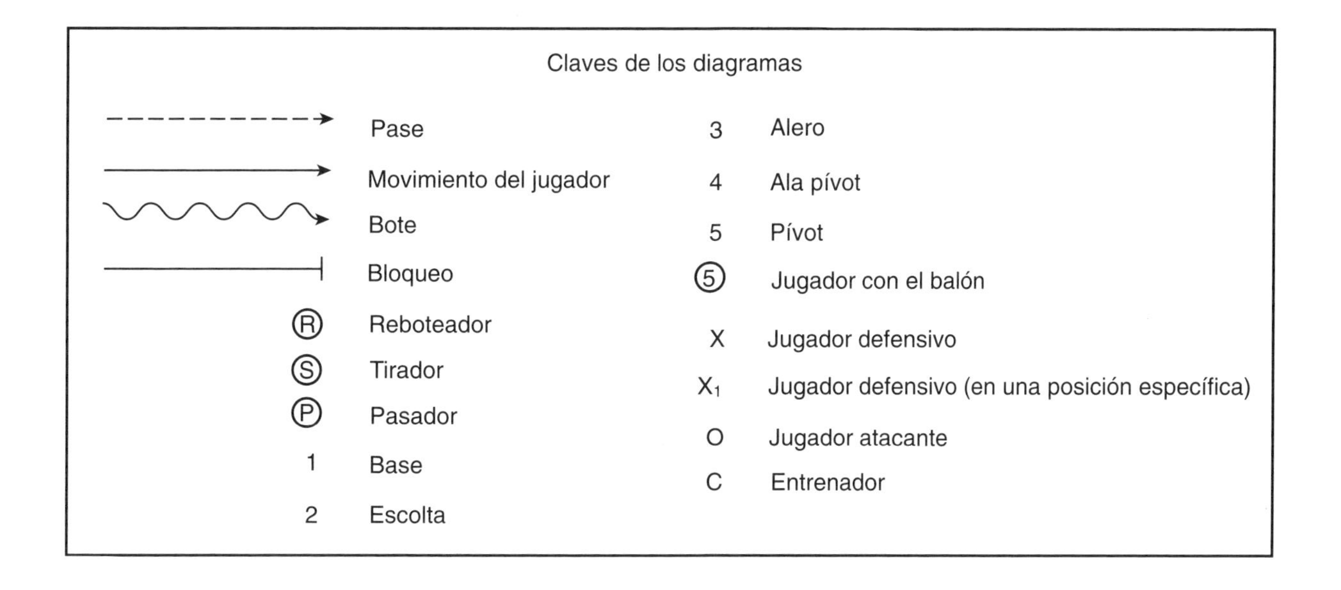

1.er PASO

Equilibrio y rapidez

Aunque el baloncesto es un deporte de equipo, la ejecución individual de los fundamentos técnicos es esencial para que los jugadores funcionen como un equipo. El tiro, el pase, el bote, el rebote, la defensa, y los movimientos con y sin balón son las destrezas fundamentales que el jugador debe dominar.

Los requisitos previos para una correcta ejecución de cada uno de estas destrezas son *equilibrio* y *rapidez*. Normalmente, se asocia la altura al éxito en baloncesto, pero el equilibrio y la rapidez son los atributos físicos más importantes que puede tener un jugador. Mientras la altura no puede incrementarse, sí es posible mejorar con la práctica el equilibrio y la rapidez.

Por equilibrio se entiende que su cuerpo está controlado y dispuesto para realizar movimientos rápidos. La rapidez sólo es un triunfo si puede realizarse de forma adecuada. El apresuramiento o la precipitación es algo muy distinto de la rapidez. Si se apresura, actuando con precipitación o con excesiva rapidez, es muy probable que cometa errores. El apresuramiento refleja un déficit de equilibrio o control emocional, además de físico.

Cuando decimos rapidez nos referimos a velocidad de movimientos al ejecutar una destreza, no sólo a velocidad al correr. La rapidez se refiere al fundamento que está siendo ejecutado, como un movimiento rápido de sus pies en defensa, el salto rápido a por un rebote, o un pase o lanzamiento rápido.

Rapidez y equilibrio están estrechamente relacionados con el juego de pies, fundamental en todos los elementos del baloncesto. Estar listo para arrancar, frenar y moverse en cualquier dirección, con rapidez y equilibrio, requiere un buen juego de pies. Así pues, desarrollarlo sienta las bases; emplear un efectivo juego de pies le permite mantener a su cuerpo bajo control, de forma que pueda moverse justo a tiempo y con rapidez.

Un buen juego de pies es importante tanto en ataque como en defensa. El jugador atacante tiene la ventaja sobre el defensor de saber qué jugada va a realizar y cuándo. El juego de pies ofensivo se utiliza para engañar al defensor, hacer que éste pierda el equilibrio, superar bloqueos, abrirse paso hacia canasta, impedir cargar a un defensor y eludir un bloqueo al saltar por un rebote ofensivo.

Desarrollar un buen juego de pies es especialmente importante en defensa. Puede tratar de prever las jugadas, pero nunca podrá estar seguro de qué hará el atacante. Gran parte del éxito defensivo depende, por tanto, de la capacidad para reaccionar al instante, sea cual sea la dirección en que se mueva su oponente, lo que requiere ejecutar un juego de pies defensivo con rapidez y equilibrio. Un buen juego de pies puede obligar al oponente a reaccionar, permitiéndole rechazar la acción ofensiva de su contrario, forzar tiros de bajo porcentaje o pérdidas de balón.

Puede que se pregunte hasta qué punto puede mejorar su rapidez natural. La rapidez viene determinada en buena medida por la genética. Pero una vez entendida la mecánica básica del juego de pies, sin duda puede mejorar su rapidez, trabajándola.

El juego de pies es la base para ejecutar todos y cada uno de los fundamentos técnicos del baloncesto con equilibrio y rapidez. Pídale a un experto –su entrenador, un instructor o un buen jugador– que observe su juego de pies ofensivo y defensivo. El observador puede utilizar los movimientos de las figuras 1.1 a 1.10 para evaluar su actuación y aportarle unos comentarios constructivos.

Algunos observadores han dicho que Michael Jordan nació con una gran habilidad natural y que los jóvenes jugadores no pueden esperar desarrollar su rapidez y su capacidad de salto. Este tipo de comentario ignora que, aunque Jordan estaba naturalmente dotado, también es cierto que trabajó muy duro para mejorar cada faceta de su juego. Otros jugadores de la NBA, con dotes naturales, capaces de hazañas igualmente asombrosas, sencillamente carecen de la ética de trabajo de Jordan, que obtenía una felicidad innata del hecho mismo de jugar y estaba tan obsesionado con ganar que constantemente se exigía entrenar más que nadie. Jordan no sólo está considerado el jugador más grande de todos los tiempos, sino que también está considerado el jugador mejor entrenado de todos los tiempos, de modo que puede constituir un modelo para todos aquellos que deseamos extraer lo mejor de nosotros mismos.

POSTURA EQUILIBRADA

Una postura ofensiva bien equilibrada le permitirá moverse rápidamente, cambiar de dirección, pararse de forma controlada y saltar. En su postura ofensiva, la cabeza debe estar bien elevada sobre el cuello y la espalda debe estar recta. Las manos deben situarse por encima del cuello con los codos flexionados, y los brazos ceñidos al cuerpo. Los pies deben estar separados, al menos, a la misma distancia de los hombros, y el peso del cuerpo distribuido por igual sobre la parte delantera o punta de ambos pies. Las rodillas deben estar flexionadas de forma que esté listo para moverse (figura 1.1a).

En defensa debe poder moverse en cualquier dirección y cambiar de dirección, manteniendo siempre el equilibrio. El requisito previo es una postura bien equilibrada. La postura defensiva se parece a la postura ofensiva: cabeza erguida sobre el cuello, espalda recta, pecho fuera, pero los pies deben estar separados a una mayor distancia que la de sus hombros, y escalonados de forma que un pie esté situado delante del otro (figura 1.1b). Tener la cabeza bien erguida sobre el cuello le ayuda a mantener el centro de gravedad cerca de la base. Distribuya el peso del cuerpo por igual sobre las puntas de los pies, y flexione las rodillas de forma que su cuerpo esté un poco bajo, listo para reaccionar en cualquier dirección.

En la postura defensiva básica, en la que los pies están escalonados uno enfrente de otro, al pie frontal se le llama pie débil. Esta postura hace que resulte fácil retroceder en dirección al pie trasero. Retroceder sólo requiere un breve paso del pie trasero al comenzar a moverse. Retroceder en la dirección del pie débil es mucho más difícil, puesto que requiere un vigoroso giro (reverso) con el pie débil, a la vez que se pivota sobre el pie trasero al iniciar el movimiento.

Proteja su pie débil al adoptar la postura defensiva básica. Sitúe el pie débil a un lado del cuerpo de su oponente y sitúe el pie trasero en línea con el eje del cuerpo de su oponente. Esta posición protege la debilidad de su pie y también produce la impresión de una apertura hacia el pie izquierdo, reforzando así la postura defensiva.

Hay tres posiciones defensivas básicas de las manos. En la primera, una mano se mantiene adelantada en relación con el pie débil, para presionar al tirador, mientras que la otra se sitúa en el lado opuesto para proteger eventuales pases. En la segunda posición defensiva básica, ambas manos se sitúan al nivel del cuello, con las palmas hacia arriba, para presionar al contrario. Esta posición le permite dar un manotazo al balón con la mano más próxima en la dirección en que su oponente lo conduce.

En la tercera posición básica de manos, ambas manos se mantienen por encima de los hombros (figura 1.1b). Esta posición más elevada hace que los globos o los pases picados sean más fáciles de interceptar, las manos están listas para bloquear tiros, y le preparan para rebotear a dos manos, además de prevenir que cometa faltas. Cuando ambas manos se encuentran por encima de los hombros, procure que no estén separadas de su cuerpo, lo que le haría perder el equilibrio. Flexione los codos para impedir que las manos se separen.

Al defender a un oponente que tiene el balón, debe dirigir la vista a la cadera de su oponente. Si el jugador atacante que está defendiendo no tiene el balón, una mano debería dirigirse hacia ese jugador y la otra hacia el balón.

Los errores en posturas ofensivas y defensivas varían según los jugadores. Los jugadores altos a menudo tienen mayores problemas con el equilibrio que otros más bajos. Es típico, por ejemplo, que un jugador alto no extienda ni flexione las rodillas lo bastante para mantener bajo su centro de gravedad. Para conservar el equilibrio en postura atacante, extienda sus pies a una distancia equivalente a la de los hombros y flexione las rodillas de forma que esté equilibrado y listo para moverse en cualquier dirección. Si cree que no protege su pie débil, en postura defensiva, corrija ese error situando el pie débil a un lado del cuerpo de su contrario y alineando el pie trasero con el centro del cuerpo del oponente. Si cree que es susceptible a las fintas de su contrario, asegúrese de mantener la vista dirigida a su cadera, no a su cabeza ni al balón.

Figura 1.1 Posturas bien equilibradas

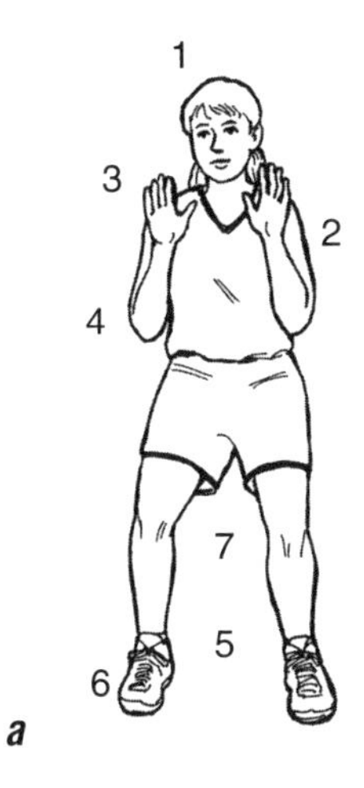

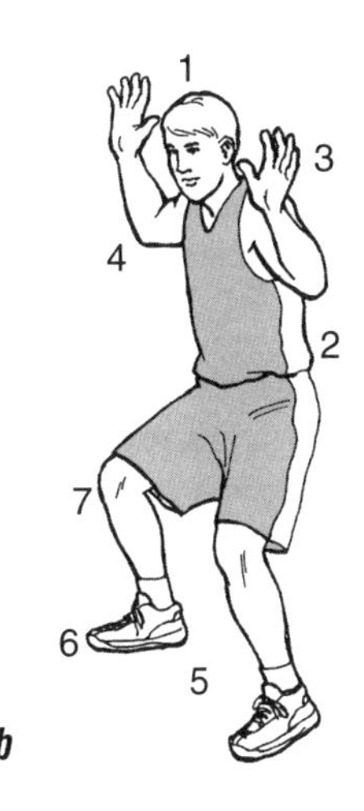

POSTURA OFENSIVA

1. Cabeza erguida para ver el aro y el balón.
2. Espalda recta.
3. Manos por encima del cuello.
4. Codos flexionados a la distancia de los hombros.
5. Pies escalonados a la distancia de los hombros.
6. Peso repartido por igual entre ambos pies, listo para moverse.
7. Rodillas flexionadas.

POSTURA DEFENSIVA

1. Cabeza erguida.
2. Espalda recta.
3. Manos por encima del hombro.
4. Codos flexionados.
5. Base amplia, peso repartido por igual sobre ambos pies.
6. Pies escalonados a la distancia de los hombros.
7. Rodillas flexionadas.

Error: postura ofensiva

Pierde el equilibrio en dirección delantera.

Corrección

Flexione las rodillas para descender el cuerpo, antes que inclinar el cuello, de modo que esté listo para retroceder con la misma rapidez con que puede moverse hacia delante.

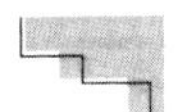

Error: postura defensiva

Su brazo está demasiado extendido, de modo que pierde el equilibrio en dirección a ese brazo.

Corrección

Mantenga la cabeza erguida, las manos por encima del nivel del cuello y los codos flexionados, con los brazos más pegados al cuerpo.

Ejercicio nº 1 de juego de pies

Postura

Adopte, en primer lugar, la postura ofensiva. Luego desplace su peso muy hacia atrás, sobre los talones. A continuación, curvando el cuello, inclínese muy hacia delante, con su peso hacia delante sobre los dedos de los pies. Ahora corrija la postura, situando la cabeza erguida, moviendo las manos hacia arriba y cerca de su cuerpo, repartiendo el peso por igual sobre las puntas de los pies, flexionando las rodillas y extendiendo sus pies al menos a la distancia de los hombros.

Para aumentar la dificultad

- Pídale a un compañero que trate de desequilibrarle hacia atrás, empujándole ligeramente por los hombros.
- Pídale a un compañero que trate de desequilibrarle hacia delante, agarrándole de una mano.

Prueba

- Mantenga la cabeza erguida para mantener su centro de gravedad.
- Mantenga los brazos ceñidos al cuerpo.
- Permanezca con las rodillas flexionadas, los pies separados a una distancia de, al menos, la de los hombros, y el peso repartido por igual sobre ambos pies.

Comprobación de resultados

Concédase 1 punto por cada elemento de la postura equilibrada que es capaz de ejecutar, hasta un total de 5 puntos:

Cabeza erguida sobre el cuello ____
Manos hacia arriba, ceñidas al cuerpo ____
Peso repartido por igual ____
Rodillas flexionadas ____
Pies separados al menos a la distancia de los hombros ____
Puntuación total ____

Si incrementa el grado de dificultad, concédase 1 punto cada vez que haya sido capaz de resistir las tentativas de compañero de desequilibrarlo. Trate de completar tres ciclos consecutivos de la postura ofensiva, sin que su compañero consiga alterar su equilibrio, empujándolo o tirando de su mano.

Puntuación total ____

Ejercicio nº 2 de juego de pies

Pataleo explosivo

Procúrese un compañero que le dé órdenes. A la orden de: "¡Postura!", adopte rápidamente la postura ofensiva. A la orden de: "¡Adelante!", mueva sus pies arriba y abajo tan rápidamente como pueda, manteniendo la postura correcta durante 10 segundos o hasta que oiga la orden: "¡Alto!". Haga tres repeticiones de 10 segundos cada una, con intervalos de 10 segundos de descanso.

Prueba

- Mantenga una correcta postura ofensiva.
- Mueva rápidamente los pies.
- Trate de pisar la cancha entre 40 y 50 veces en cada período de 10 segundos.

Comprobación de resultados

Concédase 5 puntos cada vez que sea capaz de pisar la cancha entre 40 y 50 veces, en un período de 10 segundos; 3 puntos cada vez que pise la cancha entre 30 y 39 veces en un período de 10 segundos y 1 punto cada vez que pise la cancha entre 20 y 29 veces en un período de 10 segundos. Menos de 20 veces no le reporta ningún punto.

Número de veces que pisó la tarima en el primer período de 10 segundos ____; puntos obtenidos ____

Número de veces que pisó la tarima en el segundo período de 10 segundos ____; puntos obtenidos ____

Número de veces que pisó la tarima en el tercer período de 10 segundos ____; puntos obtenidos ____

Puntuación total ____ (suma de los puntos obtenidos; máximo 15).

Ejercicio nº 3 de juego de pies

Saltar a la comba

Comience con una postura equilibrada, con las rodillas flexionadas y el peso sobre las puntas de los pies. Sostenga los cabos de la cuerda con las manos a ambos lados y al nivel de la cintura, con los codos ceñidos al cuerpo. Coloque la cuerda detrás de los pies y empiece a pasársela por encima de la cabeza, de detrás a delante. Salte por encima de la cuerda. Añada variedad brincando, saltando sobre un solo pie, cruzando los brazos y saltando hacia atrás.

La mejor forma de iniciar un programa de saltar a la comba es hacerlo durante 30 segundos, seguidos de otros 30 segundos de descanso. Limite el programa a cinco minutos, es decir, a un total de cinco series. A medida que progrese, puede saltar durante 60 segundos, seguidos de un descanso de 30 segundos tras cada serie. Una vez que haya progresado hasta poder saltar esas series de 60 segundos, puede pasar a la comprobación de resultados para determinar su destreza.

Para aumentar la dificultad

- Realice una serie de 60 segundos, seguida de un descanso de 30 segundos.

Para disminuir la dificultad

- Realice una serie de 30 segundos, seguida de un descanso de 30 y 90 segundos.

Prueba

- Mantenga una postura equilibrada.
- Mientras mueve la cuerda, mantenga los codos ceñidos al cuerpo.

Comprobación de resultados

Cuente el número máximo de saltos que realiza durante 60 segundos.

Menos de 20 saltos en 60 segundos = 0 puntos
Entre 20 y 29 saltos en 60 segundos = 2 puntos
Entre 30 y 39 saltos en 60 segundos = 4 puntos
Entre 40 y 49 saltos en 60 segundos = 6 puntos
Entre 50 y 59 saltos en 60 segundos = 8 puntos
60 saltos o más en 60 segundos = 10 puntos
Puntuación total ____

JUEGO DE PIES OFENSIVO

Moverse con y sin balón es importante para el ataque individual y de equipo. Como jugador atacante, tiene la ventaja sobre su defensor de saber qué jugada piensa realizar y también en qué momento. La clave consiste en moverse rápidamente con equilibrio. Una vez que desarrolle estas habilidades, el juego de pies y las fintas le permitirán mantener el equilibrio en sus intentos por esquivar al defensor, que tendrá dificultades para reaccionar al instante a sus jugadas. Moverse continuamente, con y sin balón, también requiere una óptima forma física para destacar en esta importante faceta del juego.

Necesita dominar ocho movimientos ofensivos básicos: cambio de ritmo, cambio de dirección, la parada en dos tiempos y la parada en salto, el giro frontal y el reverso, y los saltos sobre ambos pies y sobre uno solo.

Cambio de ritmo

El cambio de ritmo es una forma de modificar la velocidad de carrera para engañar y eludir al defensor. Este cambio consiste en correr a un ritmo más lento y luego otra vez rápido, sin alterar, en esencia, la forma básica de correr.

Mientras corre, mantenga la cabeza elevada, de manera que pueda ver el aro y el balón. Dé el primer paso con el pie trasero, de modo que supere al pie delantero. Corra sobre la punta de los pies, dirigiendo los dedos en la dirección a la que vaya a moverse. Avance ligeramente la parte superior del cuerpo y mueva los brazos hacia delante, en oposición a las piernas, manteniendo flexionados los codos. Extienda por completo su pierna de apoyo. Intente que, mientras avanza, la rodilla y el muslo elevados vayan en paralelo al suelo.

La efectividad del cambio de ritmo es directamente proporcional a la rapidez con la que cambia de dirección. Para ralentizar la velocidad, acorte el paso y disminuya la velocidad. Emplee menos fuerza para empujar su pie trasero. No extienda por completo la rodilla posterior. Para un mejor amago, evite inclinar la cabeza y retrasar los hombros cuando ralentiza el ritmo. Si tiene problemas para engañar a su defensor al pasar de ritmo rápido a lento, trate de impedir que la parte superior del cuerpo se incline hacia delante.

Para incrementar la velocidad, alargue el paso hasta el máximo y aumente la velocidad. Para acelerar rápidamente, tire con fuerza de su pie trasero. Al cambiar de ritmo, tendrá ventaja porque es *usted* quien decide cuándo cambiar la velocidad. Con un buen amago y un potente tirón del pie izquierdo, debería, al menos, ser un paso más rápido que su defensor inmediatamente después de cambiar a una velocidad más rápida.

Error

No es capaz de realizar una rápida transición de ritmo lento a rápido.

Corrección

Tire con fuerza de su pie trasero para acelerar rápidamente.

Cambio de dirección

El cambio de dirección se encuentra en la base de casi todos los fundamentos del baloncesto, pero es especialmente importante para abrirse y recibir un pase. Un cambio efectivo de dirección depende de cambiar bruscamente de una dirección a otra. Para ejecutar un cambio de dirección, debe dar el primer paso con un pie y luego con el otro sin cruzar ambos pies. Comience con un paso de tres cuartos, en lugar de un paso completo. En el primer paso, flexione la rodilla mientras apoya el pie con firmeza para frenar el impulso. Gire sobre la punta y empuje en la dirección que quiere tomar. Desplace su peso y dé un paso largo con el otro pie, dirigiendo los dedos en la nueva dirección. Tras el cambio de dirección, aproveche la ventaja de espacio para ofrecerse como objetivo de pase.

Aunque cambiar de dirección parece fácil, requiere una práctica consistente para ejecutarla de forma efectiva. Si encuentra problemas para enmascarar el cambio de dirección y ralentizar la velocidad con pasos pequeños, corra de forma normal y concéntrese en un movimiento de dos tiempos: al cambiar de derecha a izquierda, concéntrese en dos tiempos derecha-izquierda; al cambiar de izquierda a derecha, concéntrese en dos tiempos izquierda-derecha (figura 1.2).

Figura 1.2 Cambio de dirección

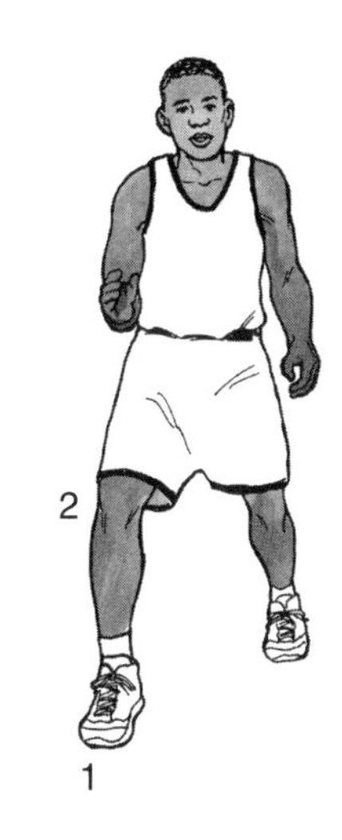

PRIMER PASO

1. Primer paso de tres cuartos.
2. Rodilla flexionada.

SEGUNDO PASO

1. Gire sobre la punta de los pies y empuje en la nueva dirección.
2. Desplace el peso.
3. Dé un segundo paso largo.
4. Apunte los dedos hacia la nueva dirección.
5. Mantenga la mano elevada como objetivo de pase.

Error

En lugar de girar bruscamente, gira en círculo.

Corrección

Dé un primer paso de tres cuartos y flexione la rodilla, de forma que pueda pivotar bruscamente y empujar en la dirección que quiere tomar. Luego desplace el peso y dé un segundo paso largo.

Parada

Es importante arrancar con rapidez, pero también lo es saber frenar rápidamente. Los jugadores inexpertos a menudo pierden el equilibrio al tratar de hacerlo. Conviene aprender dos formas de frenarse: la parada en dos tiempos y la parada en salto, que le ayudarán a detenerse de forma controlada.

En la parada en dos tiempos, el pie trasero es el primero en caer, seguido del otro pie. Si ejecuta el uno-dos mientras recibe un pase o en su último bote, el pie que para primero pasa a ser el pie de pivote. La parada en dos tiempos es útil cuando está corriendo demasiado rápido para recurrir a la parada en salto, cuando se encuentra fuera del perímetro de la canasta y, sobre todo, en una ruptura rápida.

Corra de forma normal. Para ejecutar la parada en dos tiempos (figura 1.3), primero dé un salto antes de la parada. Esto permite que la gravedad le ayude a ralentizar su movimiento. Luego salte en dirección opuesta. Caiga primero sobre el pie trasero y luego sobre el delantero. Caiga con una amplia base. Cuanto más amplia sea la base, más equilibrio tendrá. Flexione la rodilla izquierda para descender el cuerpo a una posición “asentada” sobre el talón del pie trasero. Cuanto más baje el cuerpo, mayor será el equilibrio. Mantenga la cabeza erguida.

Figura 1.3 Parada en dos tiempos

a

b

BRINQUE Y SALTE HACIA ATRÁS

1. Brinque antes de frenar.
2. Salte en dirección opuesta.

DESCIENDA CON EL UNO-DOS

1. Caiga primero sobre el pie trasero.
2. Después sobre el pie delantero.
3. Caiga sobre una base amplia.
4. "Asiéntese" sobre el talón trasero.
5. Mantenga la cabeza erguida.

Error

Pierde el equilibrio al avanzar, haciendo que su pie de pivote se arrastre.

Corrección

Brinque antes de frenar, permitiendo así que la gravedad le ayude a ralentizar el ritmo. Salte hacia atrás, cayendo primero sobre el pie izquierdo, y luego sobre el delantero. Descanse sobre una base amplia. "Asiéntese" sobre el talón de su pie trasero. Mantenga la cabeza erguida.

En la parada en salto, ambos pies caen simultáneamente. Cuando recibe el balón y cae con una parada en salto, puede utilizar cualquier pie como pie de pivote. La parada en salto es particularmente ventajosa cuando se mueve de forma controlada sin balón, y sobre todo cuando recibe un pase a espaldas de la canasta, en área del poste bajo (es decir, a menos de 2,5 m de canasta).

Figura 1.4 Parada en salto

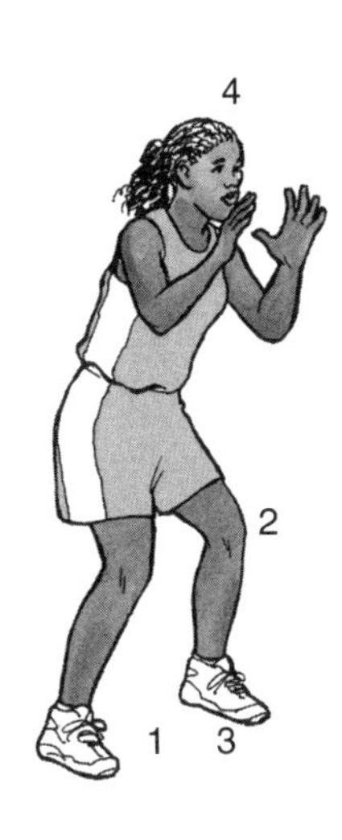

BRINCO

1. Brinque antes de frenar.
2. Mantenga los hombros hacia atrás.

CAER CON AMBOS PIES

1. Caer sobre ambos pies, a la distancia de los hombros.
2. Rodillas flexionadas.
3. Desplace el peso a los talones.
4. Mantenga la cabeza erguida.

Error

Un pie entra en contacto con el suelo antes que el otro.

Corrección

Brinque antes de frenar, salte hacia atrás, y mantenga sus pies separados a la distancia de los hombros, con las rodillas flexionadas.

Ejercicio nº 1 de juego de pies ofensivo — Parada en salto

Imagine que se encuentra en el poste bajo, de espaldas a canasta. Comience en una postura ofensiva equilibrada, en la línea de puntos de la zona de tres segundos, frente a la línea de tiro. Sus pies están paralelos y las manos por encima del cuello. Dé pasos cortos laterales hacia la línea ofensiva derecha y realice un salto equilibrado frenando fuera de la zona y por encima de la línea. De nuevo, con breves pasos laterales, regrese a la línea de puntos y realice allí una parada en salto. Ahora, desplácese a la línea ofensiva izquierda y realice una parada en salto, fuera de la zona y por encima de la línea. Siga realizando paradas en salto, yendo de la línea lateral a la línea de puntos, y de ésta a la primera.

Prueba

- Asegúrese de "caer" simultáneamente con ambos pies, completando una perfecta parada en equilibrio.
- Mantenga el equilibrio.
- Trate de ejecutar 10 buenas paradas en salto.

Comprobación de resultados

6 o menos buenas paradas en salto consecutivas = 1 punto
7 buenas paradas en salto consecutivas = 2 puntos
8 buenas paradas en salto consecutivas = 3 puntos
9 buenas paradas en salto consecutivas = 4 puntos
10 buenas paradas en salto consecutivas = 5 puntos
Puntuación total ___

Pivotar y girar

Cuando tenga posesión de balón, las reglas le permiten dar tantos pasos como necesite, en cualquier dirección, con un pie, mientras pivota (gira) sobre su otro pie. El pie sobre el que pivota, o gira, se llama pie de pivote. Una vez que establece su pie de pivote, no puede levantarlo antes de soltar el balón de su mano para botar. Al intentar un pase o un tiro, debe cargar sobre su pie de pivote mientras suelta el balón y antes de que su pie pivote vuelva a pisar el suelo.

Pivotar a menudo es una parte esencial de otro fundamento del baloncesto. Para pivotar bien, necesita una postura equilibrada: cabeza erguida, espalda recta y rodillas flexionadas. Mantenga el peso sobre la punta del pie de pivote y no sobre el talón.

Los dos pivotes básicos son el pivote hacia delante y el pivote hacia atrás. Se denominan giro frontal o pivote hacia delante, y giro en reverso o paso de retroceso. Es importante aprender estos dos pivotes, pues ambos se utilizan para conseguir una posición ventajosa sobre un adversario.

En el pivote hacia delante o giro frontal, el pecho abre camino. Manteniendo una postura equilibrada, aplique el peso sobre la punta de su pie de pivote y dé un paso adelante con el otro pie (figura 1.5a).

En el paso de retroceso o giro en reverso, es la espalda la que marca el camino. Manteniendo una postura equilibrada, aplique el peso sobre la punta de su pie pivote y retroceda con el otro pie (figura 1.5b).

Figura 1.5 Pivotar y girar

a

GIRO FRONTAL

1. Postura equilibrada.
2. Peso sobre la punta del pie pivote.
3. El pecho abre paso.
4. Pivotar sobre la punta del pie.
5. Paso adelante con el otro pie.

b

GIRO EN REVERSO (PASO DE RETROCESO)

1. Postura equilibrada.
2. Peso sobre la punta del pie pivote.
3. La espalda dirige.
4. Pivotar sobre la punta del pie.
5. Paso atrás con el otro pie.

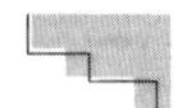

Error

Pierde el equilibrio y carga o arrastra su pie de pivote.

Corrección

Aplique el peso sobre la punta del pie de pivote, mientras mueve el otro pie y mantiene una postura equilibrada.

Ejercicio nº 2 de juego de pies ofensivo

Estos ejercicios le permiten practicar el juego de pies en ataque, como esprintar, cambio de ritmo, cambiar de dirección y la parada en dos tiempos. Utilizará un tercio del ancho de la pista, de la línea de zona a la línea lateral, mientras corre entre ambas líneas de fondo.

Para el sprint a media pista, comience en postura ofensiva, con sus pies tocando la línea de fondo. Esprinte hasta media pista, cambie a ritmo de trote y continúe hasta la línea de fondo opuesta. Regrese del mismo modo.

Para el cambio de ritmo a toda pista, comience en postura ofensiva, con los pies por detrás de la línea de fondo. Corra hasta la otra línea de fondo, cambiando de ritmo al menos tres veces, a trote y sprint. Regrese del mismo modo.

Para el cambio de dirección a toda pista, comience en postura ofensiva, con el pie izquierdo tocando la intersección de la línea de fondo y la línea de zona a su izquierda. Corra en diagonal, en ángulo de 45 grados, hasta la línea lateral de su derecha. Realice un brusco cambio de dirección de 90 grados, de derecha a izquierda, y corra en diagonal hacia la imaginaria línea de zona prolongada a su izquierda. Cambie de dirección, realizando un brusco giro de 90 grados, de izquierda a derecha. Continúe cambiando de dirección en cada línea lateral e imaginaria línea de zona, mientras avanza hacia la línea de fondo opuesta. Regrese del mismo modo.

En media pista y en toda la pista

En cuanto a la parada en dos tiempos en toda la pista, comience en postura ofensiva, con sus pies por detrás de la línea de fondo. Corra hacia la otra línea de fondo, realizando paradas en dos tiempos. Alterne el pie de caída en cada una de estas paradas. Caiga primero con el pie izquierdo, luego con el derecho en la siguiente parada. Regrese del mismo modo.

Prueba

- Trate de realizar dos recorridos completos de ida y vuelta de cada ejercicio.
- Adopte la postura y técnica adecuadas en cada caso.
- Muévase rápidamente, con pasos cortos y rápidos.

Comprobación de resultados

Concédase 5 puntos por realizar dos recorridos completos de cada ejercicio.

Número de recorridos completos del sprint a media pista ____; puntos obtenidos ____

Número de recorridos completos del cambio de ritmo a toda pista ____; puntos obtenidos ____

Número de recorridos completos del cambio de dirección a toda pista ____; puntos obtenidos ____

Número de recorridos completos de la parada en dos tiempos a toda pista ____; puntos obtenidos ____

Puntuación total ____ (de 20)

Saltar

Todo el mundo aprecia la importancia del salto en baloncesto, y más concretamente el papel que éste desempeña en el rebote, los tapones y el lanzamiento. Saltar es algo más que ganar altura. La rapidez y la frecuencia en el salto son más importantes que la altura. El impulso, el equilibrio en el aire y la caída sobre el suelo también son componentes importantes del salto.

Hay dos saltos básicos: el salto con dos pies y el salto con un pie. Utilice el salto con dos pies cuando no éste en movimiento, cuando sea importante caer con equilibrio (como en los tiros en suspensión) y para saltar después de un rebote u otro salto anterior. Comience en postura equilibrada: cabeza erguida, espalda recta, codos flexionados, los brazos ceñidos al cuerpo y el peso sobre las puntas de los pies. Antes de saltar, flexione las rodillas entre 60 y 90 grados, según la fuerza de las piernas. Si puede, dé un pequeño salto antes del "despegue". En el momento de saltar, impulse rápidamente y con fuerza ambos pies, extendiendo tobillos, rodillas y caderas.

La clave para conseguir la máxima altura es un arranque explosivo. Cuanto más rápido y con más potencia se impulse sobre el suelo, tanto más alto saltará. Levante ambos brazos en línea recta mientras salta. Para incrementar el alcance con una mano, extienda su otro brazo hacia abajo en el momento culminante del salto. Una acción gradual y fluida sin tensión se traduce en un mayor salto. "Aterrice" en el mismo punto sobre las puntas de los pies, con las rodillas flexionadas para volver a saltar o jugar (figura 1.6).

Figura 1.6 Salto con los dos pies

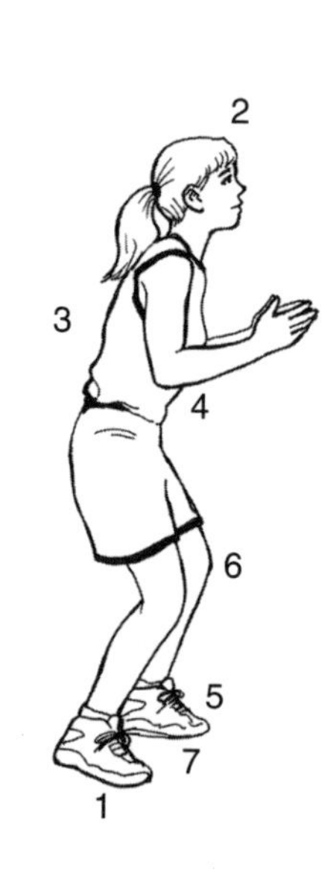

COMIENZO ESTÁTICO

1. Paso corto antes del impulso.
2. Cabeza erguida.
3. Espalda recta.
4. Codos flexionados, brazos ceñidos al cuerpo.
5. Peso sobre las puntas de los pies.
6. Rodillas flexionadas entre 60 y 90 grados.
7. Impulso rápido y potente de ambos pies.

SALTO CON LOS DOS PIES

1. Tobillos, rodillas y caderas extendidos.
2. Brazos rectos hacia arriba.
3. Caída en el mismo punto.

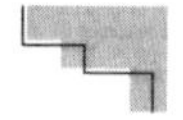

Error

No consigue un arranque explosivo, limitando la altura del salto.

Corrección

Flexione las rodillas entre 60 y 90 grados, según la fuerza de las piernas. Cuanto más fuertes sean sus piernas, más podrá flexionar las rodillas. Mediante el procedimiento de prueba y error, determine el ángulo correcto en función de su fuerza, lo cual le permitirá lograr un rápido y potente arranque desde el suelo.

El salto con un pie se ejecuta cuando está en movimiento: al hacer una bandeja tras una entrada a canasta, al moverse para taponar un tiro o en un rebote ofensivo. Al moverse, es más rápido saltar con un pie que con dos. Para saltar con dos pies, se necesita tiempo para pararse y preparar el salto. Una desventaja del salto con un pie es la dificultad para controlar el cuerpo en el aire y de ello puede derivarse una falta o incluso un choque con otros jugadores. También es más difícil caer en perfecto equilibrio, tras realizar un salto con un pie, y cambiar de dirección o realizar un segundo salto rápido.

Comience el salto con un pie (figura 1.7) en carrera. Para lograr altura, debe ganar velocidad en los tres o cuatro últimos pasos de la aproximación, pero también debe ser capaz de controlar esa velocidad. El último paso antes del salto debería ser corto, de manera que pueda afianzar rápidamente su rodilla de impulso. Eso le permitirá cambiar el impulso hacia adelante por un impulso hacia arriba.

La rodilla de impulso deberá estar flexionada entre 60 y 90 grados, según la fuerza de la pierna. El ángulo de impulso debe ser todo lo vertical posible. Desde una postura equilibrada, presione rápidamente y con potencia su pie de impulso, extendiendo tobillo, rodilla y cadera. Recuerde lo vital que es conseguir la explosión de arranque: cuanto más rápida y potente sea, más alto llegará. Eleve la rodilla opuesta y los brazos durante el salto. Como en el salto con dos pies, para aumentar el alcance, extienda hacia abajo el otro brazo en el momento culminante del salto. Procure que la acción sea fluida y gradual, sin tensión, cayendo en equilibrio sobre las puntas de los pies con las rodillas flexionadas.

Figura 1.7 Pivotar y girar

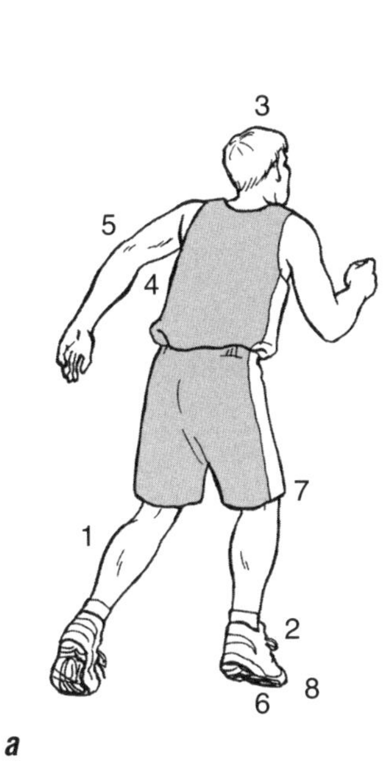

a

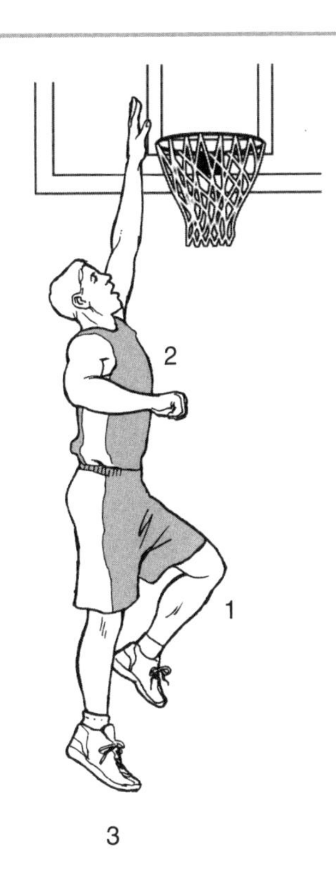

b

COMIENZO EN CARRERA

1. Incremente la velocidad en carrera de los últimos pasos.
2. Paso corto antes del impulso.
3. Cabeza erguida.
4. Espalda recta.
5. Codos flexionados, brazos ceñidos al cuerpo.
6. Peso sobre la punta del pie de impulso.
7. Rodilla de impulso flexionada entre 60 y 90 grados.
8. Rápido y potente arranque del pie de impulso.

SALTO CON UN PIE

1. Eleve la otra rodilla; extienda tobillo, rodilla y cadera del pie que se eleva.
2. Alcance alto, extendido hacia abajo el otro brazo.
3. Caiga en el mismo punto.

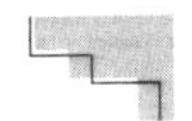

Error

Su salto es largo más que alto.

Corrección

Acorte su último paso antes de tomar impulso, de modo que pueda afianzar rápidamente la rodilla de impulso y cambiar el impulso hacia adelante por el impulso hacia arriba. En el momento del impulso, eleve la rodilla opuesta, lo mismo que sus brazos. La combinación de un potente impulso hacia arriba de rodilla y brazos incrementará la elevación.

Ejercicio nº 3 de juego de pies ofensivo

Dé tiza en la punta de los dedos, póngase enfrente de una pared de superficie lisa, y haga una marca a la altura de sus dos brazos extendidos. Ponga los hombros contra la pared. Puede dar un paso antes de saltar. Realice un salto estático con los dos pies todo lo alto que pueda, tocando la pared en el momento culminante del salto, con la punta de los dedos de su mano más elevada. Mida la distancia entre las dos marcas de tiza con algún patrón y redondee al centímetro siguiente. Realice tres saltos verticales, con diez segundos de intervalo entre ellos.

Prueba

- Adopte la postura adecuada para el salto con dos pies.
- Salte todo lo alto que pueda.

Test de salto vertical con los dos pies

Comprobación de resultados

Anote la longitud de su salto en cada intento. Más de 43 centímetros es excelente y le reportará 5 puntos. Entre 37 y 42 cm vale 3 puntos. Entre 33 y 36 cm vale 1 punto. Menos de 36 cm, 0 puntos. Utilice su mejor puntuación como la final.

Primer intento ____ cm, puntos ____
Segundo intento ____ cm, puntos ____
Tercer intento ____ cm, puntos ____
Puntuación total ____ (máximo 5 puntos)

Ejercicio nº 4 de juego de pies ofensivo

Este breve ejercicio consiste en una serie de 3 saltos preliminares y entre 5 y 10 saltos verticales en carrera con un pie. Haga que un compañero mida la altura de sus saltos, en relación con la red de la canasta o el tablero. Los saltos verticales preliminares deben ser progresivos en cuanto al esfuerzo. Al preparar el salto, realice muchos pasos para conseguir el mejor salto posible.

En el primer salto, trate de tocar la red o el tablero a unos 30 cm menos de su mejor salto. En el segundo salto, trate de alcanzar 15 cm por encima del primer salto. En el tercer intento, salte tan alto como pueda. Descanse 10 segundos entre cada salto, para planearlo mentalmente. Después del tercer salto, permanezca bajo la canasta o el tablero y tóquelo con las dos manos. Pídale a un compañero que utilice algún patrón para determinar la diferencia entre su altura con las dos manos extendidas y la marca de su salto vertical a un pie más alto, redondeando hacia el centímetro siguiente.

Entrenamiento de salto vertical con un pie

Para aumentar la dificultad

- Realice cinco saltos más, tratando de mejorar en cada salto sucesivo.
- Si sigue mejorando en el quinto salto, continúe haciéndolo hasta que ya no pueda mejorarlo tras dos intentos sucesivos.

Prueba

- Utilice la técnica adecuada.
- Alcance la mayor altura que pueda.

Comprobación de resultados

Dado que éste es un ejercicio de mejora progresiva, la puntuación es algo diferente. Registre los centímetros que haya alcanzado en cada intento. Es lógico que quiera mejorar en cada intento, y en tal caso concédase 5 puntos.

Primer intento ____ centímetros
Segundo intento ____ centímetros
Tercer intento ____ centímetros
Total ____ centímetros. Puntos obtenidos ____

JUEGO DE PIES DEFENSIVO

Mover sus pies en defensa es una dura tarea. El éxito depende del deseo, la disciplina, la concentración, la anticipación y una óptima forma física. Moverse rápidamente y con equilibrio, y poder cambiar de dirección al instante, es la clave para reaccionar a las jugadas de su oponente.

Para moverse en defensa, dé pasos cortos y rápidos, con el peso repartido equitativamente en las puntas de los pies. Sitúe el pie más alejado en línea con el que lleva la dirección. No cruce los pies, a menos que su oponente se acerque a su pie delantero. Si eso sucede, ejecute paso de caída para recuperar su posición defensiva. La separación entre sus pies no debe ser mayor que la que hay entre los hombros. Manténgalos todo lo pegados al suelo que sea posible.

Flexione las rodillas y mantenga el cuerpo bajo, con la parte superior erguida, y el pecho hacia fuera. Mantenga la cabeza erguida. Evite elevar las caderas. Los movimientos de brinco y salto suelen ser lentos y le dejan en el aire, y donde debe estar es en el suelo, reaccionando a los intentos de su adversario. Presione sobre el balón con rápidos manotazos de la mano que se encuentre más cerca de la dirección a la que evoluciona su contrario, pero no lo alcance ni salte. Conservar la cabeza bien erguida, los brazos ceñidos al cuerpo y los codos flexionados le ayudará a mantener el equilibrio.

Debería dominar estos pasos o movimientos defensivos básicos: el paso lateral, el paso de presión y el reverso o paso de caída. Cada paso comienza a partir de una postura defensiva.

Paso lateral

Mantenga una postura defensiva equilibrada entre su oponente y la canasta. Si su oponente se mueve hacia un lado, ejecute un paso lateral (figura 1.8). Mueva rápidamente sus pies de una posición escalonada a una posición en paralelo. Ambos pies deben estar alineados con la dirección en que usted evoluciona. Dé pasos cortos y rápidos, con el peso repartido por igual sobre las puntas de los pies. Empuje el pie más alejado y avance con el pie más próximo hacia donde se dirige. Nunca cruce los pies. Concéntrese en mantener el equilibrio para realizar rápidos cambios de dirección.

Figura 1.8 Paso lateral

EJECUCIÓN

1. Presione el pie más alejado, con pasos cortos y rápidos.
2. Avance con el pie más cercano a donde se dirige.
3. El pie delantero sigue al cuerpo de su oponente.
4. Alinee el pie trasero con el centro del cuerpo de su oponente.
5. Mantenga los pies no más cerca de la distancia de sus hombros; nunca los cruce.
6. Mantenga los pies pegados al suelo.
7. Mantenga las rodillas flexionadas; nada de brincos ni saltos.
8. Mantenga la cabeza fluida y erguida.
9. Mantenga la espalda recta; nada de inclinación.
10. Mantenga las manos hacia arriba.
11. Mantenga los codos flexionados y los brazos ceñidos al cuerpo.
12. Presione el balón con manotazos rápidos, sin llegar al contacto.

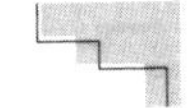

Error
Contacta o se inclina, perdiendo el equilibrio.
Corrección
Mantenga la cabeza erguida, manos hacia arriba, codos flexionados y brazos ceñidos al cuerpo.

Ejercicio nº 1 de juego de pies defensivo

Deslizamiento defensivo en la zona

Comience en la zona, junto a la línea de tiros libres, con el pie derecho en la línea de zona a su derecha. Adopte una postura defensiva equilibrada, con los pies en paralelo y las manos hacia arriba. Con pasos veloces y cortos, muévase rápidamente hacia la zona a su izquierda, cambie de dirección y retroceda a la zona a su derecha. Continúe tan rápidamente como pueda entre las líneas de zona a derecha e izquierda.

Prueba

- Adopte la postura defensiva equilibrada.
- Desplácese a un lado con pasos cortos y rápidos.
- Mantenga las manos hacia arriba.
- Trate de tocar 15 líneas en 30 segundos.

Comprobación de resultados

8 líneas en 30 segundos = 1 punto
De 9 a 10 líneas en 30 segundos = 2 puntos
De 11 a 12 líneas en 30 segundos = 3 puntos
De 13 a 14 líneas en 30 segundos = 4 puntos
15 o más líneas en 30 segundos = 5 puntos
Puntuación total ____

Presión y retroceso

Presionar o acercarse a su contrario a menudo se conoce como *cierre*. No es una habilidad fácil de adquirir. Requiere buen criterio y equilibrio. No puede acercarse a su oponente tan rápido que pierda el equilibrio y sea incapaz de retroceder cambiando de dirección. El procedimiento es dar pasos cortos y rápidos de presión o acoso sin cruzar los pies, y proteger su pie delantero situándolo ligeramente a un lado del cuerpo de su oponente (figura 1.9a).

Si su contrario trata de llegar a canasta por el lado de su pie trasero, debe retroceder sin perder el equilibrio. No puede retirarse tan rápido que pierda el equilibrio y eso le impida reaccionar rápidamente para acercarse a su adversario. Como en el caso del ataque, dé pasos rápidos y cortos y no cruce los pies (figura 1.9b).

Presión y retroceso requieren básicamente el mismo juego de pies, pero en diferente dirección. Ambas acciones requieren pasos cortos y rápidos, con un pie delante y otro atrás. Mantenga el peso repartido por igual en las puntas de ambos pies. Haga fuerza sobre su pie trasero y dé un paso con el pie delantero para presionar; haga fuerza sobre su pie frontal y dé un paso con su pie trasero para retroceder. Al presionar, nunca cruce el pie trasero frente al pie delantero, y al retroceder, nunca cruce el pie delantero con el pie trasero. Tanto para la presión como para el retroceso, debe adoptar un buen juego de pies defensivo.

Figura 1.9 Presión y retroceso

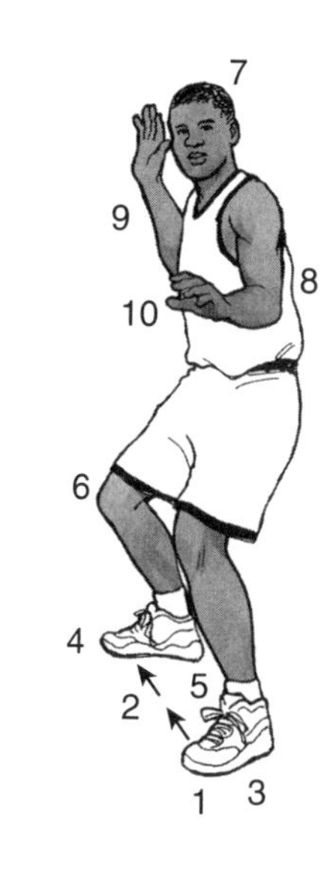

PRESIÓN

1. Cargue sobre su pie trasero.
2. Pasos cortos y rápidos, con los pies cerca del suelo.
3. El pie delantero sigue al cuerpo del oponente.
4. Mantenga los pies alineados con el centro del cuerpo del contrario.
5. Los pies no deben estar más cerca que la distancia entre los hombros.
6. Rodillas flexionadas; nada de brincos ni movimientos descontrolados.
7. Mantenga la cabeza erguida.
8. Espalda recta, sin inclinación.
9. Manos hacia arriba, codos flexionados, los brazos ceñidos al cuerpo.
10. Presione el balón con rápidos manotazos, pero sin contacto.

RETROCESO

1. Cargue sobre su pie delantero.
2. Pasos cortos y rápidos, con los pies cerca del suelo.
3. El pie delantero sigue al cuerpo del oponente.
4. Alinee el pie trasero con el centro del cuerpo del contrario.
5. Los pies no deben estar más cerca que la distancia entre los hombros.
6. Rodillas flexionadas; nada de brincos ni movimientos descontrolados.
7. Mantenga la cabeza erguida.
8. Espalda recta, sin inclinación.
9. Manos hacia arriba, codos flexionados, los brazos ceñidos al cuerpo.
10. Presione el balón con rápidos manotazos, pero sin contacto.

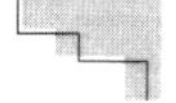

Error: presión

Brinca hacia delante, con ambos pies en paralelo, lo que le impide un rápido cambio de dirección hacia atrás.

Corrección

Mantenga la cabeza erguida, las rodillas flexionadas, y dé pasos cortos y rápidos. Mantenga una postura equilibrada. No brinque. Mantenga los pies cerca del suelo.

Error: retroceso

Cruza el pie delantero enfrente del pie trasero, dificultando así un rápido cambio de dirección.

Corrección

Cargue sobre el pie delantero y retroceda con el pie trasero. No cruce los pies ni los acerque más que la distancia entre los hombros.

Ejercicio nº 2 de juego de pies defensivo

Comience frente a la línea de tiros libres, con el pie derecho en la línea de espera de tiros libres defensiva derecha y el izquierdo delante y en la zona. Adopte una postura defensiva separada, con el pie izquierdo adelantado en un ángulo de 45 grados sobre su pie derecho y las manos hacia arriba. Dé pasos cortos y rápidos de presión con el pie izquierdo (el pie delantero), hasta que toque el centro de la línea de faltas. Retroceda rápidamente con el pie izquierdo. Cambie a pasos de retroceso, hasta que su pie izquierdo toque la línea de espera de tiros libres defensiva izquierda. Cambie inmediatamente de dirección, con pasos de presión, hasta que su pie derecho toque la línea. Retroceda a la línea tan rápidamente como pueda.

Presión defensiva y retroceso en la zona

Prueba

- Adopte la postura defensiva correcta.
- Pasos cortos y rápidos.
- Realice pasos de caída con la técnica adecuada.
- Trate de tocar un total de 15 líneas y cajas en 30 segundos.

Comprobación de resultados

8 líneas y cajas en 30 segundos = 1 punto
9-10 líneas y cajas en 30 segundos = 2 puntos
11-12 líneas y cajas en 30 segundos = 3 puntos
13-14 líneas y cajas en 30 segundos = 4 puntos
15 ó más líneas y cajas en 30 segundos = 5 puntos
Puntuación total ____

Giro en reverso o paso de retroceso

En la postura defensiva básica, los pies están separados, uno enfrente del otro. La debilidad de esta postura radica en el pie delantero, porque es más difícil retroceder en la dirección del pie delantero que del pie trasero. Si un contrario se dirige hacia la canasta, a la altura de su pie delantero, retroceda rápidamente con ese pie, realizando un pivote reverso con el pie trasero (figura 1.10). Una vez realizado el retroceso, dé rápidos pasos laterales para restablecer la posición defensiva con su pie delantero. Si no puede hacerlo, debe correr y alcanzar a su contrario, y luego regresar a la posición correcta, con el pie delantero avanzado.

Realice su paso de caída en dirección a la evolución de su contrario. Mantenga la cabeza erguida y la vista fija en su contrario. No gire en otra dirección, ni aparte la vista de su contrario. Al realizar el pivote reverso, cargue con fuerza sobre su pie izquierdo, en dirección al paso de retroceso. El paso de caída debería ser recto. El pie debe moverse hacia el suelo. No rodee ni eleve mucho el pie delantero. Para añadir intensidad al paso de retroceso, mueva atrás enérgicamente el codo, ceñido al cuerpo, del lado de su pie delantero.

Figura 1.10 Giro en reverso o paso de caída

A PASO DE CAÍDA

1. Pivote reverso sobre el pie trasero.
2. Paso de retroceso resto con el pie delantero, manteniendo los pies cerca del piso.

POSICIÓN DEFENSIVA

1. La vista dirigida hacia el centro del contrario.
2. Restablezca la posición con pasos de retroceso.

EL PIE DELANTERO

1. Giro frontal para restablecer el pie delantero.
2. Esté listo para cambiar de dirección.

Error
Gira alejándose de la evolución de su contrario, perdiéndolo de vista.
Corrección
Paso de retroceso en dirección a la evolución de su contrario, manteniendo la vista fija en él.

Ejercicio nº 3 de juego de pies defensivo — *Zigzag en la zona defensiva*

Comience en la zona, frente a la línea de tiros libres, con el pie derecho en la T defensiva derecha (la intersección de zona y línea de faltas). Manténgase en postura defensiva, con el pie izquierdo retrasado, en un ángulo de 45 grados. Dé pasos cortos y rápidos de retroceso, retirándose en diagonal hasta que el pie izquierdo toque la línea de zona a su izquierda, justo delante de la caja. Rápidamente, dé un paso de caída con el pie derecho y siga haciéndolo hasta que su pie derecho toque la intersección de la línea de fondo y la línea de zona a su derecha. Cambie rápidamente a postura ofensiva y esprinte en diagonal, hasta la T defensiva izquierda, donde cambiará a postura defensiva, con su pie izquierdo en la T. Dé pasos de caída hasta que su pie izquierdo toque la línea de zona a su derecha. Paso de retroceso con el pie izquierdo y retroceda hasta que toque la intersección de la línea de fondo y la línea de zona a su izquierda. Cambie a postura ofensiva y esprinte hasta la T defensiva derecha. Continúe en zigzag defensivo, desde la T hasta la zona, y de ésta a la intersección de la línea de fondo y la línea de zona, y luego esprinte hasta la T opuesta tan rápidamente como pueda.

Prueba

- Mantenga una correcta postura ofensiva y defensiva.
- Pasos cortos y rápidos.
- Trate de tocar 15 líneas en 30 segundos.

Comprobación de resultados

8 líneas en 30 segundos = 1 punto
9-10 líneas en 30 segundos = 2 puntos
11-12 líneas en 30 segundos = 3 puntos
13-14 líneas en 30 segundos = 4 puntos
15 o más líneas en 30 segundos = 5 puntos
Puntuación total ____

Ejercicio nº 4 de juego de pies defensivo

La ola

Comience en medio de la línea central. Un compañero se situará a 6 metros de usted, dándole órdenes verbales y señales a mano. A la orden: "¡Defensa!", adopte rápidamente la postura defensiva. A la orden: "¡Lateral!", muévase rápidamente hacia el lado indicado por su compañero. Éste debe indicarle también que se desplace hacia adelante y atrás, y hacia el otro lado. Dé pasos defensivos para moverse a un lado, y pasos de presión y retroceso para moverse hacia adelante y atrás, respectivamente. Mantenga una postura defensiva equilibrada y ejecute un buen juego de pies, con rápidos cambios de dirección.

Para aumentar la dificultad

- Que su compañero añada la señal: "¡Rebote!". A esta orden, ejecute rápidamente un salto con los dos pies y simule que coge un rebote con las dos manos.
- Que su compañero añada la señal: "¡Balón suelto!". A esta orden, adopte rápidamente una posición con manos y pies en el suelo, simulando que trata de recoger un balón perdido, y vuelva a erguirse tan rápido como pueda.
- Que su compañero añada la señal: "Contraataque". Esprinte hacia delante al oír esta orden.

Prueba

- Adopte la técnica correcta para la postura y juego de pies defensivo.
- Pasos cortos y rápidos.
- Trate de realizar este ejercicio durante 30 segundos, sin pararse ni cometer ningún error.

Comprobación de resultados

10-14 segundos sin cometer un error = 1 punto
15-19 segundos sin cometer un error = 2 puntos
20-24 segundos sin cometer un error = 3 puntos
25-29 segundos sin cometer un error = 4 puntos
30 o más segundos sin cometer un error = 5 puntos
Puntuación total ____

Ejercicio nº 5 de juego de pies defensivo

En toda la cancha

Este ejercicio le permite practicar todo el juego de pies defensivo, como el zigzag, presión y retroceso, y reverso. En cada variación utilizará un tercio del ancho de la pista, de línea de zona a línea lateral.

Para el zigzag defensivo en toda la pista, comience de espaldas a la canasta contraria, adoptando una postura defensiva abierta, con su pie izquierdo adelantado y tocando la intersección de la línea de fondo y la línea lateral a su izquierda, y el pie derecho retrasado, en un ángulo de 45 grados. Dé pasos defensivos de retroceso para moverse en diagonal, hasta que su pie derecho toque la línea de zona imaginaria que se extiende a su derecha. Rápidamente, dé un paso de caída con el pie derecho. Continúe cambiando de dirección en cada línea de zona imaginaria ampliada y en cada línea lateral, mientras se dirige hacia la línea de fondo opuesta. Regrese del mismo modo.

Para la presión y retroceso defensivos en toda la pista, imagínese que está defendiendo a un jugador que bota el balón. Comience de espaldas a la canasta opuesta, adoptando una postura defensiva equilibrada, con el pie izquierdo adelantado y tocando la línea de fondo, y su pie derecho bien extendido, directamente detrás. Muévase hacia atrás, hasta la línea central, con presión defensiva y pasos de retroceso, hasta que el pie derecho toque la línea central. Dé un rápido paso de retroceso con el pie izquierdo. Con el pie derecho adelantado, retroceda hasta la línea de fondo, mediante pasos de presión y retroceso, hasta que su pie izquierdo toque la línea de fondo. Cambie su presión y pasos de retroceso, evitando un modelo, mientras retrocede descendiendo. Regrese del mismo modo.

Para el reverso defensivo en carrera y giro, en toda la pista, imagínese que un bote golpea su pie delantero y debe recuperarse mediante un reverso en carrera y giro. Comience en postura defensiva abierta, con la espalda hacia la canasta lejana, el pie izquierdo adelantado y tocando la línea de fondo, y el pie derecho directamente detrás. Muévase hacia atrás con pasos de presión defensiva y un rápido reverso en carrera y giro. Reverso hacia un lateral de su pie delantero, manteniendo la vista en el botador imaginario. Dé al menos tres pasos antes de regresar a la posición, con su pie inicial adelantado. Desde la línea de fondo hasta la línea central, realice dos reversos en carrera y giro, comenzando con el pie izquierdo adelantado. Desde la línea central hacia la línea de fondo opuesta, realice dos reversos en carrera y giro, comenzando con el pie derecho adelantado. Regrese del mismo modo.

Prueba

- Trate de ejecutar dos recorridos completos de ida y vuelta en cada ejercicio.
- Adopte la técnica y postura correctas.
- Muévase con rapidez, con pasos cortos y rápidos.

Comprobación de resultados

Concédase 5 puntos si ha realizado dos recorridos completos de ida y vuelta en cada ejercicio.
Número de recorridos completos de zigzag defensivo en toda la pista ____; puntos conseguidos ____
Número de recorridos completos de presión y retroceso defensivos en toda la pista ____; puntos conseguidos ____
Número de recorridos completos de reversos en carrera y giro en toda la pista ____; puntos conseguidos ____
Puntuación total (máximo 15 puntos).

Ejercicio nº 6 de juego de pies defensivo

Corte uno contra uno en toda la pista

Necesita un compañero para este ejercicio. Usted asumirá la defensa de su compañero, quien será un cortador atacante, sin balón. Su contrario tratará de realizar salidas rápidas, paradas y cambios de ritmo y dirección, para sacarle una cabeza de ventaja, y usted tratará de evitarlo. El jugador atacante debe situarse a un tercio del ancho entre línea de zona y línea lateral, mientras avanza de una a otra línea de fondo. Una vez que su contrario le saque una cabeza, ambos se detendrán. Como defensor, debe mantener a su alcance al jugador atacante, tratando de forzar una falta en ataque y de inducir a su contrario al punto previsto en una posición dada.

Adopte una postura defensiva frente a su contrario y toque su cintura para comenzar el ejercicio. El jugador atacante obtiene un punto cada vez que le supera en una cabeza y usted obtiene un punto cada vez que consigue forzar una falta en ataque. Prosiga el ejercicio desde cualquier lugar en que haya logrado ese punto, reiniciándolo con el contacto defensivo. Al llegar a la línea de fondo contraria, alternen los papeles para el recorrido inverso.

Prueba

- Adopte la postura defensiva correcta.
- Anote más puntos que su contrario.

Comprobación de resultados

Concédase 5 puntos, si anota más puntos que su contrario.
Puntuación total ____
Puntuación de su contrario ____

RESUMEN DE RAPIDEZ Y EQUILIBRIO

La rapidez y el equilibrio son fundamentos clave para mejorar el juego en la cancha. La información y ejercicios que se le han ofrecido en este paso le ayudarán a estar preparado para realizar jugadas de ataque hacia canasta, a disponer de los recursos necesarios cuando se encuentre en defensa o a moverse hacia un contraataque.

En el paso siguiente, examinaremos los fundamentos del pase y recepción de balón. Antes de dedicarnos a ese segundo paso, debe examinarse a sí mismo y comprobar cómo ha realizado los ejercicios de este paso. Por cada uno de los ejercicios aquí propuestos, anote los puntos obtenidos, luego súmelos y evalúe su grado total de acierto.

Ejercicios de juego de pies	
1. Postura	___ de 5
2. Pataleo explosivo	___ de 15
3. Saltar a la comba	___ de 10
Ejercicios de juego de pies ofensivo	
1. Paradas en salto	___ de 5
2. En media pista y en toda la pista	___ de 20
3. Test de salto vertical con los dos pies	___ de 5
4. Entrenamiento de salto vertical con un pie	___ de 5
Ejercicios de juego de pies defensivo	
1. Deslizamiento defensivo en la zona	___ de 5
2. Presión defensiva y retroceso en la zona	___ de 5
3. Zigzag en la zona defensiva	___ de 5
4. La ola	___ de 5
5. En toda la cancha	___ de 15
6. Corte uno contra uno en toda la pista	___ de 15
Total	___ ***de 105***

Si ha conseguido 85 puntos o más, ¡enhorabuena! Eso significa que ha dominado los fundamentos de este paso y que está listo para afrontar el segundo paso, relativo al pase y recepción. Si ha anotado menos de 85 puntos, debería invertir algún tiempo más en los fundamentos cubiertos en este paso. Practique los ejercicios de nuevo, a fin de dominar las técnicas e incrementar así su puntuación.

2.º PASO

El pase y la recepción

En su mejor versión, el baloncesto es un deporte en el que cinco jugadores mueven el balón como un equipo. Pasar y recibir bien es la esencia del juego de equipo, las cualidades que hacen del baloncesto un deporte de equipo tan atractivo.

Pasar es el fundamento más descuidado del juego. Los jugadores tienden a no querer practicar el pase. Quizá debido a la atención que los hinchas y los medios de comunicación conceden a los anotadores, y no se concede el crédito suficiente a los jugadores que realizan las asistencias. Un equipo de buenos pasadores constituye una amenaza para la defensa, porque esos jugadores pueden pasar el balón a cualquier compañero en cualquier momento del partido. Desarrollar la habilidad de pasar y recibir le convierte en un mejor jugador y le ayuda a hacer mejores a sus compañeros de equipo.

Hay dos razones básicas para pasar, a saber: mover el balón para crear buenas oportunidades de tiro y mantener la posesión del balón, controlando así el partido. Los pases engañosos, oportunos y precisos crean oportunidades de anotar para su equipo. Para situarse en posición de tiro, el balón debe ser botado o pasado hasta el área de anotación. En un pase, el balón viaja mucho más rápido que en un bote. Una vez en el área de anotación, los pases rápidos y precisos desde el lado del balón al lateral opuesto abren oportunidades atacantes. Mover el balón hace que los defensores deban seguir, haciéndolos menos disponibles a eventuales ayudas defensivas o para hacer un 2 contra 1 sobre el jugador que lleva el balón.

El equipo que controla el balón con una buena técnica de pase y recepción concede escasas oportunidades de anotar al equipo contrario. Saber cuándo y dónde pasar bajo presión no sólo aporta a su equipo una posibilidad de anotar, sino que también minimiza las pérdidas de balón por intercepciones, que a menudo se convierten en fáciles canastas del rival.

Las aplicaciones específicas del pase son:

- sacar el balón de un área congestionada, por ejemplo después de un rebote, o cuando un jugador está siendo defendido por dos contrarios;
- subir rápidamente el balón en un contraataque;
- disponer jugadas de ataque;
- entregar el balón a un compañero desmarcado para el tiro; y
- mover el balón, utilizando el pase y el corte para crear una oportunidad para un tiro propio.

Desarrollar la destreza en el pase y la recepción le convierte en un mejor jugador y le ayuda a mejorar el juego de sus compañeros. Pídale a un experto (entrenador, instructor o un buen jugador) que observe su pase y su recepción. El observador puede guiarse como referencia por las figuras 2.1 a 2.7 para evaluar su actuación y poder aportar una crítica constructiva. Pídale también a su entrenador que evalúe sus decisiones en el momento de pasar.

PRINCIPIOS DEL PASE

Entender los principios del pase y la recepción mejora su criterio, anticipación, sentido de la oportunidad, fintas, amagos, precisión, fuerza y toque, factores todos que afectan a su capacidad de jugador. Estos principios le ayudarán a distintos niveles del juego.

Vea la canasta. Cuando tiene la canasta a la vista, puede ver toda la cancha, incluidos los compañeros abiertos o un defensor que está esperando un pase, un tiro o una entrada a canasta.

Pase antes de botar. Un pase viaja con mayor rapidez que un bote. Esto es de especial importancia en un contraataque y al mover el balón contra una zona.

Conozca los puntos fuertes y débiles de sus compañeros. Intuya la posición en la que es previsible que se desplace su compañero y la siguiente jugada que piensa hacer. Pase el balón a su compañero cuando y donde pueda hacer algo útil.

Pases oportunos. Anticípese a la velocidad de su compañero en un corte a canasta y realice un pase oportuno, ligeramente adelantado para su compañero, hacia el espacio libre.

Utilice el engaño. Finte antes de pasar y no telegrafíe el pase mirando en la dirección en que piensa hacerlo. Utilice su visión periférica para ver su objetivo sin tener que mirar al receptor. Emplee el elemento sorpresa.

Atraer y pasar. Atraiga hacia usted a su contrario con un amago de tiro o un bote antes de pasar. Evite pasar cuando el defensor se aleja, porque éste tendrá más tiempo y distancia para reaccionar e interceptar o desviar el pase.

Realice pases rápidos y precisos. Elimine los movimientos superfluos. No realice ni inicie un pase por detrás del plano de su cuerpo.

Evalúe la fuerza de su pase. Pase con fuerza en distancias largas y use el toque cuando esté cerca del receptor.

Asegúrese del pase. Es mejor no pasar que hacerlo cuando haya posibilidades de ser interceptado. Un buen pase sólo es aquél que su destinatario atrapa. No fuerce un pase a un área congestionada o antes de que haya un compañero desmarcado.

Pase lejos del defensor. Cuando su compañero está estrechamente defendido, pase al lado lejano del defensor. Si recibe un pase, pero no está en condiciones de tirar, mantenga las manos por encima de la cintura, reciba el pase y agarre el balón con manos relajadas, en posición de realizar otro pase.

Pase a la mano lejana del tirador desmarcado. Cuando un compañero está desmarcado y en posición de tiro, pase el balón a su mano más lejana. De esta forma, el lanzador no tendrá que cambiar de manos o la posición de su cuerpo para atrapar un pase desviado del objetivo. Cuando esté desmarcado en posición de lanzar y recibir el pase, deje que el balón le llegue. Salte detrás del balón, agarrándolo con las manos relajadas, en posición de pinza, listo para lanzar (véase página 95).

Entre los pases básicos se encuentran el pase de pecho, el pase picado, el pase por encima de la cabeza, el pase lateral, el pase de béisbol y el pase por la espalda. Practique todos y cada uno de estos pases fundamentales hasta hacerlo de modo automático. Luego aprenda a aplicar el pase correcto a diferentes situaciones en la cancha. Puede practicar con un compañero o solo para desarrollar rapidez y precisión en el pase. Para practicar solo, necesita un balón y una pared lisa o *tossback*. Aprenda a decidir cuándo pasar, entrenando en ejercicios competitivos de grupo y en situaciones de partido.

Ejercicio de calentamiento — *Manejo del balón*

Este ejercicio de calentamiento consiste en pasar y recibir el balón, moviéndolo de una mano a otra. Las seis partes del ejercicio de manejo de balón son: sobre la cabeza, en torno a la cabeza, alrededor del cuello, alrededor de una pierna, alrededor de la otra pierna y en forma de ochos entre las piernas.

Comience con una postura equilibrada. Pase el balón de una mano a la otra, flexionando las muñecas y los dedos. Para mejorar su mano mala, afírmela sobre el balón. Siga completamente el balón en cada pase, dirigiendo los dedos y la mano de agarre. Trabaje para adquirir fuerza y control, no sólo rapidez. En cada parte del ejercicio, pase el balón 10 veces en una dirección, luego invierta la dirección y pase el balón otras 10 veces.

Prueba

- Trate de pasar durante 10 minutos sin cometer más de tres errores.
- Mantenga fuerza y control del balón.
- Siga el balón dirigiendo los dedos de su mano de agarre.

Comprobación de resultados

Tres minutos con 10 o más errores = 0 puntos
Tres minutos con 7-9 errores = 1 punto
Tres minutos con 4-6 errores = 3 puntos
Tres minutos con 0-3 errores = 5 puntos
Puntuación total ____

PASE DE PECHO

El pase de pecho (figura 2.1) es el pase más habitual en baloncesto. Puede utilizarse con rapidez y precisión desde la mayoría de las posiciones en la cancha.

Comience en postura equilibrada. Sostenga el balón con las dos manos frente a su pecho. Mantenga los codos ceñidos. Las manos deben estar ligeramente detrás del balón en posición relajada. Localice su objetivo sin mirarlo. Mire a otro lado o finte antes de pasar. Dé un paso en dirección a su objetivo, extendiendo piernas, espalda y brazos. Fuerce sus muñecas y dedos a través del balón. Enfatice en forzar a su mano mala a través del balón, pues la mano fuerte tiende a dominar. El balón irá adonde sus dedos lo dirijan. Soltarlo del primero y segundo dedos de ambas manos crea efecto de retroceso y da dirección al balón. Acompáñelo dirigiendo los dedos al objetivo, con las palmas hacia abajo.

Figura 2.1 Pase de pecho

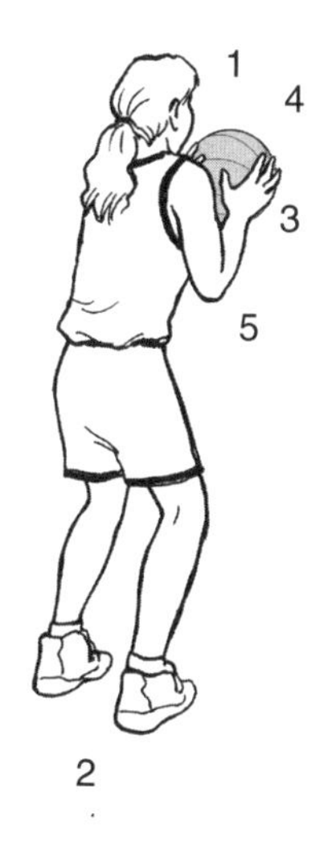

a

BALÓN FRENTE AL PECHO

1. Localice el objetivo sin mirar.
2. Mantenga una postura equilibrada.
3. Mantenga las manos ligeramente detrás del balón en posición relajada.
4. Sostenga el balón frente al pecho.
5. Mantenga los codos ceñidos.

b

PASE DE PECHO

1. Mire a otro lado o finte antes de pasar.
2. Dé un paso en dirección al pase.
3. Extienda rodillas, espalda y brazos.
4. Fuerce la muñeca y los dedos a través del balón; fuerce la mano mala a través del balón.
5. Suelte el balón del primero y segundo dedos.
6. Acompañe al balón con los brazos extendidos y los dedos apuntando al objetivo.

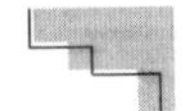

Error
Su pase de pecho carece de fuerza.
Corrección
Comience el pase con los codos ceñidos al cuerpo y aplique fuerza con sus muñecas y dedos a través del balón.

Ejercicio nº 1 de pase

Pase al tossback en movimiento

Practicar el ejercicio con un *tossback* mientras se mueve de lado a lado desarrolla rapidez, precisión y confianza. Coloque el *tossback* en medio de la zona. Sitúese a 3,60 m de él, con su pie exterior tocando la línea de zona a su izquierda. Utilice el pase de pecho al pasar y recibir en movimiento. Comience en buena posición de pase, pase y reciba el balón tan rápidamente y con tanta precisión como pueda, mientras se mueve lateralmente dando pasos cortos y rápidos y sin cruzar los pies. Muévase lateralmente hasta que su pie exterior toque la línea de zona a su derecha. Cambie de dirección y retroceda a la línea de zona a su izquierda, pasando y recibiendo en movimiento. Siga moviéndose lateralmente al pasar y recibir, cambiando de dirección cada vez que toca la línea. Si no dispone de *tossback*, utilice una pared. Use cinta adhesiva para marcar líneas a 3,60 m que sirvan como líneas de zona.

Para aumentar la dificultad

- Corra lateralmente, en lugar de caminar, realizando una parada en dos tiempos en el momento de recibir cada pase.

Prueba

- No cruce los pies al moverse lateralmente.
- Dé pasos cortos y rápidos.
- Trate de realizar 20 pases de pecho en 30 segundos, a 3,60 m, al tiempo que se mueve de una a otra línea de zona.

Comprobación de resultados

Menos de 10 pases de pecho en 30 segundos = 0 puntos
10-11 pases de pecho en 30 segundos = 1 punto
12-14 pases de pecho en 30 segundos = 2 puntos
15-17 pases de pecho en 30 segundos = 3 puntos
18-19 pases de pecho en 30 segundos = 4 puntos
20 o más pases de pecho en 30 segundos = 5 puntos
Puntuación total ____

Ejercicio nº 2 de pase

Pase explosivo

Para este ejercicio explosivo, pasará a un *tossback* desde una distancia de sólo 1,50 m. Puede utilizar una pared si no dispone de un *tossback*. Este ejercicio es excelente para desarrollar rapidez, precisión y confianza en el pase y recepción a una mano (alternando la mano buena y la mano mala). En este ejercicio, ejecutará pases laterales y por la espalda.

Comience en postura equilibrada, a 1,50 m frente al *tossback*. Gire el cuerpo, de modo que su pecho quede en ángulo recto con el *tossback*. Comience con el balón en su mano buena y la mano mala caída a un costado. Dé un pase lateral con su mano buena, con tanta fuerza y precisión como pueda. Recoja el rebote del *tossback* sólo con su mano buena. A continuación, realice la misma acción con la mano mala. Ahora ejecute un pase por la espalda con la mano buena para pasar y recoger el balón. Luego ejecute este mismo ejercicio de pase y recepción de espalda con la mano mala.

Prueba

- Adopte la técnica apropiada para cada tipo de pase.

Comprobación de resultados

Para los pases laterales, concédase 5 puntos por realizar 30 o más pases en 30 segundos, 3 puntos por realizar entre 25 y 29 pases en 30 segundos, 1 punto por 20-24 pases en 30 segundos y 0 puntos si no consigue realizar más de 19 pases en 30 segundos.

Número de pases laterales realizados con la mano buena en 30 segundos ____; puntos obtenidos ____
Número de pases laterales realizados con la mano mala en 30 segundos ____; puntos obtenidos ____

En los pases por la espalda, concédase 5 puntos por realizar 20 o más pases en 30 segundos, 3 puntos por 15-19 pases en 30 segundos, 1 punto por 10-14 pases en 30 segundos y 0 puntos si no consigue realizar más de 9 pases en 30 segundos.

Número de pases por la espalda realizados con la mano buena en 30 segundos ____; puntos obtenidos ____
Número de pases por la espalda realizados con la mano mala en 30 segundos ____; puntos obtenidos ____
Puntuación total ____ (puntos obtenidos, máximo 20).

PASE PICADO

Cuando un defensor se encuentra entre usted y el objetivo, una posibilidad es optar por un pase picado, bajo los brazos del defensor. El pase picado (figura 2.2) puede llevar el balón a un alero al final de un contraataque o al jugador que corta hacia canasta. Debido a que el balón bota en el suelo, es un pase más lento que el pase de pecho.

Ejecute el pase picado del mismo modo que el pase de pecho. Pase el balón de forma que rebote en el suelo a la distancia adecuada para que sea recibido al nivel de la cintura. Para evaluar la distancia correcta, apunte a unos dos tercios de la distancia, o más o menos a un metro de su objetivo. Botar el balón demasiado lejos del objetivo puede dar lugar a un bote alto y lento, fácilmente interceptable. Por el contrario, un bote demasiado cerca del receptor será muy lento y difícil de ejecutar. Recuerde que el balón irá adonde sus dedos lo dirijan. Acompáñelo apuntando con sus dedos al objetivo, con las palmas de las manos hacia abajo.

Figura 2.2 Pase picado

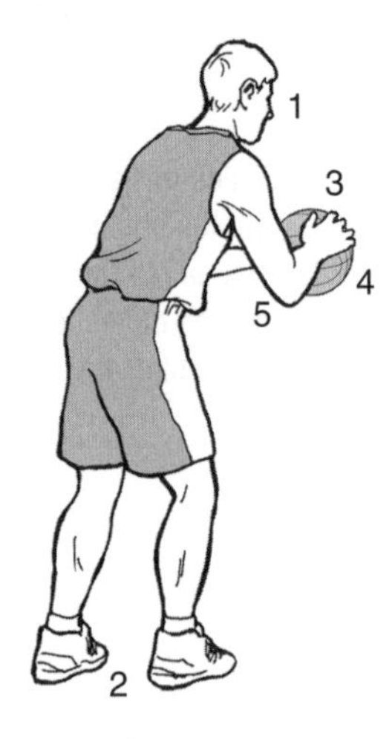

a

BALÓN AL NIVEL DE LA CINTURA

1. Localice el objetivo sin mirar.
2. Mantenga una postura equilibrada.
3. Mantenga las manos ligeramente detrás del balón, en posición relajada.
4. Sostenga el balón al nivel de la cintura.
5. Mantenga los codos ceñidos.

b

PASE PICADO

1. Mire a otro lado o finte antes de pasar.
2. Dé un paso en dirección al pase.
3. Extienda rodillas, espalda y brazos.
4. Fuerce la muñeca y los dedos sobre el balón, de modo especial la mano mala.
5. Suelte el balón del primero y segundo dedos.
6. Apunte a unos dos tercios de la distancia del objetivo.
7. Acompañe el balón con los brazos extendidos, las palmas de las manos hacia abajo y los dedos apuntando al objetivo.

Error

Su pase picado bota demasiado alto y es demasiado lento.

Corrección

Comience el pase al nivel de la cintura y apunte el bote del balón más cerca del receptor.

PASE POR ENCIMA DE LA CABEZA

Utilice el pase por encima de la cabeza (figura 2.3) cuando esté intensamente defendido y deba pasar sobre el defensor, como un pase de salida para iniciar un contraataque contra defensores presionantes o como un globo a un jugador que corta por puerta atrás hacia canasta. Al igual que el pase lateral, que se describe en la sección siguiente, el pase por encima de la cabeza es una opción de asistir al poste bajo.

Comience en postura equilibrada, sosteniendo el balón por encima de la frente, con los codos ceñidos y flexionados en ángulo recto. No lleve el balón por detrás de la cabeza, porque tardará más en ejecutar el pase, propiciando un robo de balón. Dé un paso en dirección al objetivo, extendiendo las piernas y la espalda para lograr la máxima potencia. Pase rápidamente el balón, extendiendo los brazos y flexionando muñecas y dedos. Suelte el balón de los dos primeros dedos de ambas manos. Acompáñelo dirigiendo los dedos hacia el objetivo, con las palmas hacia abajo.

Figura 2.3 Pase por encima de la cabeza

a

b

BALÓN POR ENCIMA DE LA FRENTE

1. Localice el objetivo sin mirar.
2. Mantenga una postura equilibrada.
3. Mantenga las manos ligeramente detrás del balón, en posición relajada.
4. Sostenga el balón por encima de la frente.
5. Mantenga los codos ceñidos.

PASE POR ENCIMA DE LA CABEZA

1. Mire a otro lado o finte antes de pasar.
2. Dé un paso en dirección al pase.
3. Extienda rodillas, espalda y brazos.
4. Flexione muñeca y dedos.
5. Suelte el balón de los dos primeros dedos.
6. Acompañe el balón con los brazos extendidos, las palmas hacia abajo y los dedos apuntando al objetivo.

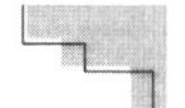

Error

Su pase por encima de la cabeza carece de fuerza y precisión.

Corrección

Asegúrese de que comienza el pase con el balón por encima de la frente, no detrás de la cabeza. No altere el plano de su cuerpo con el balón. Genere fuerza manteniendo los codos ceñidos al cuerpo, flexionando muñecas y dedos, y extendiendo piernas, espalda y brazos. Consiga precisión apuntando el primero y segundo dedo de cada mano hacia el objetivo.

PASE LATERAL

Utilice el pase lateral (figura 2.4) cuando esté estrechamente defendido y tenga que pasar en torno a un defensor. Al igual que el pase por encima de la cabeza, el pase lateral es una opción para asistir al poste bajo. Excepto en la posición del balón en la fase previa, la ejecución del pase lateral es similar a la del pase por encima de la cabeza.

En el pase lateral, comience moviendo el balón a un lado, entre hombro y cadera, mientras da un paso a ese lado. No sitúe el balón por detrás del cuerpo, porque le llevará más tiempo ejecutar el pase, y también porque el balón puede ser robado. Acompáñelo dirigiendo los dedos hacia el objetivo, las palmas a un lado.

Al igual que en el pase por encima de la cabeza, en el pase lateral puede utilizar las dos manos o una sola. Para el pase lateral a una mano, sitúe su mano de pase por detrás del balón. Mantenga la otra mano enfrente y encima del balón, hasta el momento de soltarlo, de forma que pueda pararse y fintar cuando sea necesario. Practique el pase lateral a una mano con la mano mala tanto como con la mano buena.

Figura 2.4 Pase lateral

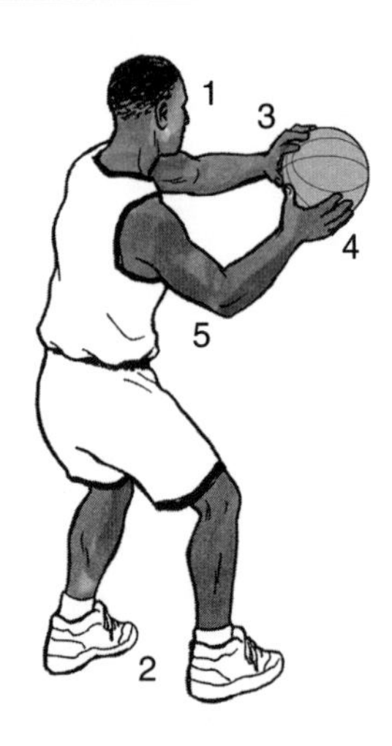

a

BALÓN A UN LADO

1. Objetivo a la vista sin mirarlo.
2. Postura equilibrada.
3. Las manos ligeramente detrás del balón, en posición relajada.
4. Balón entre hombro y cadera.
5. Codos ceñidos.

b

PASE LATERAL

1. Mire a otro lado o finte antes de pasar.
2. Dé un paso en dirección del pase.
3. Rodillas, espalda y brazos extendidos.
4. Flexione muñeca y dedos.
5. Suelte el balón de los dos primeros dedos.
6. Acompañe al balón con los brazos extendidos, las palmas a un lado y los dedos apuntando al objetivo.

Error

Su pase lateral carece de fuerza y precisión.

Corrección

Asegúrese de que no inicia el pase con el balón detrás del cuerpo. No altere el plano del cuerpo con el balón. Genere fuerza manteniendo sus codos ceñidos al cuerpo, flexionando caderas y dedos, y extendiendo piernas, espalda y brazos. Consiga precisión dirigiendo el primero y segundo dedos de cada mano hacia el objetivo.

PASE DE BÉISBOL

Para un pase largo, a menudo tendrá que utilizar el pase de béisbol (figura 2.5). El pase de béisbol puede utilizarse como pase de salida para iniciar una ruptura rápida o como un pase largo a un compañero que corta a canasta.

Comience en postura equilibrada. Pivote sobre su pie trasero, girando el cuerpo hacia el lado de su brazo de pase. Acerque el balón a la oreja, con el codo ceñido al cuerpo, la mano de pase detrás del balón y la mano de equilibrio enfrente, como un *catcher* a punto de lanzar la pelota. Al pasar el balón, cargue el peso de su pie trasero en el pie delantero. Extienda piernas, espalda y brazo de pase hacia el objetivo. Flexione la muñeca delantera en el momento de despegar el balón de la yema de sus dedos. Acompáñelo dirigiendo los dedos al objetivo, con la palma de la mano de pase hacia abajo. Aunque éste es un pase a una mano, mantenga la otra mano en el balón hasta que lo suelte, de modo que pueda frenar y fintar en caso necesario.

Figura 2.5 Pase de béisbol

a

b

BALÓN AL NIVEL DE LA OREJA

1. Objetivo a la vista sin mirarlo.
2. Postura equilibrada.
3. Cuerpo a un lado.
4. El peso sobre el pie pivote (trasero).
5. Las manos relajadas, con la mano de pase detrás del balón y la otra mano enfrente,
6. Balón al nivel de la oreja.
7. Codo ceñido.

PASE DE BÉISBOL

1. Mire a otro lado o finte antes de pasar.
2. Un paso en dirección al pase.
3. Rodillas, espalda y brazos extendidos.
4. Las dos manos sobre el balón hasta soltarlo.
5. Flexione muñeca y dedos.
6. Suelte el balón del primer y segundo dedos.
7. Acompañamiento con el brazo extendido, la palma abajo, y los dedos apuntando.

Error
Su pase de béisbol es curvo.

Corrección
Mantenga la mano de pase directamente detrás del balón, no a un lado, y apunte con los dedos al objetivo. El pase irá adonde los dedos lo dirijan.

PASE POR LA ESPALDA

Los jugadores de alto nivel son capaces de pasar por la espalda. El pase por detrás de la espalda (figura 2.6) es especialmente útil cuando un defensor se interpone entre usted y un compañero en un contraataque de dos contra uno.

Pivote sobre la punta de su pie trasero, girando el cuerpo hacia el lado de su brazo de pase. Con ambas manos, mueva el balón a una posición detrás de la cadera. Sostenga el balón con la mano de pase detrás y la otra mano enfrente. Desplace su peso del pie trasero al pie delantero mientras pasa el balón por detrás de la espalda y hacia el objetivo. Extienda su brazo de pase y flexione muñeca y dedos, soltando el balón de la yema de los dedos. Acompáñelo dirigiendo los dedos hacia el objetivo, con la palma de la mano de pase hacia arriba y el brazo de pase en contacto con la espalda. Practique este pase con su mano mala tanto como con la mano buena.

Figura 2.6 Pase por la espalda

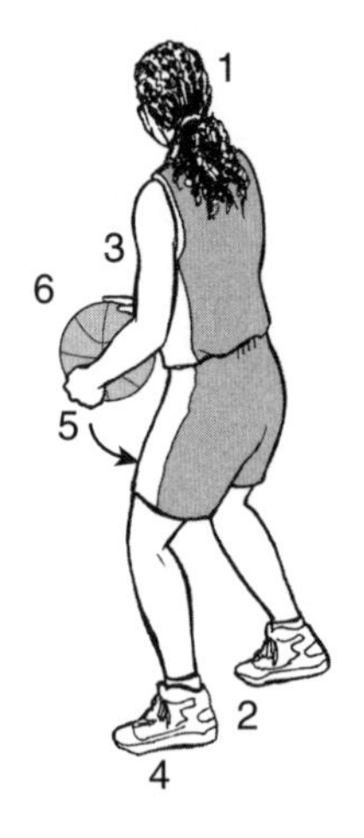

a

BALÓN DETRÁS DE LA CADERA

1. Objetivo a la vista sin girarse para mirarlo.
2. Postura equilibrada.
3. Cuerpo a un lado.
4. Cargue sobre el pie pivote (el pie trasero).
5. Manos relajadas, con la mano de pase detrás del balón y la otra mano enfrente.
6. El balón detrás de la cadera.

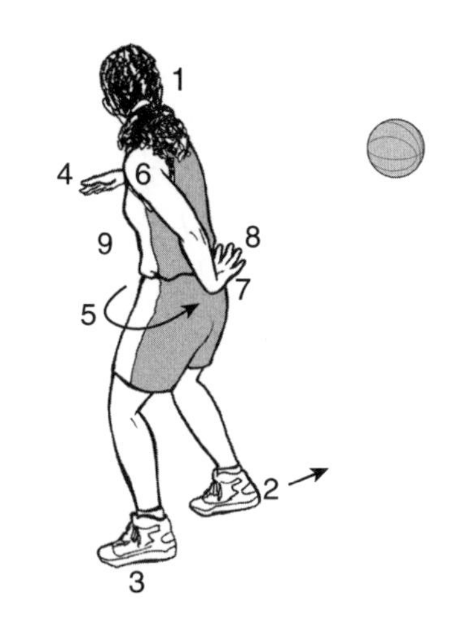

b

PASE POR LA ESPALDA

1. Mire a otro lado o finte antes de pasar.
2. Un paso en dirección al pase.
3. Desplace el peso del pie trasero al pie delantero.
4. Mantenga ambas manos sobre el balón hasta soltarlo.
5. Pase el balón por detrás de la espalda.
6. Extienda el brazo de pase.
7. Flexione muñeca y dedos.
8. Suelte el balón del primer y segundo dedos.
9. Acompañe el balón con el brazo extendido, la palma hacia arriba y los dedos apuntando al objetivo.

Error

Una vez que comienza el pase por la espalda, no consigue pararse y fintar.

Corrección

Asegúrese de comenzar el pase con ambas manos sobre el balón. No retire la mano no pasadora demasiado pronto. Utilice ambas manos para mover el balón por detrás de la cadera y manténgalas sobre el balón hasta soltarlo.

Ejercicio nº 3 de pase

Pase de rebote

Este divertido, competitivo y exigente ejercicio se realiza con un compañero. El objetivo es desarrollar precisión y confianza en el pase de pecho, al mismo tiempo que la rapidez y la agilidad.

Comience a 3,60 m frente a un *tossback* o una pared. Su compañero se sitúa detrás de usted. Colóquese en buena posición de pase, realice un pase de pecho con toda la precisión que pueda al centro del *tossback* y muévase lateralmente a la derecha con pasos cortos y rápidos, sin cruzar los pies. Su compañero atrapa el balón cuando rebota en el *tossback* y realiza un pase de pecho, antes de moverse lateralmente a la derecha. Después del pase de su compañero, desplácese rápidamente a la izquierda y detrás de su compañero. Recoja el balón al ser devuelto por el *tossback* y realice un pase de pecho, antes de moverse lateralmente a la derecha. Después de su pase, su compañero rápidamente se desplaza lateralmente a la izquierda y detrás de usted, y atrapa el balón al ser devuelto por el *tossback*. Continúe de este modo el ejercicio, pasando y desplazándose lateralmente a derecha y luego a izquierda y detrás del pasador. Puede modificar este ejercicio moviéndose lateralmente a la izquierda después de cada pase.

Prueba

- No cruce los pies al moverse lateralmente.
- Dé pasos cortos y rápidos.
- Trate de realizar al menos 20 pases de pecho en 30 segundos, a 3,60 m, moviéndose lateralmente.

Comprobación de resultados

10 o menos pases de pecho en 30 segundos = 0 puntos
11-12 pases de pecho en 30 segundos = 1 punto
13-14 pases de pecho en 30 segundos = 2 puntos
15-17 pases de pecho en 30 segundos = 3 puntos
18-19 pases de pecho en 30 segundos = 4 puntos
20 o más pases de pecho en 30 segundos = 5 puntos
Puntuación total ____

Ejercicio nº 4 de pase

Pase al compañero

Este ejercicio desarrolla la rapidez, la precisión y la confianza en el pase. Elija un compañero para pasar y atrapar el balón, y ejecutar los pases de pecho, picado, por encima de la cabeza, lateral, de béisbol y por la espalda.

En los pases de pecho, picado, por encima de la cabeza, lateral y por la espalda, comience en postura equilibrada, con el balón, a 4,50 m enfrente de su compañero, en buena posición de pase. Para el pase de béisbol, aléjese hasta 6 m. Pase y atrape el balón con toda la rápidez y precisión de que sea capaz, soltándolo de la yema de los dedos para aplicar precisión y efecto de retroceso. Apunte con los dedos en dirección al pase, exagerando su acompañamiento, dejando los brazos en alto hasta que el balón sea agarrado. Al recibir el balón, asegúrese de que se encuentra en postura equilibrada, con las manos en alto como objetivo, listo para moverse y atrapar cualquier pase.

Prueba

- Adopte la técnica adecuada en cada tipo de pase.
- Adopte la técnica adecuada para recepción de los pases.

Comprobación de resultados

En los pases de pecho, por encima de la cabeza, lateral y por la espalda, concédase 5 puntos si realiza 30 o más pases en 30 segundos a 4,50 m, 3 puntos si realiza entre 25-29, 1 punto si realiza 20-24 y 0 puntos si no consigue realizar más de 19 pases.

Número de pases de pecho a 4,50 m, en 30 segundos ____; puntos obtenidos ____

Número de pases por encima de la cabeza a 4,50 m, en 30 segundos ____; puntos obtenidos ____

Número de pases laterales a 4,50 m, en 30 segundos ____; puntos obtenidos ____

Número de pases por la espalda a 4,50 m, en 30 segundos ____; puntos obtenidos ____

Para el pase picado, concédase 5 puntos si realiza 20 o más pases en 30 segundos, a 4,50 m, 3 puntos si realiza 15-19 pases, 1 punto por 10-14 pases, y 0 puntos si no consigue realizar más de 9 pases.

Número de pases picados a 4,50 m, en 30 segundos ____; puntos obtenidos ____

Para el pase de béisbol, concédase 5 puntos si realiza 20 o más pases en 30 segundos, a 6 m, 3 puntos por 15-19 pases, 1 punto por 10-14 pases, y 0 puntos si no consigue realizar más de 9 pases.

Número de pases de béisbol a 6 m, en 30 segundos ____; puntos obtenidos ____

Puntuación total ____ (puntos obtenidos; máximo 30).

Ejercicio nº 5 de pase — *Pase y seguimiento*

Este competitivo, exigente y divertido ejercicio requiere varios compañeros. Divídanse en dos líneas, a una distancia de 3,60 m. El círculo de tiros libres o el círculo central pueden servir para marcar ese espacio de 3,60 m. Al practicar el pase de béisbol, las líneas deben estar separadas a 6 m. Los primeros jugadores de cada línea están enfrentados entre sí. Uno de ellos tiene el balón. El primer jugador de la línea con el balón lanza un pase de pecho al primer jugador de la otra línea y luego sigue al pase, corriendo a la derecha por detrás de la línea de recepción. El receptor agarra el balón, lo pasa al siguiente jugador de la primera línea y sigue al pase, corriendo a la derecha por detrás del jugador que recibe el balón y al final de esa línea. El ejercicio prosigue de esa forma, con todos los jugadores recibiendo y pasando con rapidez y precisión, y siguiendo al pase. Cada tipo de pase se practica durante 60 segundos.

Prueba

- Adopte la técnica adecuada en cada tipo de pase.

Comprobación de resultados

En los pases de pecho, por encima de la cabeza, lateral y por la espalda, concédase 5 puntos si realiza 60 o más pases en 60 segundos, a 3,60 m, 3 puntos por 50-59 pases, 1 punto por 40-49 pases y 0 puntos si no consigue realizar más de 39 pases.

Número de pases de pecho a 3,60 m, en 60 segundos ____; puntos obtenidos ____

Número de pases por encima de la cabeza a 3,60 m, en 60 segundos ____; puntos obtenidos ____

Número de pases laterales a 3,60 m, en 60 segundos ____; puntos obtenidos ____

Número de pases por la espalda a 3,60 m, en 60 segundos ____; puntos obtenidos ____

En el pase picado, concédase 5 puntos si realiza 40 o más pases a 3,60 m, en 60 segundos, 3 puntos por 35-39 pases, 1 punto por 30-34 pases y 0 puntos si no consigue realizar más de 29 pases.

Número de pases picados a 3,60 m, en 60 segundos ____; puntos obtenidos ____

En el pase de béisbol, concédase 5 puntos si realiza 40 o más pases a 6 m, en 60 segundos, 3 puntos por 35-39 pases, 1 punto por 30-34 pases y 0 puntos si no consigue realizar más de 29 pases.

Número de pases de béisbol a 6 m, en 60 segundos ____; puntos obtenidos ____

Puntuación total ____ (puntos obtenidos; máximo 30).

Ejercicio nº 6 de pase — *Pase en estrella*

Otro ejercicio competitivo, exigente y divertido es el ejercicio de pase en estrella. Se necesitan al menos 10 jugadores para este ejercicio. Dispóngase en formación de estrella, con cinco líneas separadas a 3,60 m, en torno al círculo de tiros libres o círculo central. Al practicar el pase de béisbol, las líneas deben estar separadas 6 m. El primer jugador de una de las líneas tiene el balón. Este jugador pasa el balón al primer jugador situado dos líneas a la derecha, luego sigue al pase corriendo a la derecha y por detrás de la línea del receptor. El receptor pasa entonces el balón al primer jugador situado dos líneas a la derecha y sigue al pase, corriendo a la derecha y detrás del segundo receptor. El ejercicio continúa de este modo, con cada jugador recibiendo, pasando con rapidez y precisión, y siguiendo al pase. Cada tipo de pase se practica durante 60 segundos.

Prueba

- Adopte una técnica apropiada en cada tipo de pase.

Comprobación de resultados

En los pases de pecho, por encima de la cabeza, lateral y por la espalda, concédase 5 puntos si realiza 60 o más pases en 60 segundos, a 3,60 m, 3 puntos por 50-59 pases, 1 punto por 40-49 pases y 0 puntos si no consigue realizar más de 39 pases.

Número de pases de pecho a 3,60 m, en 60 segundos ____; puntos obtenidos ____

Número de pases por encima de la cabeza a 3,60 m, en 60 segundos ____; puntos obtenidos ____

Número de pases laterales a 3,60 m, en 60 segundos ____; puntos obtenidos ____

Número de pases por la espalda a 3,60 m, en 60 segundos ____; puntos obtenidos ____

En el pase picado, concédase 5 puntos si realiza 40 o más pases en 60 segundos, a 3,60 m, 3 puntos por 35-39 pases, 1 punto por 30-34 pases y 0 puntos si no consigue realizar más de 29 pases.

Número de pases picados a 3,60 m, en 60 segundos ____; puntos obtenidos ____

En el pase de béisbol, concédase 5 puntos si realiza 40 o más pases en 60 segundos a 6 m, 3 puntos por 35-39 pases, 1 punto por 30-34 pases y 0 puntos si no consigue realizar más de 29 pases.

Número de pases de béisbol a 6 m, en 60 segundos ____; puntos obtenidos ____

Puntuación total ____ (puntos obtenidos; máximo 30).

Ejercicio nº 7 de pase

El toro en el corral

Este divertido ejercicio de pase se ejecuta con cinco jugadores en ataque y un jugador en defensa. Los jugadores atacantes se distribuyen a la misma distancia unos de otros, en torno al círculo central o el círculo de tiros libres. Un jugador atacante tiene el balón. El defensor, *el toro en el corral*, se sitúa en el centro del círculo. El toro trata de interceptar, desviar o tocar los pases. El jugador con el balón puede realizar cualquier tipo de pase a cualquier jugador del círculo, excepto a los jugadores más cercanos a ambos lados. El pasador no puede retener el balón más de dos segundos. Si el toro toca el balón o el pasador realiza un mal pase o comete una violación, el pasador ocupa el puesto del toro en el corral y el defensor pasa al ataque.

Prueba

- Adopte la técnica adecuada en cada tipo de pase.
- No retenga el balón más de dos segundos.
- Trate de realizar cinco pases consecutivos sin que el balón sea desviado y sin cometer violación.

Comprobación de resultados

Menos de 3 pases consecutivos sin error = 0 puntos
3-4 pases consecutivos sin error = 1 punto
5 o más pases consecutivos sin error = 5 puntos
Puntuación total ____

RECEPCIÓN DE PASES FUERA DEL ÁREA DE ANOTACIÓN

Cuando se encuentre fuera de su área de anotación y fuertemente defendido, conceda al pasador un buen objetivo y vaya hacia el balón para recibir el pase (figura 2.7). Para atrapar el balón, sus manos no deben estar tensas. Recoja el balón con las manos relajadas, formando una copa natural con la palma sobre el balón, y el pulgar y los demás dedos relajados, pero no separados. Ceda con el balón al atraparlo, llevando brazos y manos frente al pecho. Tras recibir el pase, haga una parada en dos tiempos, mire al aro y esté preparado para pasar hacia delante.

Figura 2.7 Recepción de un pase fuera del área de anotación

a *b* *c*

MUESTRE LAS MANOS

1. La vista en el balón.
2. Postura equilibrada con los pies separados a la distancia de los hombros.
3. Rodillas flexionadas.
4. Espalda recta.
5. Manos elevadas y los dedos relajados.

VAYA HACIA EL BALÓN

1. Vaya hacia el balón.
2. Recepción a dos manos.
3. Los dedos relajados.
4. Ceda con el balón al recibirlo.
5. Caiga con una parada en dos tiempos.

ACOMPAÑAMIENTO

1. Giro frontal, pivotando sobre el pie interior.
2. Lleve el balón frente al pecho con los codos separados.
3. Banda a la vista.
4. Pies a la distancia de los hombros.
5. Rodillas flexionadas.
6. Espalda recta.

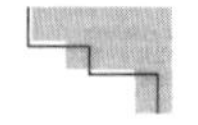

Error

Al recibir el balón, lo sujeta de forma deficiente.

Corrección

Mantenga las manos en alto. Mire al balón a medida que llega a sus manos. Manténgalas relajadas y ceda con el balón al atraparlo.

Ejercicio nº 8 de pase — Pase a tossback

El ejercicio de pase a *tossback* consiste en pasar a un *tossback* para desarrollar rapidez, precisión y confianza en el pase. Si no se dispone de *tossback*, puede utilizarse una pared. En este ejercicio ejecutará el pase de pecho, el pase picado, el pase por encima de la cabeza, el pase lateral, el pase de béisbol y el pase por la espalda. Comience en postura equilibrada, a 3,60 m frente al *tossback* o la pared, con el balón en buena posición de pase. Pase y reciba el balón con toda la rapidez y precisión de que sea capaz. Suelte el balón de la yema de los dedos para impartir efecto de retroceso y hacer que el balón vuelva directamente hacia usted. Mantenga los brazos elevados en su acompañamiento, hasta que el balón golpee en el *tossback*.

Prueba

- Comience en postura equilibrada.
- Adopte la técnica correcta en cada tipo de pase.
- Acompañe el balón en cada tipo de pase.

Comprobación de resultados

En los pases de pecho, por encima de la cabeza, lateral, de béisbol y por la espalda, concédase 5 puntos si realiza 30 o más pases a 3,60 m en 30 segundos, 3 puntos por 25-29 pases, 1 punto por 20-24 pases y 0 puntos si no consigue realizar más de 19 pases.

Número de pases de pecho en 30 segundos ____; puntos obtenidos ____

Número de pases por encima de la cabeza en 30 segundos ____; puntos obtenidos ____

Número de pases laterales en 30 segundos ____; puntos obtenidos ____

Número de pases de béisbol en 30 segundos ____; puntos obtenidos ____

Número de pases por la espalda en 30 segundos ____; puntos obtenidos ____

En el pase picado, concédase 5 puntos si realiza 20 o más pases en 30 segundos, a 3,60 m, 3 puntos por 15-19 pases, 1 punto por 10-14 pases y 0 puntos si no consigue realizar más de 9 pases.

Número de pases picados en 30 segundos ____; puntos obtenidos ____

Puntuación total ___ (puntos obtenidos; máximo 30).

RESUMEN DE PASE Y RECEPCIÓN

Una buena técnica de pase y recepción es vital para los jugadores que quieren contribuir adecuadamente al juego de su equipo. En este paso hemos cubierto la mejor manera de realizar los diversos pases del baloncesto y la forma correcta de recibir el pase para situarse en posición de tiro, pase o entrada.

En el paso siguiente examinaremos los fundamentos del bote de balón. Pero antes de pasar al tercer paso, procede pasar revista a la forma en que ha ejecutado los ejercicios propuestos en este paso. Consigne los puntos obtenidos en cada uno de los ejercicios de este paso, luego sume y totalice para evaluar su acierto general.

Ejercicio de calentamiento	
1. Calentamiento para el manejo de balón	___ de 5
Ejercicios de pase	
1. Pase al *tossback* en movimiento	___ de 5
2. Pase explosivo	___ de 20
3. Pase de rebote	___ de 5
4. Pase al compañero	___ de 30
5. Pase y seguimiento	___ de 30
6. Pase en estrella	___ de 30
7. El toro en el corral	___ de 5
8. Pase a *tossbacck*	___ de 30
Total	___ ***de 160***

Si ha conseguido 140 puntos o más, ¡enhorabuena! Eso significa que ha dominado los fundamentos de este paso y que está preparado para afrontar el tercer paso, el bote. Si ha anotado menos de 140 puntos, es posible que deba invertir algún tiempo más en los fundamentos cubiertos en este paso. Practique de nuevo los ejercicios aquí propuestos para dominar las técnicas correspondientes e incrementar la puntuación.

3.er PASO

El bote del balón

Botar es parte integral del baloncesto y vital para el juego individual y de equipo. Como el pase, es una forma de mover el balón, pues para mantener su posesión, debe botarlo mientras se mueve.

Al comienzo del bote, el balón debe dejar la mano antes de que usted eleve su pie pivote del suelo. Al botar, no puede tocar el balón simultáneamente con ambas manos, ni permitir que descanse en una mano.

La habilidad de botar, tanto con la mano buena como con la mala, es clave para mejorar su nivel de juego. Si sólo es capaz de botar bien con su mano buena, adquirirá la costumbre de jugar en exceso hacia ese lado, lo que le volverá virtualmente ineficiente. Para proteger el balón mientras es botado, mantenga el cuerpo entre su defensor y el balón. En otras palabras, cuando mueva el balón hacia el lado de su mano mala (a su izquierda, si es diestro), bote con la mano izquierda para proteger el balón con el cuerpo.

El bote le permite mover el balón a usted mismo. Al botar, puede subir el balón hasta muy arriba de la cancha y eludir la presión de los defensores. Cada equipo necesita al menos un buen botador, capaz de llevar el balón hasta el campo contrario en un contraataque y protegerlo de la presión defensiva.

Algunas funciones útiles de botar el balón son:

- sacar el balón de un área congestionada en la que es imposible pasar a un compañero, como después de un rebote o al ser acosado por dos contrarios;
- avanzar el balón hasta el campo contrario cuando no hay receptores desmarcados, sobre todo contra defensas presionantes;
- avanzar el balón hasta el campo contrario en un contraataque, cuando no hay compañeros desmarcados en posición de anotar;
- penetrar en la defensa para una entrada a canasta;
- atraer a un defensor a fin de crear un espacio para un compañero;
- preparar jugadas ofensivas;
- mejorar su posición o ángulo, antes de pasar a un compañero; y
- crear su propio tiro.

El bote del balón es el fundamento menos aprovechado del juego. El jugador debe saber cuándo botar y cuándo no hacerlo. Un pase desplaza el balón con mucha mayor velocidad que el bote, de modo que, antes de botar, trate de pasar a compañeros desmarcados. Si bota demasiado, sus compañeros tenderán a dejar de moverse, facilitando el trabajo defensivo del equipo contrario. Botar el balón excesivamente puede destruir el trabajo y la moral del equipo.

Aprenda a minimizar los botes del balón. Botar debería tener un propósito, servir para algo. No lo malgaste.

No adquiera el mal hábito de botar el balón de forma automática en el momento en que lo recibe. Al botar innecesariamente, puede dejar escapar la ocasión de pasar a un compañero desmarcado, o puede dejar de botar antes de que haya un compañero desmarcado. Cuando bota inmediatamente una o dos veces, y luego coge el balón, facilita que el defensor presione sobre su tiro. También le resultará más fácil defender su pase, pues el lanzamiento ya no es una amenaza. Una vez que inicia el bote del balón, recuerde no dejar de hacerlo hasta que haya un compañero desmarcado para recibir su pase.

Para ser un creador de juego efectivo, debe adquirir destreza en el modo de botar el balón con cualquier mano. Trate de sentir que el balón es una prolongación de su cuerpo. Mantenga la cabeza erguida para ver toda la cancha y tome la decisión correcta en el momento oportuno. Su destreza en la manera de botar el balón –control, momento, finta y rapidez– determinará en gran medida su progreso como constructor de juego.

Pídale a un observador experto –su entrenador, un instructor o un buen jugador– que examine su forma de botar. El observador puede utilizar como referencia las figuras 3.1 a 3.10 para evaluar su actuación con información suficiente. Pídale también a su entrenador que evalúe sus decisiones acerca de botar el balón.

Las jugadas básicas del bote del balón que deben aprenderse incluyen el botar con control, el botar rápido, el botar explosivo, el botar con cambio de ritmo, el botar de dentro a fuera, el botar en retroceso, el cambio por delante, el botar reverso y el cambio por la espalda. Practique estas figuras del modo de botar el balón de manera que lo haga sin pensar y pueda prestar atención a las diversas situaciones del partido. Aprenda cómo botar rápidamente manteniendo el control. En los entrenamientos, trate de mejorar su destreza, pero sea consciente de sus limitaciones durante el partido. El modo de botar el balón es un elemento que puede practicar usted solo. Lo único que necesita es un balón, un lugar nivelado y ganas de mejorar.

Ejercicio nº 1 botar el balón

Calentamiento para botar el balón

El calentamiento para botar el balón desarrolla habilidad y confianza en el modo de hacerlo, tanto con la mano buena como con la mala. Las cinco partes del ejercicio son: bote cruzado, figura ocho, una rodilla, sentado y tendido.

Cambio de mano por delante. A partir de una postura equilibrada, cambie el balón de una mano a otra, botándolo por debajo del nivel de la rodilla y no más arriba que ésta. Mantenga la mano libre elevada para proteger el balón. Cambie también la posición de sus pies y cuerpo para proteger el balón. Alternando de derecha a izquierda, y de izquierda a derecha, realice 20 botes (10 con cada mano).

Figura ocho. Bote el balón en forma de ocho, de detrás a delante y entre las piernas. Cambie de una a otra mano cuando el balón pasa entre sus piernas. Después de 10 ejercicios, cambie de dirección y bote el balón en forma de ocho, de delante a atrás y a través de sus piernas, realizando otros 10 ejercicios.

Una rodilla. Bote el balón arrodillado sobre una rodilla. Comenzando enfrente de la rodilla, bote a un lado y bajo la rodilla. Cambie de manos y bote por detrás de su pierna trasera. Cambie de nuevo de una a otra mano y continúe en la figura inicial, enfrente de su rodilla. Bote en forma de ocho, realizando 10 ejercicios en una dirección y otros 10 en la dirección opuesta.

Sentado. Continúe botando sentado. Bote 10 veces a un lado mientras está sentado. Eleve las piernas, bote el balón por debajo de ellas al otro lado, y bote hacia ese lado otras 10 veces.

Tendido. Continúe botando tendido de espaldas. Así, tendido, bote 10 veces a un lado. Siéntese, levante las piernas, bote el balón por debajo de ellas hacia el otro lado, tiéndase y bote al lado opuesto otras 10 veces.

Prueba

- Bote con confianza.
- Practique con su mano mala tanto como con la buena.
- Trate de realizar 10 botes sin error en cada dirección, por cada parte del ejercicio.

Comprobación de resultados

Para cada ejercicio, registre cuántos botes ha dado a ambos lados sin cometer errores. Concédase 5 puntos por realizar 10 o más botes sin error a cada lado.

	Derecha	Izquierda	Total
Cruzado	___	___	___
Figura ocho	___	___	___
Una rodilla	___	___	___
Sentado	___	___	___
Tendido	___	___	___

Puntuación total ___

BOTE DE PROTECCIÓN

Utilice el bote de protección (figura 3.1) cuando esté estrechamente defendido y deba mantener el balón protegido y bajo control. Una postura bien equilibrada, básica para el bote de protección, le permitirá plantear una triple amenaza: tirar, pasar o penetrar. También le permite moverse rápidamente, cambiar de dirección, cambiar de ritmo y pararse de forma controlada, siempre protegiendo el balón. Mantenga la cabeza erguida con el aro a la vista. Esto le permitirá ver toda la cancha, compañeros desmarcados y defensores.

Aprenda a botar sin mirar al balón. Mantenga la cabeza bien erguida y la espalda recta. Sus pies deberían estar separados al menos a la distancia de los hombros, con el peso repartido por igual sobre las puntas de los pies, con las rodillas flexionadas. Prepárese para moverse. Mantenga el codo de la mano con la que bota el balón ceñido al cuerpo. Su mano debe estar en posición relajada, con el pulgar relajado y los dedos cómodamente separados. Controle el bote con la yema de los dedos. Flexione la muñeca y los dedos para impartir fuerza al balón. No combe el brazo. Bote el balón no más arriba del nivel de la rodilla y manténgalo cerca del cuerpo. Mantenga la otra mano libre en posición protectora, cercana al balón. Sitúe el cuerpo entre el defensor y el balón.

Figura 3.1 Bote de protección

BOTE DE PROTECCIÓN

1. Mantenga la cabeza erguida, no pierda de vista la canasta.
2. Bote el balón cerca del cuerpo, a nivel de la rodilla o más abajo.
3. Asegúrese de que el balón deja la mano antes de que el pie pivote deje el piso.
4. Bote el balón con las yemas de los dedos, con fuerte flexión de muñeca y dedos.
5. Utilice el cuerpo y la mano libre para proteger el balón.

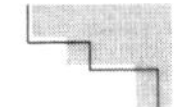

Error
Mientras bota, mira al balón.
Corrección
Mantenga la cabeza erguida y con la canasta a la vista.

Ejercicio nº 2 botar el balón

Expulsar el balón del círculo

Este ejercicio desarrolla la habilidad de botar con la cabeza erguida y proteger el balón de la presión contraria. Elija otro jugador como oponente. Ambos tendrán un balón. Boten dentro del círculo de tiros libres o del círculo central. Cada uno tratará de desviar el balón del otro fuera del círculo.

Para aumentar la dificultad

- Usted y su oponente botan sólo con la mano mala.
- Permita más contacto del normal para perfeccionar el botado en condiciones de fuerte presión defensiva.

Prueba

- Mantenga la cabeza erguida.
- Proteja el balón con el cuerpo y la mano libre.
- Esté alerta ante los movimientos de su oponente.

Comprobación de resultados

Concédase 1 punto cada vez que expulsa del círculo el balón de su oponente. Juegue hasta que uno de los dos logre 5 puntos.

Puntuación total ____

BOTE EN VELOCIDAD

El bote en velocidad (figura 3.2) es útil cuando no está estrechamente defendido, cuando debe mover el balón rápidamente en campo abierto y cuando tiene una rápida entrada a canasta. Para botar en velocidad, utilice un bote alto al nivel de la cintura, mantenga la cabeza erguida, siempre con el aro a la vista. Esto le permitirá ver la cancha entera, compañeros desmarcados y defensores.

Comience lanzando el balón más o menos a un metro y corra tras él. Recuerde que el balón debe dejar la mano antes de que eleve su pie pivote del suelo. Realice los botes sucesivos a nivel de la cintura, flexionando la muñeca y los dedos para aplicar fuerza sobre el balón. Bote el balón con los dedos, controlándolo con la yema de los mismos.

Figura 3.2 Bote en velocidad

BOTE EN VELOCIDAD

1. Mantenga la cabeza erguida, canasta a la vista.
2. Lance el balón a un metro y corra tras él.
3. Avance botando el balón al nivel de la cintura.
4. Asegúrese de que el balón deja la mano, antes que el pie pivote deje el suelo.
5. Bote el balón con los dedos, con fuerte flexión de muñeca y dedos.
6. Utilice el cuerpo y la mano libre para proteger el balón.

Error

Da demasiados botes.

Corrección

Realice cada bote al nivel de la cintura y corra tras el balón, reduciendo al mínimo el número de botes.

El bote en velocidad es importante, pero también lo es pararse rápidamente con equilibrio. Tras botar a toda velocidad, los jugadores inexpertos suelen perder el equilibrio y el control cuando tratan de pararse rápidamente. La parada en dos tiempos (figura 3.3) puede evitar que arrastre su pie pivote y se desplace cuando se frena tras botar en velocidad. Esto es especialmente importante en un contraataque.

En la parada en dos tiempos, su pie trasero es el primero en tocar suelo, seguido del otro pie. Cuando la parada en dos tiempos se ejecuta en su último bote, el pie que toca suelo primero se convierte en su pie pivote.

Brincar antes de ejecutar la parada en dos tiempos permite que la gravedad le ayude a ralentizar el impulso. Salte en dirección opuesta y toque suelo con las plantas de los pies extendidas. Cuanto más amplia sea la base, más estable será su posición. Flexione su rodilla trasera para descender el cuerpo a una posición "asentada" sobre el talón de su pie trasero. Cuanto más descienda, mayor equilibrio tendrá. Mantenga la cabeza erguida.

Figura 3.3 Parada en dos tiempos tras botar en velocidad

a

BRINQUE Y SALTE HACIA ATRÁS

1. Brinque antes de pararse.
2. Salte hacia atrás.
3. Recoja el balón del último bote.

b

PARADA EN DOS TIEMPOS

1. Caiga primero con el pie trasero.
2. Caiga después con el pie delantero.
3. Caiga sobre una base amplia.
4. Mantenga la cabeza erguida, con la canasta a la vista.

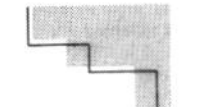

Error

Pierde el equilibrio hacia delante, arrastrando el pie pivote.

Corrección

Brinque antes de pararse, a fin de permitir que la gravedad ralentice su impulso. Salte hacia atrás, cayendo primero con su pie trasero y luego con el delantero. Mantenga una amplia base para su estabilidad. "Asiéntese" sobre el talón de su pie trasero. Mantenga la cabeza erguida.

Ejercicio nº 3 botar el balón — Botar con dos balones

Botar dos balones es divertido y desarrolla la habilidad de botar y la confianza con ambas manos. Este ejercicio consta de seis partes: bote junto, alternado arriba y abajo, cruzado, de dentro a fuera, a través de las piernas y arrastre lateral adelante y atrás. Cada parte incluye el bote simultáneo con dos balones. Si un balón se pierde, siga botando con el otro mientras recoge el balón perdido.

Balones juntos. Bote simultáneamente dos balones por debajo del nivel de la rodilla.

Alternados arriba y abajo. Bote simultáneamente dos balones, de forma que uno de ellos esté arriba cuando el otro esté abajo.

Cruzados. Pase los balones de una mano a la otra, cruzándolos atrás y delante, frente a usted, manteniéndolos abajo y cerca del cuerpo. Mezcle los cambios en lugar de ejecutar cada cruce con la misma mano.

De dentro a fuera. Un bote de dentro a fuera es un amago de cambio de dirección. Comience con el balón dentro, pero luego rote la mano sobre el balón para botarlo fuera de su base al mismo lado. Realice el bote de dentro a fuera alternando las manos y luego con ambas manos simultáneamente.

A través de las piernas. Bote primero un balón, luego el otro y después ambos balones a través de las piernas.

Arrastre lateral adelante y atrás. Comience botando un balón a cada lado de su cuerpo. Luego bótelos hacia atrás y hacia delante, flexionando muñecas y dedos en una acción similar a empujar los balones hacia atrás y hacia delante.

Prueba

- Ejercítese con ambas manos.
- Trate de dar 20 botes sin error en cada parte del ejercicio.

Comprobación de resultados

Para cada ejercicio, anote los botes que ha realizado sin error. Si realiza 20 ó más botes, concédase 5 puntos. Si realiza entre 15 y 19 botes, 3 puntos. Si realiza entre 10 y 14 botes, 1 punto. Si no consigue realizar más de 9 botes, 0 puntos.

Número de botes juntos ____; puntos obtenidos ____

Número de botes alternados arriba y abajo ____; puntos obtenidos ____

Número de botes cruzados ____; puntos obtenidos ____

Número de botes de dentro a fuera con la mano derecha____; puntos obtenidos ____

Número de botes de dentro a fuera con la mano izquierda____; puntos obtenidos ____

Número de botes de dentro a fuera con ambas manos____; puntos obtenidos ____

Número de botes entre las piernas con la mano derecha____; puntos obtenidos____

Número de botes entre las piernas con la mano izquierda____; puntos obtenidos____

Número de botes entre las piernas con ambas manos____; puntos obtenidos____

Número de botes de arrastre lateral adelante y atrás____: puntos obtenidos ____

Puntuación total ____ (puntos obtenidos; máximo 50).

Ejercicio nº 4 botar el balón

Botar con dos balones en movimiento

Después de botar dos balones en posición estática, un gran reto consiste en botar dos balones en movimiento. Practicar el bote con dos balones en movimiento mejorará su destreza en el bote, tanto con su mano buena como con su mano mala y, en consecuencia, su confianza. Este ejercicio consta de seis partes: zigzag, ataque y retroceso, parada y marcha, cambio de ritmo, reverso y reverso fintado.

Zigzag. Bote dos balones avanzando sobre la pista en zigzag, es decir, botando en diagonal a un lado y luego al otro. Cambie de dirección cruzando ambos balones por delante.

Ataque y retroceso. Bote dos balones avanzando sobre la pista con ataque y retroceso, es decir, botando adelante y luego hacia atrás sin cruzar los pies. Alterne el pie delantero cada vez que presiona y retrocede.

Parada y arranque. Bote dos balones avanzando en la pista con un bote de parada y arranque. Bote en velocidad empujando hacia delante ambos balones. Deténgase bruscamente, con el cuerpo perfectamente controlado, y mantenga el botado mientras se para.

Cambio de ritmo. Bote dos balones avanzando en la pista mientras cambia de ritmo (de velocidad a control y de control a velocidad). Utilice la imaginación para añadir fintas y aceleraciones a diversos niveles.

Reverso. Bote dos balones mientras avanza en zigzag, cambiando de dirección con un pivote reverso. Bote ambos balones de atrás a un lado, luego pivote reverso sobre su pie delantero, arrastrando ambos balones hacia donde su cuerpo estaba antes del reverso.

Reverso fintado. Bote dos balones avanzando en zigzag. Utilice un reverso fintado antes de cambiar de dirección, botando ambos balones a un lado y girando la cabeza y los hombros hacia atrás. Luego gire rápidamente la cabeza y los hombros hacia delante y bote de nuevo hacia delante los dos balones.

Prueba

- Bote con confianza.
- Ejercítese con ambas manos.
- En los ejercicios en zigzag y presión y retroceso, trate de realizar dos recorridos completos de la cancha sin más de un error en cada recorrido.
- En los ejercicios de parada y arranque, cambio de ritmo, reverso y reverso fintado, trate de realizar dos recorridos completos de la cancha sin más de tres errores en cada recorrido.

Comprobación de resultados

En los ejercicios de zigzag y de presión y retroceso, concédase 5 puntos si ha realizado dos recorridos completos de la cancha sin más de un error por recorrido. En los ejercicios de parada y arranque, cambio de ritmo, reverso y reverso fintado, concédase 5 puntos si ha realizado dos recorridos completos de la cancha sin más de tres errores por recorrido.

	Número de recorridos	Número de errores	Puntos
Zigzag	___	___	___
Presión y retroceso	___	___	___
Parada y arranque	___	___	___
Cambio de ritmo	___	___	___
Reverso	___	___	___
Reverso fintado	___	___	___

Puntuación total ___

BOTE EXPLOSIVO

Cuando se aproxime a un defensor en pista abierta, utilice el bote explosivo (figura 3.4) para dejar de avanzar, manteniendo el bote en marcha. El bote explosivo le permite lograr equilibrio y ver o adivinar la posición del defensor, sobre todo al final de un contraataque. Así planteará una triple amenaza: tirar, pasar o penetrar mientras bota.

Para ejecutar el bote explosivo, cambie rápidamente de bote en velocidad a bote en control, llegando a parar manteniendo el bote del balón. Bote en el mismo lugar, de frente a la canasta, con una distancia entre pies similar a la de los hombros. Mueva sus pies arriba y abajo tan rápidamente y tan cerca del suelo como pueda, como si estuviesen en contacto con una superficie candente. Este movimiento explosivo de pies le ayudará a lograr un completo equilibrio, a la vez que confunde al defensor. La efectividad del bote explosivo resulta de ese perfecto equilibrio y control, leyendo la posición del defensor y fintando antes de realizar su siguiente jugada para tirar, pasar o entrar a canasta.

Figura 3.4 Ejecución del bote explosivo

a

BOTE EN VELOCIDAD

1. Cabeza erguida, canasta a la vista.
2. Bote en velocidad, balón al nivel de la cintura.

b

BOTE EXPLOSIVO

1. Cambie del bote en velocidad al bote de protección y siga botando.
2. Mueva los pies arriba y abajo rápidamente.
3. Cabeza erguida, canasta a la vista.
4. Plantee una triple amenaza: lanzar, pasar o entrar a canasta.
5. Amague con la cabeza antes de su siguiente jugada.

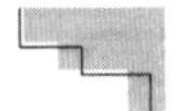

Error

Durante el bote explosivo su postura es inestable.

Corrección

Procure un absoluto equilibrio y control, con los pies separados a la distancia de los hombros y las rodillas flexionadas.

BOTAR CON CAMBIO DE RITMO

Botar con cambio de ritmo (figura 3.5) es útil para engañar y eludir a un defensor. Para ejecutar el bote con cambio de ritmo, cambie su método de botar de velocidad a control y rápidamente otra vez a velocidad. La efectividad de su cambio de ritmo depende de cómo lo oculte y de la rapidez con que lo haga. Fuerce el bote para cambiar rápidamente de lento a veloz. Al cambiar el ritmo, tiene la ventaja de que es *usted* quien decide cuando cambiar la velocidad. Con una buena finta y una rápida aceleración de la velocidad, debe al menos conseguir un paso de ventaja sobre su defensor después de cambiar el ritmo de bote controlado a bote en velocidad.

Figura 3.5 Bote con cambio de ritmo

a

b

DE PROTECCIÓN A BOTE EN VELOCIDAD

1. Cabeza erguida, canasta a la vista.
2. Cambie a bote en velocidad al nivel de la cintura.
3. Fuerce el bote y corra tras el balón.

DE BOTE EN VELOCIDAD A PROTECCIÓN

1. Cabeza erguida, banda a la vista.
2. Cambie a bote en control al nivel de las rodillas.
3. Proteja el balón con el cuerpo y la mano que no bota.

Error
No controla el bote al cambiar de velocidad a bote de protección.
Corrección
Amplíe la base y flexione las rodillas para lograr equilibrio. Bote el balón al nivel de la rodilla o más abajo.

BOTE EN RETROCESO

El bote en retroceso se usa para evitar problemas relacionados con la presión defensiva. El bote en retroceso a menudo se combina con un cambio frontal de dirección y bote en velocidad, para evitar quedar encerrado por dos defensores. Retroceder con el bote le permite ganar espacio para un cambio frontal de dirección y bote en velocidad, dándole mayor libertad de movimiento.

Para ejecutar el bote en retroceso (figura 3.6), dé pasos cortos y rápidos mientras bota hacia atrás. Mientras retrocede, proteja el balón y mantenga una postura equilibrada. Realice un bote controlado de cambio de dirección y trate de superar a sus defensores con botes en velocidad. Mantenga la cabeza erguida, con el aro a la vista, de modo que pueda ver y pasar a sus compañeros desmarcados.

Figura 3.6 Botar en retroceso

a

b

RETROCESO

1. Cabeza erguida, canasta a la vista.
2. Cambie al botar en retroceso con el balón al nivel de la rodilla.
3. Dé pasos cortos y rápidos.
4. Proteja el balón con el cuerpo y la mano libre.

BOTAR EN VELOCIDAD

1. Cabeza erguida, canasta a la vista.
2. Cambie al botado en velocidad con el balón al nivel de la cintura.
3. Fuerce el bote y corra tras el balón.

Error

Tiene problemas para retroceder rápidamente.

Corrección

No se incline hacia delante. Mantenga el equilibrio y dé pasos cortos y rápidos de retroceso.

CAMBIO DE MANO POR DELANTE

El cambio de mano por delante es importante cuando, en un contraataque con cancha abierta, necesita abrirse paso hacia canasta, o cuando necesita crear un desmarque para un lanzamiento. La efectividad del cambio por delante se basa en la rapidez con que cambia el bote de una dirección a otra.

Para ejecutar un cambio de mano por delante (figura 3.7), cruce el balón frente a usted en un ángulo retrasado, pasando el bote de una mano a la otra. Bote el balón cerca de usted al nivel de la rodilla o más abajo, con un bote de control y al nivel de la cintura con un bote en velocidad. Cuando realice el cambio de dirección, eleve la mano libre y cambie el pie delantero y la posición del cuerpo para proteger el balón.

Figura 3.7 Cambio de mano por delante

a

BOTE DE CONTROL

1. Cabeza erguida, canasta a la vista.
2. Bote de control al nivel de la rodilla.
3. Proteja el balón con el cuerpo y la mano libre.

b

BOTE CRUZADO

1. Cruce el balón frente a usted en ángulo retrasado, cambiando de manos.
2. Bote cerca del cuerpo.
3. Proteja el bajón con el cuerpo y la mano que no bota.

Error

Bota el balón demasiado alto o demasiado lejos al cambiar de dirección.

Corrección

Bote al nivel de la rodilla y cerca del cuerpo.

Ejercicio nº 5 botar el balón

Cambio de mano a una rodilla

Además de ser una valiosa maniobra ofensiva, el cambio de mano es una jugada emocionante. Para mejorar la confianza y la destreza al realizar el cambio de mano, tanto con la mano buena como con la mala, muchos jugadores, incluidos algunos de la NBA, utilizan ahora el ejercicio de cambio de mano a una rodilla.

Arrodíllese sobre una sola pierna. Bote cruzado bajo la rodilla recta, botando atrás y adelante entre las manos. En cada bote cruzado, utilice toda la potencia y rapidez posibles. Flexione la muñeca y los dedos para imprimir fuerza y apunte los dedos a la mano receptora para imprimir precisión. Como está usted botando el balón con toda la fuerza posible, utilice una posición de mano relajada para controlar el balón al recibirlo. Practique este ejercicio durante 30 segundos, arrodillándose sobre su rodilla izquierda y botando bajo la derecha. Cambie las piernas y practique el cambio de mano durante 30 segundos, arrodillándose sobre su rodilla derecha y botando bajo la izquierda. Puede utilizar una toalla para apoyar la rodilla, sobre todo si piensa practicar el ejercicio durante más de un minuto.

Prueba

- Flexione muñeca y dedos.
- Relaje la mano receptora.
- Trate de realizar 30 ejercicios de bote cruzado con cada rodilla, con menos de tres errores en 30 segundos.

Comprobación de resultados

Cuente el número de botes que ha realizado con cada rodilla en 30 segundos.

10 o menos botes en 30 segundos = 0 puntos
11-14 botes en 30 segundos = 2 puntos
15-19 botes en 30 segundos = 4 puntos
20-24 botes en 30 segundos = 6 puntos
25-29 botes en 30 segundos = 8 puntos
30 o más botes en 30 segundos = 10 puntos
Puntuación total ____

BOTE DE DENTRO A FUERA

El bote de dentro a fuera es un amago de bote con cambio de dirección a partir de un bote de control o explosivo. Este bote de engaño puede utilizarse para escaparse hacia canasta o para efectuar un lanzamiento. Realice el amago girando la cabeza al lado contrario para fingir un cambio de dirección.

Al ejecutar el bote de dentro a fuera (figura 3.8), comience cruzando el balón frente a usted. En lugar de soltar el balón y cambiar el bote a la otra mano, rote la mano sobre el balón y bótelo hacia fuera de su base, detrás del lado en que ha comenzado. Bote cerca del cuerpo al nivel de las rodillas. Proteja el balón con el cuerpo y la mano libre.

Figura 3.8 Bote de dentro a fuera (ejercicio de amago cruzado)

a

b

BOTE FINGIDO CRUZADO

1. Cabeza erguida, canasta a la vista.
2. Amague el cruce de balón frontal.
3. Rote rápidamente la mano sobre el balón y empújelo hacia atrás, al mismo lado, con movimiento de dentro a fuera.

BOTE EL BALÓN HACIA ATRÁS

1. Bote el balón hacia atrás, al mismo lado de la base exterior.
2. Bote de control al nivel de la rodilla.
3. Proteja el balón con el cuerpo y la mano que no bota.

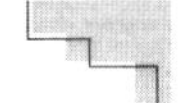

Error
Su bote de dentro a fuera no es engañoso.
Corrección
Realice un movimiento de cabeza en la dirección opuesta.

BOTE EN REVERSO

El bote en reverso mantiene su cuerpo entre el balón y el defensor para protección mientras cambia de dirección. La desventaja, sin embargo, es que por un momento pierde de vista a otros defensores que pueden intentar un robo lateral de balón. El bote en reverso tiene su mejor aplicación como jugada ofensiva para contrarrestar un fuerte juego defensivo en el lado que está botando. Le permite crear su propio tiro en la dirección opuesta.

El bote en reverso (figura 3.9) es una jugada de dos botes. Comience botando hacia atrás, luego pivote hacia atrás con el pie opuesto, mientras gira los hombros hacia el lado de la mano que bota. Adelante su pie trasero mientras realiza un segundo bote hacia delante, cerca del cuerpo, con la misma mano. Tras realizar la jugada de bote en reverso, cambie de manos para el siguiente bote.

Figura 3.9 Bote en reverso

a

BOTE HACIA ATRÁS

1. Cabeza erguida, canasta a la vista.
2. Bote detrás del cuerpo.
3. Proteja el balón con el cuerpo y la mano que no bota.

b

PIVOTE EN REVERSO

1. Pivote reverso sobre el pie delantero.
2. Dé un paso con el pie trasero.
3. Realice el segundo bote hacia delante.

c

CAMBIE DE MANOS

1. Cambie de manos.
2. Bote de control al nivel de la rodilla.
3. Proteja el balón con el cuerpo y la mano que no bota.

Error

Cambia de manos al botar en el reverso, haciendo que el bote sea demasiado amplio.

Corrección

Primero bote hacia atrás. Cuando pivota en el reverso, asegúrese de empujar el balón hacia delante y cerca del cuerpo con la misma mano.

Ejercicio nº 6 botar el balón *El bote del pilla-pilla*

El juego del bote al pilla-pilla desarrolla la habilidad para botar con la cabeza erguida y cambiar rápidamente de dirección. El bote de pilla-pilla requiere cinco o más jugadores. Cada jugador tiene un balón. Bote dentro de media pista. A un jugador se le nombra "comodín". Los demás jugadores tratan de evitar ser cogidos por el jugador comodín. Cuando un jugador es alcanzado por el comodín, pasa a ocupar su lugar. El tiempo establecido para cada juego es de dos minutos.

Para aumentar la dificultad

- Cada jugador bota sólo con su mano mala.

Comprobación de resultados

Cada jugador que evita ser alcanzado en ese tiempo de dos minutos obtiene 1 punto. Deben jugarse partidos de dos minutos hasta que uno de los jugadores consiga 3 puntos.

Puntuación total ____

CAMBIO POR DETRÁS DE LA ESPALDA

El cambio por detras de la espalda mantiene a su cuerpo entre el defensor y el balón para protegerlo mientras cambia de dirección. Se utiliza sobre todo en toda la pista, cuando un jugador defensivo le presiona muy cerca del lado en que bota. A pesar de que desarrollar la técnica del cambio por detrás de la espalda requiere más práctica que otros tipos de bote del balón, merece la pena aprenderla. Comparado con el bote de cambio de dirección, el cambio por detrás de la espalda le permite mantener su cuerpo entre el balón y el defensor. En comparación con el bote de reverso, le permite cambiar de dirección sin apartar la vista del aro o de otros defensores. El cambio por la espalda es mucho más rápido que el bote de reverso y casi tan rápido como el bote de cambio de dirección.

Como el bote de reverso, el cambio por detrás de la espalda (figura 3.10) es una jugada de dos botes. De nuevo, bote hacia atrás. Mueva hacia delante la pelvis mientras realiza un segundo cambio por la espalda, cerca del cuerpo, en dirección hacia su otra mano. Después del segundo bote, cambie de mano. Utilice el cuerpo y la mano libre como protección.

Figura 3.10 Cambio por detrás de la espalda

a

PRIMER BOTE DETRÁS DEL CUERPO

1. Cabeza erguida, canasta a la vista.
2. Bote detrás del cuerpo.
3. Proteja el balón con el cuerpo y la mano libre.

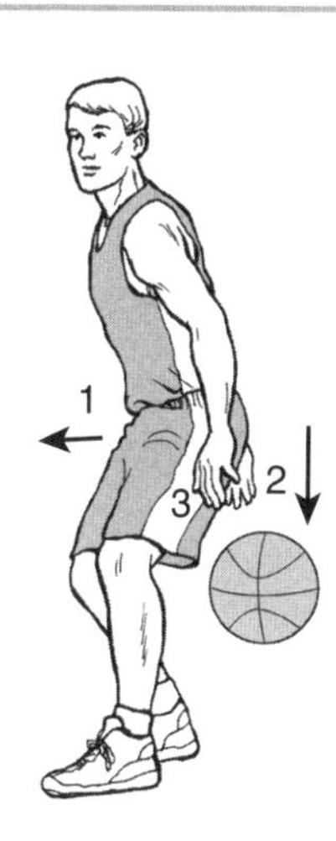

b

SEGUNDO CAMBIO POR DETRÁS DE LA ESPALDA

1. Mueva la pelvis hacia delante.
2. Pase el segundo cambio por la espalda y luego hacia delante.
3. Cambie de mano, controlando el bote al nivel de la rodilla.

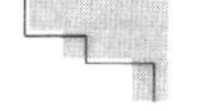

Error

Su bote es demasiado amplio.

Corrección

Trate de empujar el balón hacia delante y junto al cuerpo en el segundo bote, con la misma mano.

Ejercicio nº 7 botar el balón *Botes con conos*

Coloque cinco conos: uno en la línea de fondo, otro a medio camino entre la línea de fondo y la línea central, otro en la línea central, otro a medio camino entre la línea central y la línea de fondo opuesta, y el último en la otra línea de fondo. El ejercicio consta de tres partes: cambio por delante, cambio por detrás de la espalda y bote en retirada y cruzado. Bote a toda velocidad en cada parte del ejercicio.

Cambio por delante. Comience en el cono de la línea de fondo. Bote a toda velocidad con su mano buena. Al pasar el segundo cono, realice un bote cruzado y pase el balón a su mano mala. Bote en velocidad con su mano mala hasta que llegue al cono siguiente. Realice un cambio por delante hacia su mano buena. Continúe de este modo hasta la línea de fondo opuesta. Regrese botando hasta el cono inicial, con un cambio por delante y cambiando de mano cada vez que pase por un cono.

Cambio por detrás de la espalda. Esta parte del ejercicio se ejecuta de la misma forma, a toda velocidad, sólo que en lugar del bote cruzado realiza un cambio por detrás de la espalda cada vez que pasa por un cono.

Bote en retroceso y cambio por delante. Bote en velocidad hasta el primer cono. Ejecute un bote en retroceso, realizando al menos tres botes en retroceso. Siga con un cambio de mano por delante, luego reanude el bote en velocidad hasta el cono siguiente.

Prueba

- Bote con velocidad y confianza.
- En el cambio por delante, trate de pasar 10 conos en 30 segundos.
- En el cambio por detrás, trate de pasar 8 conos en 30 segundos.
- En el bote de retroceso y cambio por delante, trate de pasar 6 conos en 30 segundos.

Comprobación de resultados

En el cambio de mano por delante, concédase 5 puntos por pasar 10 conos en 30 segundos, 3 puntos si pasa 8 o 9 conos, 1 punto si pasa 6 ó 7 conos, y 0 puntos, si no consigue pasar más de 5 conos. Para el cambio de mano por detrás, concédase 5 puntos si pasa 8 conos en 30 segundos, 3 puntos si pasa 7 conos, 1 punto si pasa 6 conos, y 0 puntos si no consigue pasar más de 5 conos. Para el bote en retroceso y cruzado, concédase 5 puntos si pasa 6 conos en 30 segundos, 3 puntos si pasa 5 conos, 1 punto si pasa 4 conos, y 0 puntos si no consigue pasar más de 3 conos.

Número de conos pasados con cambio por delante ____; puntos obtenidos ____

Número de conos pasados con cambio por detrás ____; puntos obtenidos ____

Número de conos pasados con bote en retroceso y cruzado ____; puntos obtenidos ____

Puntuación total ____ (puntos obtenidos; máximo 15).

RESUMEN DEL BOTE DEL BALÓN

Si puede botar con confianza y control, tendrá muchas opciones al avanzar con el balón sobre la cancha. Podrá moverse para crear mejores líneas de pase, superar a la defensa y controlar el ritmo del juego.

En el paso siguiente, examinaremos el tiro. Antes de dejar atrás este tercer paso, conviene pasar revista a cómo ha realizado los ejercicios del mismo. Anote los puntos que ha obtenido en cada uno de los ejercicios de este paso y súmelos para evaluar su grado de acierto general.

Ejercicios de botar el balón	
1. Calentamiento para botar el balón	___ de 25
2. Expulsar el balón del círculo	___ de 5
3. Botar con dos balones	___ de 50
4. Botar con dos balones en movimiento	___ de 30
5. Cambio de mano a una rodilla	___ de 10
6. El bote del pilla-pilla	___ de 3
7. Botes con conos	___ de 15
Total	___ ***de 138***

Si ha conseguido 80 o más puntos, ¡enhorabuena! Ha dominado los fundamentos de este paso y está preparado para afrontar el cuarto paso, relativo al tiro. Si ha anotado menos de 80 puntos, puede que necesite dedicar más tiempo a los fundamentos cubiertos en este paso. Practique los ejercicios de nuevo para dominar las técnicas e incrementar su puntuación.

4.º PASO

El tiro

El tiro es el elemento más importante del baloncesto. Los fundamentos esenciales de pase, bote, defensa y rebote pueden permitirle alcanzar un alto porcentaje de tiro, pero debe ser capaz de ejecutar el tiro con eficiencia. Una gran parte del tiro depende de la actitud mental. Además de destreza en el tiro, debe tener confianza en sí mismo para tirar bien. La integración de los aspectos mentales y mecánicos del acto de tirar es lo que forja el éxito del tiro.

Ser capaz de un tiro preciso obliga a su defensor a presionarle muy encima, haciéndole vulnerable a una finta, que le permitirá pasar y entrar a canasta además de tirar. Si carece de tiro preciso, el defensor puede prever un pase o una entrada a canasta, y ser menos susceptible a una finta. Cuando no tiene usted el balón, el defensor puede jugar más lejos y situarse en mejor posición para dar ayudas defensivas a un compañero que defiende a otro jugador. Para tener éxito, un equipo debe contar con jugadores que puedan realizar tiros exteriores.

A un gran tirador a menudo se le llama *un tirador puro*, debido a que posee un tiro fluido y fácil, o un toque suave. Algunos jugadores creen que un tirador puro es un jugador con dotes naturales, que ha nacido así. Se trata de una concepción errónea. Los grandes jugadores no nacen, sino que se hacen.

Un tirador puro, como el extraordinario ex-jugador de los Boston Celtics, y miembro del Hall of Fame, Larry Bird evolucionaba con dificultad en torno a un contrario y luego, como sin esfuerzo, lanzaba un tiro suave en suspensión, de manera que se podría afirmar que había nacido como tirador nato. Sus pensamientos no estaban en la mecánica del tiro, sino en la posición y los movimientos de sus compañeros y defensores. Un tirador puro puede fingir el tiro, realizar un pase, entrar a canasta o hacer un reverso para sacar el balón y reorganizar el ataque. Para Bird y otros grandes tiradores, la destreza es automática. Como otros jugadores de talento, los tiradores puros practican su destreza al máximo nivel sin pensarlo conscientemente. Todos ellos, sin embargo, fueron principiantes en un momento dado, y todos ellos se convirtieron en tiradores puros gracias a un entrenamiento intensivo.

El tiro es un fundamento que puede practicar por sí solo. Una vez que entienda la mecánica correcta, lo único que necesita es un balón, una canasta y ganas de mejorar. Pero también sirve de mucho practicar el tiro en situaciones de partido, incluida la presión que a menudo se produce durante el juego. Practique con un compañero que ejerza de defensor presionante. Recuerde que con la práctica desarrollará su capacidad de tiro y la confianza en sí mismo. También puede beneficiarse de contar con un observador experto, como un entrenador, un instructor o un buen jugador, que analice su tiro y pueda corregirle constructivamente. Sin embargo, la mayoría de su práctica de tiro sucederá cuando no esté presente un entrenador o instructor, de modo que aprenda a analizar la reacción de su tiro en la canasta para reforzar la ejecución eficiente o descubrir los errores de tiro y sus posibles causas.

CONFIANZA EN EL TIRO

Crea en usted mismo. Tenga confianza para realizar el tiro cada vez que se le presente la ocasión. Los tiradores seguros de sí mismos controlan sus pensamientos, emociones y destreza en el tiro. El baloncesto es un deporte mental además de físico. Cultivar el aspecto mental es la clave para mejorar el tiro, así como para actuar en todos los aspectos del juego.

Una forma de mejorar su confianza es comprender que la canasta es grande. Es tan amplia que en el aro caben tres balones y medio. Esto sorprende a muchos jugadores. Puede coger una escalera y meter en la canasta tres balones, uno al lado de otro, y todavía queda espacio para que pueda meter una mano entre cada balón. Comprender que la canasta es tan grande debe darle un impulso psicológico.

Otro modo de estimular su confianza es seguir el balón hasta que llega al aro. No sólo es lo mecánicamente correcto, sino –lo que es más importante– que mirará y actuará como un tirador.

Sienta positivamente que cada vez que tira el balón, entrará. Los buenos tiradores se mantienen confiados hasta cuando tienen una mala racha y fallan algunos tiros. Después de un tiro fallido, corrija mentalmente el tiro y visualice un buen tiro. Repítase a sí mismo declaraciones afirmativas como "soy un tirador", "todo dentro del cesto" o "¡puntos anotados!", porque debe promover pensamientos de confianza en usted mismo y en su habilidad como tirador. También puede motivar su confianza recordándose éxitos pasados.

La capacidad de tirar bajo presión distingue a los grandes tiradores de los buenos tiradores. Debe asumir el tiro no sólo cuando su equipo va ganando, sino también cuando la presión es grande. La correlación directa entre la confianza en el tiro y la confianza en el éxito es el factor más consistente entre los grandes tiradores.

CHARLA POSITIVA

Por importante que sea la confianza, tirar correctamente requiere algo más que el pensamiento positivo. Ni la confianza mental ni la mecánica bastan por sí solas. El éxito depende de la integración de los aspectos mentales y mecánicos en el tiro.

Cuando piensa, en cierto sentido se está hablando a sí mismo. Esa charla puede ser positiva o negativa. Una técnica llamada *autocharla positiva* puede ayudarle a integrar los aspectos mentales y mecánicos del tiro, acelerando el progreso de su tiro. La autocharla positiva utiliza palabras clave para mejorar la actuación.

Palabras elegidas que refuercen una correcta mecánica, encaucen el ritmo y aporten confianza. Las palabras clave deben ser positivas, concisas (preferiblemente de una sílaba) y personalizadas. Una palabra positiva que se asocia con un buen tiro se llama una palabra *ancla*. Elija su propia ancla personal que le permita visualizar que su tiro entra, como *sí*, *red* o *dentro*.

Las palabras clave para la mecánica correcta de su tiro se llaman palabras *gatillo*. Algunos ejemplos de palabras gatillo son:

- *alto:* para iniciar un tiro alto e impedir que la bola descienda.
- *recto:* para lograr que su tiro vaya directamente a la canasta.
- *frontal:* para indicar la posición de la mano tiradora con relación al aro.
- *punto:* la clave para soltar correctamente el balón de su dedo índice.
- *arriba:* para indicar un arco alto.
- *extensión:* para enfatizar en el acompañamiento del balón con cualquier parte de su cuerpo, incluidos hombros, brazo, muñeca y dedos.
- *cabeza:* para indicar el acompañamiento de cabeza y hombros hasta la canasta y eliminar la inclinación o movimiento hacia atrás.

- *piernas:* la clave para usar las piernas.
- *abajo y arriba:* clave para acción abajo y arriba de sus piernas, que aporte ritmo y fuerza al tiro.

Identifique dos palabras que disparen la mecánica correcta y una palabra clave para reforzar el éxito en el tiro. A veces, una palabra puede ser a la vez gatillo y ancla. Por ejemplo: *a través*, como palabra gatillo puede ser la continuación de sus hombros, brazo, muñeca y dedos, y también puede ser una palabra ancla para significar que el balón entra en la canasta.

Diga sus palabras con ritmo, desde el momento en que inicia el movimiento de tiro con sus piernas hasta que suelta el balón de su dedo índice. Por ejemplo: si *piernas* y *a través* son sus palabras gatillo y *sí* su palabra ancla, puede decir, de forma rítmica, con el tiro: "¡piernas-a través-sí!". Funciona mejor si dice las palabras en voz alta que si se las dice a sí mismo.

Pronunciar sus palabras clave personalizadas rítmicamente ayuda a establecer el ritmo de su tiro y mejora su mecánica y confianza. Dedique tiempo a la práctica mental además de a la práctica física. Relájese y practique mentalmente acompañando con sus palabras clave el ritmo de su tiro, mientras visualiza éste, viendo cómo el balón entra en el aro.

Su objetivo es reducir el pensamiento consciente y promover una ejecución automática de su tiro. Las palabras gatillo ayudan a conseguir que la mecánica de su tiro sea automática, y una palabra ancla, que refuerza el éxito del tiro, ayuda a fortalecer su confianza. A medida que su tiro mejore, puede bastar con una palabra gatillo. En definitiva, una palabra ancla puede ser lo único que necesite para disparar la acción automática de su tiro.

RITMO DEL TIRO

Las características fundamentales del baloncesto deben ser progresión gradual, fluidez y ritmo, y esto es especialmente cierto aplicado al tiro. La mecánica es importante, pero debe adquirir una buena mecánica sin ser un jugador maquinal. Su tiro debe ser fluido y rítmico más que mecánico. Todas las partes de su tiro deberían confluir en una secuencia rítmica.

La fuerza y ritmo iniciales de su tiro proceden de un movimiento abajo y arriba de las piernas. Comience con las rodillas ligeramente flexionadas. Incline las rodillas y luego extiéndalas del todo en un movimiento abajo y arriba. Decir las palabras clave *abajo* y *arriba* desde el comienzo del tiro hasta que suelte el balón dispararán la acción abajo-y-arriba de sus piernas que aporta ritmo y fuerza a su tiro. Las piernas y el brazo de tiro trabajan juntos. Mientras sus piernas se elevan, su brazo se eleva. Cuando sus piernas alcanzan toda su extensión, su espalda, hombros y brazo de tiro se extienden en una dirección gradual y continua hacia arriba.

Asegúrese de mantener el balón elevado con su mano de tiro frente al aro. Mantener el balón elevado propicia que la mano lo suelte rápidamente y también ofrece menos probabilidades de error. A efectos del ritmo, utilice el movimiento abajo-y-arriba de las piernas antes que descender el balón.

EVALÚE SU TIRO

Aprenda a tirar correctamente y luego practique a diario con inteligencia. Aprenda a entender su propio tiro. Siempre puede beneficiarse de contar con un instructor o entrenador que observe su tiro. La mayoría de su práctica, sin embargo, sucederá cuando no esté presente un entrenador. Los datos personales (es decir, la información acerca de sus actuaciones) pueden ayudarle a determinar los ajustes que debe realizar. Hay tres fuentes básicas de información al respecto: observar la reacción de su tiro al aro, la sensación interna de su tiro y el análisis por vídeo de su técnica de tiro.

Analizar una reacción de tiro a canasta puede reforzar el éxito en la ejecución o revelar la mayoría de los errores en el tiro y sus posibles causas. Por ejemplo: el balón va adonde su brazo, mano y dedo de tiro lo dirigen. Si falla a derecha (o izquierda), su brazo, mano y dedo de tiro están señalando en esa dirección. Quizá su cuerpo está frente a la dirección errónea en lugar de en línea recta con la canasta, o bien su codo está separado, lo que hace que la trayectoria se desvíe.

Si ve que el balón golpea a derecha del aro y rueda hacia la izquierda, eso le permite saber que ha tirado con efecto lateral. En general, el efecto lateral es causado porque la mano de tiro comienza a un lado del balón y luego rota detrás de él. Si rota demasiado con su mano de tiro, el balón golpeará a la derecha del aro con efecto lateral y rodará hacia la izquierda. Si rota menos de lo normal, el balón golpeará la parte izquierda del aro y rodará a la derecha. El efecto lateral también puede ser causado porque el balón se desliza de su dedo anular en lugar de su dedo de tiro.

Sus sensaciones también aportan claves. Puede sentir que su mano de tiro rota a la derecha, o bien que el balón sale despedido de su dedo anular en lugar de su dedo de tiro. Ambos errores le imprimirán efecto lateral al balón. Un excelente método para desarrollar sensaciones es lanzar tiros libres con los ojos cerrados y con ayuda de un compañero que coja el rebote y le diga si el tiro ha tenido o no éxito. Después de un fallo, su compañero debería decirle la dirección concreta del fallo y la reacción del balón en el aro. Al analizar su tiro, puede detectar y corregir errores antes de que se conviertan en malos hábitos.

MECÁNICA DE TIRO

La mayoría de los jugadores cuentan con siete tiros básicos: el tiro a una mano, el tiro libre, el tiro en suspensión, el tiro de tres puntos, el gancho, la bandeja y el tiro en carrera. Todos estos tiros comparten cierta mecánica básica, incluida la visión, el equilibrio, la posición de la mano, la alineación de codos, el ritmo de tiro y el acompañamiento hacia el aro. La mejor forma de desarrollar el tiro es concentrarse cada vez en una o dos mecánicas.

Visión

Concentre su vista en la canasta, apuntando sólo enfrente del aro para todos los tiros excepto los laterales. Opte por un tiro lateral cuando se encuentre en un ángulo de 45 grados con el tablero. Un ángulo de 45 grados cae dentro de la distancia entre el pasillo de tiros libres y la marca central de la zona. La distancia para el ángulo lateral –llamada *embudo de 45 grados*– se amplía con su movimiento. Para lanzar un tiro lateral, apunte al rincón superior más cercano del tablero.

Visualice su objetivo lo antes posible y mantenga la vista puesta en él hasta que el balón llegue a destino. Su vista nunca debería seguir el vuelo del balón ni la mano del contrario. Concentrarse en el objetivo ayuda a eliminar distracciones como un grito, una toalla que vuela, la mano de un adversario o incluso una dura falta.

Equilibrio

Mantener el equilibrio contribuye a un control fuerte y rítmico del tiro. Su base, o posición de los pies, es el fundamento del equilibrio, y mantener la cabeza sobre los pies (base) controla el equilibrio.

Separe cómodamente los pies a la distancia de los hombros y apunte los dedos hacia delante en línea recta, alineados con rodillas, caderas y hombros, y éstos, a su vez, alineados con la canasta. El pie del lado de la mano que va a tirar (el pie derecho, si es usted diestro) debe estar adelantado. Los dedos de su pie izquierdo deben estar alineados con el talón del pie del lado de tiro (relación dedos-talón).

Flexione las piernas en las rodillas. Esto concede una potencia crucial a su tiro. Los jugadores principiantes y fatigados a menudo omiten la flexión las rodillas. Para compensar la falta de potencia al no usar las piernas, tienden a lanzar el balón desde detrás de la cabeza o empujar el balón desde la cadera. Ambas acciones producen errores.

La cabeza debe estar bien erguida. La cabeza controla el equilibrio y debe estar ligeramente adelantada, con los hombros y el tracto superior inclinados hacia delante, en dirección a la canasta. Los hombros deben estar relajados.

Posición de la mano

La posición de la mano es la parte peor entendida del tiro. Es vital comenzar y finalizar el tiro con la mano que tira frente a canasta (detrás del balón). Colocar la mano que no tira bajo el balón (para el equilibrio) también es importante. Esta posición de pinza, con la mano tiradora frente a canasta (y detrás del balón) y la mano no tiradora bajo el balón, deja a su mano tiradora libre para lanzar el balón, en lugar de tener que equilibrarse *y* lanzar el balón.

Sitúe las manos muy juntas. Relaje ambas y extienda los dedos cómodamente. Mantenga el pulgar de su mano de tiro relajado y no separado, para evitar la tensión en mano y antebrazo. Una posición de mano relajada (como para un apretón de manos) forma una copa natural, que permite al balón estar en contacto con las almohadillas de sus dedos y no con la palma.

Sitúe su mano no tiradora (la mano de equilibrio) ligeramente bajo el balón. El peso del balón se equilibra al menos sobre dos dedos: el dedo anular y el dedo meñique. El brazo de su mano de equilibrio debe estar en posición cómoda, con el codo apuntando ligeramente retrasado y a un lado.

Su mano de tiro está dirigida a la canasta, detrás del balón, con el dedo índice directamente hacia el centro del balón. El balón es despedido de su dedo índice. En un tiro libre, tiene tiempo para alinear el dedo índice con la válvula o cualquier otra marca en el centro del balón. Desarrollar el control de la punta del dedo y toque permite un tiro suave y preciso.

Alineación de codos

Sostenga cómodamente el balón enfrente y por encima del hombro de su lado de tiro, entre oreja y hombro. Mantenga el codo de tiro elevado. Cuando su codo de tiro está elevado, el balón está alineado con la canasta. Algunos jugadores no tienen la flexibilidad para girar la mano de tiro hacia canasta, detrás del balón, al tiempo que mantienen el codo ceñido. Si es éste su caso, gire primero su mano de tiro, detrás del balón, hacia la canasta, luego mueva el codo tan lejos como su flexibilidad se lo permita.

Movimiento de tiro

El tiro implica sincronizar la extensión de las piernas, la espalda, los hombros y el codo de tiro, y la flexión de muñeca y dedos. Lance el balón con un movimiento de elevación gradual, equilibrado y rítmico.

La fuerza y ritmo iniciales de su tiro proceden de un movimiento abajo-y-arriba de las piernas. Comience con las rodillas ligeramente flexionadas. Incline las rodillas y luego extiéndalas por completo en un movimiento abajo-y-arriba. Al decir las palabras clave *abajo-y-arriba* desde el comienzo del tiro hasta que el balón sale, disparará la acción abajo-y-arriba de las piernas, aportando ritmo y potencia a su tiro. Las piernas y el brazo de tiro trabajan juntos. Mientras las piernas están elevadas, el brazo debe estar elevado. Cuando las piernas alcanzan su plena extensión, la espalda, los hombros y el brazo de tiro se extienden en dirección ascendente, gradual y continua. Es vital mantener el balón elevado con la mano de tiro dirigida hacia la canasta. Utilice el movimiento abajo-y-arriba de las piernas para lograr el ritmo, en lugar de bajar el balón con este propósito. Mantener el balón alto propicia una rápida salida del balón y reduce las posibilidades de errar.

Mientras el brazo se eleva, el extremo posterior del balón está sujetado por la mano de equilibrio hasta la mano de tiro. Una buena guía es sujetar el balón por detrás hasta que se produzca una arruga en la piel entre la muñeca y el antebrazo. Este ángulo permite un rápido lanzamiento y una continuación consistente. Dirija el brazo, la muñeca y los dedos en línea recta hacia canasta, en un ángulo de 45-60 grados, extendiendo completamente la mano de tiro. La potencia final y el control del tiro proceden de flexionar muñeca y dedos hacia delante y abajo. Suelte el balón de su dedo índice con un suave toque de la yema del dedo, para impartir efecto al balón y atenuar el tiro. Mantenga la mano de equilibrio sobre el balón hasta el momento de soltarlo.

La cantidad de fuerza que debe aplicar al balón depende de la distancia. En el caso de distancias cortas, el brazo, la muñeca y los dedos aportan la mayor parte de la fuerza. Los tiros a larga distancia requieren más potencia de las piernas, la espalda y los hombros. Un ritmo gradual y una completa extensión también mejorarán el tiro a larga distancia.

Acompañamiento

Después de soltar el balón del dedo índice, mantenga el brazo elevado y totalmente extendido, con el dedo índice apuntando directamente al objetivo. La palma de la mano de tiro debe estar vuelta hacia abajo y la palma de la mano de equilibrio vuelta hacia arriba. Mantenga la vista en el objetivo. Exagere el acompañamiento. Mantenga el brazo arriba en una posición de absoluto acompañamiento hasta que el balón llegue a canasta. Luego reaccione al rebote o adopte una posición defensiva. Mantener el acompañamiento hasta que el balón llegue a la canasta no sólo es una buena mecánica, sino que también le hace comportarse como un auténtico tirador y sirve para incrementar su confianza.

Ejercicio nº 1 de tiro — Calentamiento para el tiro

Lanzar cerca de canasta como calentamiento ayuda a desarrollar la confianza y corregir la forma y el ritmo del tiro. Comience en postura equilibrada, a unos 2,50 m frente a canasta y a unos 2,80 m del tablero, con el balón en buena posición de tiro, frente a su hombro de tiro. Lance, dejando el brazo elevado en el acompañamiento hasta que el balón golpee el suelo. Corrija la posición de la mano –la mano de tiro detrás del balón– y suelte el dedo índice de forma que aplique efecto para que el balón rebote hacia usted.

Diga sus palabras clave personalizadas aumente rítmicamente, desde que inicie el tiro hasta que el balón salga de su mano. Si falla, visualice un tiro acertado con buena forma, pronunciando de nuevo las palabras clave. Obtenga información acerca de la sensación de su tiro y de la reacción del balón en el aro. Insista en la palabra clave que siente que produciría un tiro acertado. Por ejemplo: si su tiro se queda corto y piensa que el fallo se debe a no haber utilizado las piernas, enfatice en la palabra *piernas*. Si el tiro se quedó corto por un incompleto acompañamiento, enfatice en la palabra *extensión*. Si el tiro fue corto a causa de un ritmo lento, acelere el movimiento abajo-y-arriba de las piernas, mientras dice las palabras clave *abajo y arriba* con un ritmo más rápido. Si el tiro fue largo, lance con un arco más amplio, pronunciando la palabra *arriba*. Si el tiro se desplazó a un lado, corrija el lanzamiento pronunciando la palabra clave *recto*.

Para aumentar la dificultad

- Tras anotar cinco tiros consecutivos a 2,80 m, aumente la distancia a 3,60 m.
- Tras anotar cinco tiros consecutivos a 3,60 m, retroceda hasta la línea de tiros libres (a 4,60 m del tablero).

Prueba

- Utilice sus palabras clave con ritmo.
- Sienta el tiro.
- Aplique una correcta mecánica de tiro.
- Consiga anotar cinco tiros consecutivos en cada distancia.

Comprobación de resultados

Concédase 1 punto por cada tiro anotado. Trate de anotar cinco tiros consecutivos desde cada distancia.

Tiros consecutivos desde 2,80 m ____

Tiros consecutivos desde 3,60 m ____

Tiros consecutivos desde 4,60 m ____

Puntuación total ____ (máximo 15 puntos).

Ejercicio nº 2 de tiro — Lanzamiento a una mano

El lanzamiento de una mano, tanto utilizando la mano buena como la mala, es una manera excelente de desarrollar su habilidad para iniciar y completar un tiro con la mano de tiro hacia delante. Este ejercicio ayuda a eliminar la rotación lateral. También contribuye a elevar el balón hacia canasta, y no sólo lanzarlo. Resulta particularmente beneficioso si su mano libre tiende a interferir en el tiro (por ejemplo: si manosea el balón con la mano no tiradora). El ejercicio de lanzamiento a una mano le permite concentrarse en situar la mano de tiro en la posición correcta, detrás del balón con buena alineación del codo y elevando el balón a canasta con un corto lanzamiento.

Comience a 2,80 m de la canasta, con su mano de tiro frente al aro. La mano debe estar situada por encima del hombro, entre hombro y oreja. Utilice la mano libre para situar el balón en la mano de tiro. No alcance el balón con la mano de tiro. Ahora, descienda la mano libre a un lado. Equilibre el balón en la mano de tiro con su dedo índice en el centro del balón. Compruebe que el antebrazo se encuentra en ángulo recto con el suelo, y que forma una L con el brazo superior. Esta posición le ayuda a elevar el balón y no sólo a lanzarlo. Compruebe la alineación del codo para mantener el balón enfrente y por encima de su hombro de tiro. Pronuncie sus palabras clave personalizadas de forma rítmica con su tiro y cuando esté corrigiendo éste. Si tiende a llevar el balón hacia atrás y lanzarlo, antes que elevarlo hacia canasta considere emplear la palabra *elevar* como palabra clave. Si su tiro falla debido a que el codo está separado, considere decir *junto* como palabra clave.

Puede que tenga tendencia a fallar porque empuja el balón hacia el lado opuesto del aro, al utilizar la mano mala. Enfatice en el movimiento abajo-y-arriba de las piernas y eleve el balón a canasta. Considere incorporar *abajo y arriba* a sus palabras clave.

Prueba

- Repita sus palabras clave en sintonía con el tiro.
- Adopte una mecánica de tiro correcta.
- Trate de anotar cinco tiros consecutivos, tanto con su mano buena como con su mano mala.

Comprobación de resultados

Concédase 1 punto por cada tiro anotado. Trate de anotar cinco tiros consecutivos con cada mano.
Tiros consecutivos anotados con la mano buena ____
Tiros consecutivos anotados con la mano mala ____
Puntuación total ____ (máximo 10 puntos).

Ejercicio nº 3 de tiro
Tiro tumbado boca arriba

Este ejercicio se centra en una correcta técnica, como la mano de tiro detrás del balón, alineación de codos ceñidos, lanzamiento correcto desde el dedo índice, acompañamiento y colocación del balón en posición de tiro.

Túmbese de espaldas, con el balón por encima del hombro de tiro. Coloque su mano de tiro detrás del balón, con el dedo índice en el centro. Compruebe la alineación de los codos ceñidos. Lance el balón al aire con un acompañamiento completo (codo plenamente extendido). Quiere que el balón regrese a usted en línea recta, de modo que no tenga que mover las manos para cogerlo. Diga las palabras clave en sintonía con el tiro. Si el balón no regresa directamente hacia usted, visualice un lanzamiento acertado pronunciando de nuevo sus palabras clave y aproveche la información a partir de la sensación del tiro y la dirección del balón. Enfatice en la palabra clave que siente producirá un tiro acertado. Por ejemplo: si el tiro ha salido a un lado, concéntrese en lograr que su brazo salga recto y diga “recto”. Si el balón sale desde otro dedo produciendo efecto, puede decir: “índice”. Si recoge el balón a un lado, considere emplear la palabra clave *mano*.

Para aumentar la dificultad

- Tras hacer cinco tiros consecutivos, incremente la altura de cada tiro.
- Cierre los ojos.

Prueba

- Adopte una correcta técnica de tiro.
- Visualice un tiro acertado y pronuncie sus palabras clave.

Comprobación de resultados

Concédase 1 punto por cada tiro que anote, con completo acompañamiento (plena extensión de codo) y regreso hacia usted. Trate de lograr cinco tiros consecutivos que regresen directamente a su posición.
Puntuación total ____ (máximo 5 puntos).

Ejercicio nº 4 de tiro
Lanzamiento desde una silla

El lanzamiento desde una silla favorece la consistencia en la elevación del balón hacia canasta y la extensión completa del codo en el acompañamiento. Este ejercicio desarrolla amplitud de tiro y ayuda al jugador que tiene tendencia a arrojar el balón. Lanzar desde una silla requiere que utilice la espalda, los hombros y la plena extensión de brazo para generar fuerza en el tiro.

Coloque la silla a 2,80 m de la canasta. Practique centrarse bien, equilibrándose mental y físicamente. Una vez centrado, está listo para empezar. Los músculos deben estar relajados y debe respirar un poco más profunda y lentamente de lo habitual. Estar bien centrado significa también equilibrar su peso para el elemento que va a realizar, particularmente beneficioso para ganar potencia. Así pues, céntrese con pensamientos confiados y una respiración controlada, con el peso de su cuerpo repartido a ambos lados por igual. Centrarse permite elevar su centro de gravedad y trasladar la fuerza de la espalda a los hombros y generar plena potencia para el tiro.

Sitúe su mano de tiro detrás del balón, con el dedo índice en el centro del balón. Compruebe la alineación de los codos ceñidos. Piense en la elaboración secuencial de fuerza, a partir de espalda, hombros, brazo, muñeca y dedos, en el momento de lanzar. Diga sus palabras clave personalizadas en sintonía con el tiro, desde el comienzo hasta el momento de soltar el balón. Visualice un tiro acertado con buena ejecución. Utilice la información que le aportan sus sensaciones acerca del tiro y la distancia, la dirección y la reacción en el aro. Si el tiro fue corto, *a través* es una buena palabra clave. Para incrementar la distancia, trate de usar la *espalda-hombro-extensión* para la elaboración secuencial de potencia.

Para aumentar la dificultad

- Tras anotar cinco tiros consecutivos a 2,80 m, desplace la silla a una distancia de 3,60 m de la canasta.
- Tras anotar cinco tiros consecutivos a 3,60 m, retrase de nuevo la silla hasta 4,60 m de la canasta (línea de tiros libres).
- Tras anotar cinco tiros consecutivos a 4,60 m, vuelva a retrasar la silla hasta 5,50 m de la canasta.
- Tras anotar cinco tiros consecutivos a 5,50 m, retrase la silla situándola a 6,25 m de la canasta (semicírculo de tiros de tres puntos).

Prueba

- Preste atención a la adecuada alineación y técnica.
- Pronuncie sus palabras clave en sintonía con el tiro.
- Trate de anotar cinco tiros consecutivos en cada distancia.

Comprobación de resultados

Intente anotar cinco tiros consecutivos en cada distancia. Concédase 1 punto cada vez que anota cinco tiros consecutivos.

Tiros consecutivos anotados a 2,80 m ___; puntos obtenidos ___

Tiros consecutivos anotados a 3,60 m ___; puntos obtenidos ___

Tiros consecutivos anotados a 4,60 m ___; puntos obtenidos ___

Tiros consecutivos anotados a 5,50 m ___; puntos obtenidos ___

Tiros consecutivos anotados a 6,25 m ___; puntos obtenidos ___

Puntuación total ___ (máximo 5 puntos).

SERIE DE TIROS A UNA MANO

Un tiro interior en suspensión supone saltar y luego lanzar el balón en el momento culminante del salto. El brazo, la muñeca y los dedos deben aplicar la mayor parte de la fuerza. En una posición de tiro a una mano (figura 4.1), eleve el balón simultáneamente con la extensión superior de sus piernas, espalda y hombro.

Si su tiro es corto, normalmente se debe a que no está utilizando las piernas, no está acompañando al tiro o porque adopta un ritmo lento y desigual. Recurra a sus sensaciones para determinar si necesita más fuerza de las piernas, un acompañamiento más consistente (manteniendo el brazo elevado hasta que el balón llegue a canasta) o un ritmo más rápido o más regular.

Si su tiro es largo, normalmente se debe a que su brazo de tiro se extiende en una trayectoria demasiado plana (menos de 45 grados), sus hombros se inclinan hacia atrás o sus manos están demasiado separadas entre sí, dificultando la elevación del balón. Mueva sus hombros a una posición adelantada más relajada, acerque más sus manos o eleve más su brazo de tiro a fin de lograr un arco más alto en el tiro.

Si inclina hacia atrás los hombros, da un paso atrás o realiza una incompleta y deficiente extensión de codo, es probable que su tiro resulte corto o largo. Acompañe el lanzamiento con la cabeza para prevenir la inclinación o el paso atrás. Extienda por completo su brazo en cada tiro.

Si el tiro de su mano derecha golpea al lado izquierdo del aro, significa que su posición no está correctamente enfrentada a la canasta, o bien que comienza con el balón en su cadera derecha o demasiado a la derecha, desviando el balón de derecha a izquierda en el tiro. La desviación del balón resulta de no utilizar las piernas para lograr potencia. Alinee su cuerpo con la canasta, disponiendo el balón en el lado de tiro de su cabeza, entre oreja y hombro, con el codo ceñido. Haga que su brazo de tiro, muñeca y dedo apunten directamente a la canasta.

Si su tiro carece de amplitud, control y consistencia, o si falla por corto, largo o desviado, probablemente se debe a que desciende el balón, lo lleva detrás de la cabeza o del hombro, o porque lanza a canasta sin el necesario acompañamiento. Estos errores se producen por no utilizar las piernas para conseguir potencia. Comience su tiro con el balón elevado, frente a su oreja y hombro. Enfatice en la potencia de sus piernas y complete el acompañamiento manteniendo elevado el brazo hasta que el balón llegue a canasta.

Cuando un tiro golpea el aro y lo recorre o se desliza desde el frontal hasta atrás y cae fuera en lugar de golpear el aro y rebotar, significa que inicia su tiro con la mano de tiro a un lado del balón y que rota la mano por detrás del balón en el momento de lanzar, o que cuando suelta el balón lo hace desde el dedo anular en lugar de desde el dedo índice. Otra posible causa es el manoseo de balón, es decir, empujar el balón con el pulgar de la mano libre. Estos errores aplican efecto lateral al balón, en lugar de efecto de retroceso. Comience el tiro con ambas manos en posición de pinza, con su mano de tiro detrás del balón y la mano de equilibrio bajo el balón. Suelte el balón desde su dedo índice.

Si su mecánica de tiro parece la correcta pero el tiro carece de control y el balón golpea con fuerza en el aro, tal vez se deba a que el balón descanse en la palma de la mano. Relaje el pulgar de su mano de tiro y sitúe el balón en las yemas de los dedos, antes que en la palma de la mano. Luego, suelte el balón desde el dedo índice con efecto de retroceso, control y un toque suave.

Figura 4.1 Instrucciones para el tiro a una mano

a

b

TIRO A UNA MANO ALTO Y FRONTAL

1. Vista fija en el objetivo.
2. Pies separados a la distancia de los hombros.
3. Rodillas flexionadas.
4. Hombros relajados.
5. La mano no tiradora bajo el balón y la mano de tiro frente al aro con el pulgar relajado.
6. Codo ceñido.
7. Balón alto entre oreja y hombro.

INSTRUCCIONES PARA EL TIRO A UNA MANO

1. Mire al objetivo.
2. Extienda piernas, espalda y hombros.
3. Extienda el codo.
4. Flexione hacia delante muñeca y dedos.
5. Suelte el balón desde el dedo índice.
6. Mantenga la mano de equilibrio en el balón hasta soltarlo.
7. Acompañamiento con el brazo extendido, el dedo índice apuntando al objetivo, la mano de tiro con la palma hacia abajo y la palma de la otra mano hacia arriba.

Error

Su mecánica parece correcta, pero sigue fallando en los tiros.

Corrección

Pídale a alguien que vigile su tiro. Es probable que no concentre la vista en el objetivo. Concéntrese en el objetivo, no en el vuelo del balón, hasta que éste alcance la canasta.

EL TIRO LIBRE

Un tiro libre eficiente requiere una mecánica correcta, rutina, relajación, ritmo, concentración y confianza.

Piense en positivo. Siempre tira desde el mismo punto de la línea. Nadie le está defendiendo. La canasta es grande. Tres balones y medio caben en el aro. Con confianza y una mecánica correcta no puede fallar. Actúe como un tirador. Exagere el acompañamiento manteniendo la vista en el objetivo y su brazo de tiro elevado hasta que el balón alcance la canasta.

Desarrolle una correcta rutina para el tiro libre para comprobar la mecánica previa al tiro. La rutina también le ayudará a relajarse, concentrarse y lanzar con ritmo. Lo más importante es habituarse a una rutina que aumente su confianza. Esa rutina puede incluir botar un cierto número de veces, comprobar la mecánica, utilizar la visualización para practicar mentalmente el tiro libre antes de lanzar y respirar profundamente para relajarse. Adopte una rutina apropiada y manténgala. Es un error copiar modas o cambiar repetidamente de rutina.

Muchos jugadores usan el tiro a una mano para el tiro libre (figura 4.2), tomándose su tiempo para controlar cada elemento de la mecánica básica: vista, equilibrio, posición de la mano, alineación del codo ceñido, ritmo de tiro y acompañamiento. He aquí una simple rutina que usted puede adaptar a sus necesidades. Permanezca a corta distancia detrás de la línea de tiros libres hasta que el árbitro le entregue el balón. Estará allí más relajado. Si oye comentarios negativos del público, o los suyos propios, interrúmpalos con la palabra *alto*. Respire profundamente y exhale los pensamientos negativos. Reemplácelos por una declaración positiva de afirmación, como "soy un tirador", "sólo a la red" o "¡anotando!".

Una vez que reciba el balón, sitúe los pies, asegúrese de alinear el balón (no su cabeza) con el centro de la canasta. Utilice la pequeña marca del suelo en el centro exacto de la línea de tiros libres, que indica el círculo de tiros libres. Sitúe su pie de lanzamiento ligeramente delante de esta marca, alineando el balón con el centro de la canasta.

Adopte una postura equilibrada. Algunos jugadores botan algunas veces el balón para relajarse. Al botar el balón, mantenga arriba su mano de tiro. Esto le ayuda a tener su mano de tiro frente a canasta cuando coloca el balón elevado en posición de tiro. La posición de la mano debe ser relajada, y el dedo índice estar alineado con la válvula del balón. A continuación, compruebe la alineación del codo ceñido. Respire profundamente para relajarse. Antes de lanzar, visualice un tiro acertado. La visualización justo antes del tiro puede producir un ritmo más fluido e incrementar la confianza.

Justo antes de tirar, concéntrese en el objetivo, frente al aro. Mantenga esa concentración sobre el objetivo en el momento de tirar. Comience su tiro elevado y utilice el movimiento abajo-y-arriba de sus piernas para el ritmo, antes que bajar el balón. El movimiento abajo-y-arriba de las piernas aporta impulso a su tiro y es especialmente útil cuando al partido está avanzado y las piernas están cansadas. Comenzar con el balón elevado y utilizar las piernas para lograr el ritmo, reducirá las posibilidades de error que pueden resultar de bajar el balón. Exagere el acompañamiento, manteniendo la vista en el objetivo y su brazo de tiro hasta que el balón llegue a canasta.

Aprenda a relajarse al lanzar tiros libres, ya que éstos dejan más tiempo para pensar. Esforzarse demasiado puede originar una tensión física o emocional excesiva. Respire profundamente para relajar su mente y su cuerpo. En un tiro libre debe, sobre todo, relajar los hombros. Respire profundamente y deje que sus hombros se aflojen. Haga lo mismo con los brazos, manos y dedos. Aprenda a relajar otras partes de su cuerpo. Controlar la respiración y relajar los músculos también es muy conveniente para una rutina de tiros libres.

Lance el tiro libre con un ritmo fluido y gradual. Utilice sus palabras clave personalizadas para ayudarle a establecer un ritmo secuencial en el lanzamiento de tiros libres. Por ejemplo, si sus palabras gatillo son *piernas* y *extensión*, y su palabra ancla es *sí*, pronúncielas juntas *–piernas, extensión, sí–* en forma rítmica con el tiro, desde el comienzo de éste hasta que suelta el balón. Utilizar las palabras clave personalizadas de este modo establece su pauta rítmica, mejora la mecánica y aumenta la confianza.

Confianza y concentración van de la mano. Utilizar declaraciones de afirmación puede promover pensamientos confiados acerca de usted mismo y su capacidad de tiro. Puede decirse, por ejemplo: "Soy un tirador", o recordar sus éxitos del pasado.

Lo último que debe hacer antes de tirar es concentrarse en su objetivo justo enfrente del aro. Sin embargo, el paso más importante antes de iniciar el movimiento del tiro libre es eliminar todas las distracciones de su mente, concentrándose en la canasta. Concéntrese en anotar el tiro y olvídese del que ha fallado o de lo que podría ir mal. Sitúese en el presente. Visualice un tiro libre acertado mientras pronuncia su palabra ancla: *¡Sí!*, *¡Red!*, *¡Adentro!* Y por encima de todo, disfrute del momento. Mantenga la concentración en el objetivo mientras lanza. Véalo, tire y ¡anote!

Si descubre que utiliza un ritmo más lento o desigual al lanzar tiros libres que en los tiros de campo, entrénese diciendo sus palabras clave en el ritmo gradual de su tiro, escalonándolas desde el comienzo del tiro hasta que suelta el balón.

No se deje distraer por el público ni por sus propios pensamientos negativos. Concéntrese. Cuando escuche un comentario negativo o sus propios pensamientos negativos, elimine tales pensamientos con la palabra *¡basta!* y utilice afirmaciones positivas. Visualice un tiro libre acertado pronunciando su palabra ancla. Concéntrese en el objetivo.

Si su tiro libre se queda corto, porque ha dado un paso atrás de la línea para situarse en posición defensiva, exagere el acompañamiento manteniendo el brazo elevado y permaneciendo en la línea hasta que el balón alcance la canasta.

Figura 4.2 Tiro libre

a

b

RUTINA DE TIROS LIBRES

1. Lance con los pies ligeramente atrás de la línea.
2. Postura equilibrada.
3. La mano que no tira bajo el balón, la mano que tira frente a canasta con el pulgar relajado.
4. Codo ceñido.
5. Balón entre oreja y hombro.
6. Hombros relajados.
7. Concéntrese en el objetivo, justo frente al aro.

LANCE CON CONFIANZA Y RITMO

1. Diga rítmicamente sus palabras clave.
2. Piernas, espalda y hombros extendidos.
3. Codo extendido.
4. Flexione muñeca y dedos hacia delante.
5. Suelte el balón de su dedo índice.
6. Mantenga la mano de equilibrio sobre el balón hasta soltar éste.
7. Lance con confianza y ritmo.
8. Acompañamiento con el brazo extendido, dedo índice apuntando al objetivo y el brazo elevado hasta que el balón entre en la red.

Error

Se siente tenso, antes y durante la ejecución de los tiros libres.

Corrección

Respire profundamente para relajar su mente y su cuerpo. Exhale plenamente. Relaje los hombros, dejándolos caer y aflojarse. Haga lo mismo con brazos, manos y dedos. Aprenda a relajar otras partes de su cuerpo.

Ejercicio nº 1 de tiro libre — Práctica diaria

Ejecute una sesión de tiros libres a diario. Practique una serie de 10 tiros libres después de otros ejercicios. Dado que un jugador rara vez lanza más de dos tiros libres seguidos durante un partido, al realizar este ejercicio nunca lance más de dos tiros libres consecutivos sin apartarse de la línea de tiro.

Practique bajo presión. Utilice la imaginación y compita consigo mismo. Imagine, por ejemplo, que encestar ese tiro libre significa ganar el partido. Registre el número de tiros libres que encesta de cada 100 intentos y propóngase superar continuamente su récord. Haga lo mismo con tiros libres consecutivos.

Tenga confianza. Utilice declaraciones positivas de afirmación antes de situarse en la línea y visualice un enceste justo antes de lanzar. Habituarse a una rutina ayuda a adquirir confianza en los tiros libres. Utilice las técnicas de respiración profunda y relajación muscular. El paso final antes de lanzar consiste en eliminar toda distracción y concentrarse en la canasta. Diga sus palabras clave personalizadas, de forma rítmica, desde el momento de iniciar el tiro libre hasta que el balón sale de su mano. Si falla, visualice un tiro libre encestado con buena técnica, pronunciando de nuevo sus palabras clave.

Prueba

- Habitúese a su rutina y diga sus palabras clave antes de lanzar un tiro libre.
- Tenga confianza en su habilidad para convertir cada tiro libre.
- Visualice un tiro libre anotado antes de lanzar el balón.

Comprobación de resultados

Lance 100 tiros libres. Puntúese usted mismo según el número total de tiros libres convertidos. Registre su puntuación. Registre también el mayor número de tiros libres consecutivos anotados. Trate de superar su récord cada vez que realiza el ejercicio.

59 o menos = 0 puntos
60-69 = 1 punto
70-79 = 2 puntos
80-89 = 3 puntos
90-99 = 4 puntos
100 = 5 puntos

Puntuación total ____

Serie de tiros libres consecutivos ____

Ejercicio nº 2 de tiro libre — Con los ojos cerrados

La investigación ha demostrado que, combinar la práctica de tiros libres normal con la práctica de tiros libres con los ojos cerrados, mejora el lanzamiento, más que la práctica exclusiva de tiros libres con los ojos abiertos. El lanzamiento con los ojos cerrados elimina la visión como sentido predominante, subrayando el protagonismo de otros sentidos, en particular del sentido cinético (sensación de los movimientos del cuerpo) y del tacto.

Visualice un tiro acertado y concéntrese en la canasta inmediatamente antes de cerrar los ojos. Lance un tiro libre con los ojos cerrados. Pídale a un compañero que recoja el balón y le informe del resultado de cada tiro, incluida la reacción del balón en el aro. Utilice esa información y reajuste, en caso necesario, sus sentidos cinético y táctil para el nuevo lanzamiento. Ejecute 20 lanzamientos de tiros libres. Su compañero debe ayudarle a llevar la cuenta de los aciertos y de cuántos tiros consecutivos ha encestado.

Prueba

- Aplique la técnica correcta en el lanzamiento de tiros libres.
- Confíe en su sentido cinético y táctil, ya que no puede hacerlo en su vista.
- Pronuncie sus palabras clave y visualice un tiro acertado como ayudas para encestar el tiro.

Comprobación de resultados

Lance 20 tiros libres. Puntúese usted mismo basándose en el total de tiros libres convertidos. Registre el número de aciertos. Registre también el mayor número consecutivo de tiros libres anotados. Propóngase superar su récord cada vez que practica el ejercicio.

7 o menos = 0 puntos
8-10 = 1 punto
11-13 = 2 puntos
14-16 = 3 puntos
17-19 = 4 puntos
20 = 5 puntos
Puntuación total ____
Tiros libres consecutivos anotados ____

TIRO EN SUSPENSIÓN

Un tiro en suspensión (figura 4.3) es similar al tiro a una mano, excepto por dos ajustes básicos. En un tiro en suspensión, el balón se sitúa más alto y se lanza tras el salto, en lugar de lanzar con la extensión simultánea de las piernas. Como salta primero y luego tira, su tracto superior, brazo, muñeca y dedos deben generar más fuerza.

Alinee el balón entre oreja y hombro, pero elévelo, mirando el objetivo por debajo y no por encima del balón, como sería el caso en el tiro a una mano. Sitúe su antebrazo en ángulo recto con el suelo y el brazo superior paralelo al suelo o aún más alto. Salte a la vez con ambos pies, extendiendo por completo tobillos, rodillas, espalda y hombros. No se incline hacia delante, hacia atrás, ni a los lados.

La altura del salto depende de la amplitud del tiro. En un tiro interior en suspensión, defendido muy encima, sus piernas deben generar fuerza suficiente para saltar más alto que el defensor. Debe lanzar en el momento culminante del salto. Por consiguiente, su brazo, muñeca y dedos aportan la mayor parte de la fuerza. En el momento de soltar el balón, debe sentir como si estuviese colgado en el aire.

En cuanto a los tiros exteriores en suspensión, lo normal es que tenga más tiempo. En consecuencia, no necesita saltar más alto que su defensor. Podrá aplicar más fuerza de las piernas al lanzar el balón, en lugar de ganar altura con el salto. Sentirá que está lanzando el balón *mientras* salta, en lugar de hacerlo en el momento culminante del salto. Procure realizar un salto equilibrado que le permita lanzar sin especial esfuerzo. Equilibrio y control son más importantes que lograr la máxima altura con el salto. Un ritmo gradual y un completo acompañamiento también son importantes componentes del lanzamiento largo. Caiga en equilibrio en el mismo punto desde el que ha saltado.

Figura 4.3 Tiro en suspensión

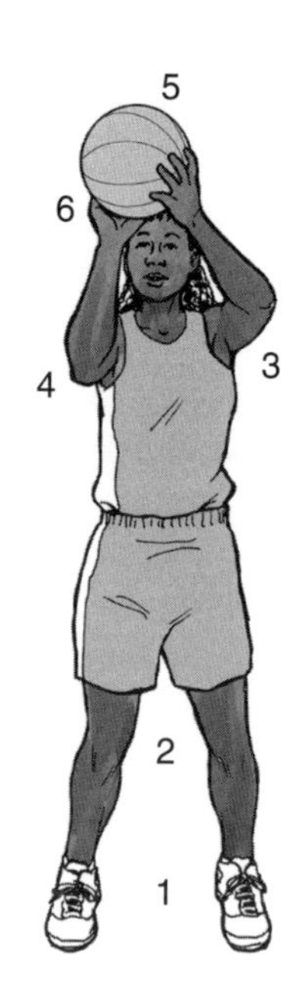

a

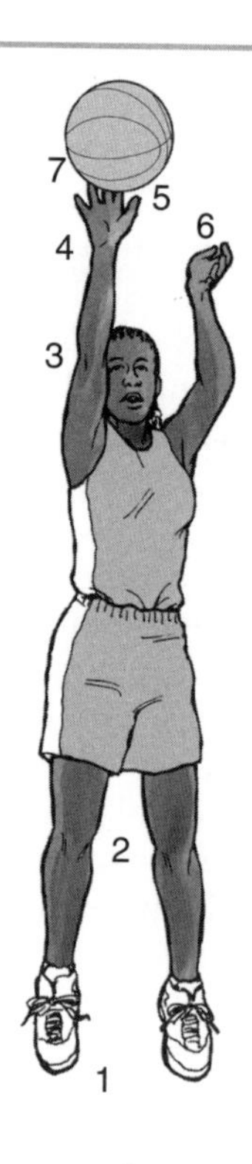

b

MANO TIRADORA ALTA Y FRONTAL

1. Pies separados a la distancia de los hombros; dedos rectos.
2. Rodillas flexionadas.
3. Hombros relajados
4. Codo ceñido.
5. Balón alto entre oreja y hombro.
6. La mano que no tira bajo el balón, la mano que tira frente al aro.

TIRO EN SUSPENSIÓN

1. Salte y luego tire; la altura del salto depende de la distancia del tiro.
2. Extienda piernas, espalda y hombros.
3. Extienda el codo.
4. Flexione muñeca y dedos hacia delante.
5. Suelte el balón del dedo índice.
6. Mantenga la mano de equilibrio en el balón hasta que sea lanzado.
7. Ejecute el acompañamiento.

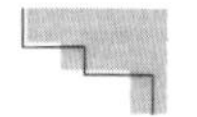

Error
Baja el balón para conseguir ritmo, lo que alarga el lanzamiento, dando mayor lugar a posibles errores. También hace que el tiro sea más fácil de bloquear.
Corrección
Mantenga el balón elevado y utilice la acción abajo-y-arriba de las piernas para el ritmo antes que bajar el balón.

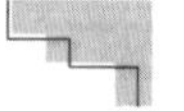

Error
Oscila hacia delante, atrás o a un lado, lo que hace que falle el tiro, pasándose, quedándose corto o saliéndose el balón a un lateral.
Corrección
Salte y caiga en el mismo punto.

Ejercicio nº 1 de tiro en suspensión

Los objetivos de este ejercicio son desarrollar la confianza, la técnica y la variedad para lanzar tiros en suspensión. Comience en postura equilibrada, a 2,80 m de la canasta. Realice tiros en suspensión desde esa distancia, con la técnica adecuada en cada tiro. En los tiros en suspensión, el balón debe sostenerse más alto que en el tiro a una mano. La altura del salto depende de la distancia. Si está cerca de canasta, debe lanzar el balón en el momento culminante del salto, con brazo, muñeca y dedos aportando la mayor parte de la fuerza. Cuando se trata de tiros exteriores en suspensión, no necesita saltar tan alto, lo que le permite utilizar más fuerza de las piernas en el tiro. Procure un salto equilibrado, de forma que pueda acompañar al balón hasta que éste golpea en el suelo. Pronuncie sus tres palabras personalizadas, de forma rítmica, desde el comienzo del tiro hasta que el balón sale de su mano.

Para aumentar la dificultad

- Tras lanzar cinco tiros consecutivos desde 2,80 m, sitúese a 3,60 m.
- Tras lanzar cinco tiros consecutivos desde 3,60 m, retroceda hasta la línea de tiros libres (a 4,60 m del tablero).
- Tras lanzar cinco tiros consecutivos desde 4,60, vuelva a retroceder. Siga haciéndolo hasta que no consiga anotar cinco tiros consecutivos en suspensión.

Calentamiento para el tiro en suspensión

Prueba

- Diga sus palabras clave en sintonía con el salto.
- Salte a la altura correcta que requiere el tiro, según la distancia.
- Adopte la mecánica adecuada para el tiro en suspensión.
- Trate de anotar cinco tiros consecutivos desde cada distancia.

Comprobación de resultados

Registre el número de tiros convertidos desde cada distancia. Concédase 1 punto cada vez que anote cinco tiros consecutivos en suspensión.

Tiros en suspensión consecutivos a 2,80 m ____; puntos obtenidos ____

Tiros en suspensión consecutivos a 3,60 m ____; puntos obtenidos ____

Tiros en suspensión consecutivos a 4,60 m ____; puntos obtenidos ____

Tiros en suspensión consecutivos a 5,50 m ____; puntos obtenidos ____

Tiros en suspensión consecutivos a 6,25 m ____; puntos obtenidos ____

Tiros en suspensión consecutivos a 7,24 m (línea de 3 puntos en la NBA) ___; puntos obtenidos ____

Puntuación total ___ (máximo 6 puntos).

Ejercicio nº 2 de tiro en suspensión

Calentamiento para el tiro en suspensión lateral

El calentamiento para el tiro en suspensión lateral es el mismo que para el tiro en suspensión normal, con la única diferencia de que este lanzamiento se efectúa en un ángulo de 45 grados a cada lado de la canasta. Comience en postura equilibrada, en un ángulo de 45 grados con respecto al tablero, dentro de la distancia entre la línea lateral y la marca media de la zona. La distancia del ángulo lateral, que se amplía al moverse, se conoce como *embudo de 45 grados*. Para tiros laterales, apunte al rincón superior más próximo del cuadro en el tablero, pronunciando las palabras clave en sintonía, desde el comienzo de su tiro hasta el momento en que suelta el balón. Lance a canasta desde ambos lados.

Para aumentar la dificultad

- Tras anotar cinco tiros laterales consecutivos en suspensión, desde 2,80 m (a derecha e izquierda de canasta), sitúese a 3,60 m.
- Tras anotar cinco tiros laterales consecutivos en suspensión, desde 3,60 m (a derecha e izquierda de canasta), sitúese a 4,60 m.
- Tras anotar cinco tiros laterales consecutivos en suspensión, desde 4,60 m (a derecha e izquierda de canasta), sitúese a 5,50 m.

Prueba

- Pronuncie sus palabras clave en sintonía con el tiro.
- Adopte una mecánica correcta para el tiro lateral en suspensión.
- Trate de anotar cinco tiros laterales consecutivos en suspensión desde cada distancia y a ambos lados.

Comprobación de resultados

Anote el número de tiros laterales en suspensión que haya encestado a cada lado y en cada distancia. Concédase 1 punto cada vez que ha logrado cinco tiros laterales en suspensión consecutivos.

Tiros laterales en suspensión consecutivos a 2,80 m, desde la derecha ____; puntos obtenidos ____

Tiros laterales en suspensión consecutivos a 2,80 m, desde la izquierda ____; puntos obtenidos ____

Tiros laterales en suspensión consecutivos a 3,60 m, desde la derecha ____; puntos obtenidos ____

Tiros laterales en suspensión consecutivos a 3,60 m, desde la izquierda ____; puntos obtenidos ____

Tiros laterales en suspensión consecutivos a 4,60 m, desde la derecha ____; puntos obtenidos ____

Tiros laterales en suspensión consecutivos a 4,60 m, desde la izquierda ____; puntos obtenidos ____

Tiros laterales en suspensión consecutivos a 5,50 m, desde la derecha ____; puntos obtenidos ____

Tiros laterales en suspensión consecutivos a 5,50 m, desde la izquierda ____; puntos obtenidos ____

Puntuación total ____ (máximo 8 puntos).

TIRO DE TRES PUNTOS

Para un tiro de tres puntos (figura 4.4), sitúese lo bastante lejos de la línea para evitar tener que preocuparse de pisarla y poder concentrarse en la visión de la canasta. No mire a la línea, porque eso le haría perder de vista su objetivo. Utilice un tiro en suspensión equilibrado, lanzando el balón sin tensión mientras salta.

Cuanto más largo sea el tiro, más importantes son una mecánica correcta, la secuencia de ejecución y el ritmo. En los tiros de tres puntos, normalmente tiene tiempo y no necesita elevarse mucho en el salto. Puede extraer más fuerza de las piernas y puede generar una fuerza adicional dando un paso en el tiro. También puede beneficiarse de la elaboración secuencial de fuerza de espalda y hombros. Debe sentir que está lanzando el balón mientras salta, antes que en el momento culminante del salto (como cuando trata de superar en el salto a un defensor, en el caso de un tiro interior).

Procure un salto equilibrado que le permita lanzar sin especial tensión. Equilibrio y control son más importantes que alcanzar una gran altura. Un ritmo fluido y un acompañamiento completo permiten mejorar el tiro en suspensión a distancia, y como en todos los tiros en suspensión, en los de tres puntos debe caer en equilibrio en el mismo punto desde el que ha saltado.

Los buenos tiradores de tres puntos sobresalen en un ritmo fluido y gradual, en el uso secuencial de piernas, espalda y hombros, así como en una mecánica correcta, posición de la mano y alineación de codo ceñido, además de un total acompañamiento.

Figura 4.4 Tiro de tres puntos

a

b

MANOS Y PIES LISTOS

1. Sitúese detrás de la línea de 3 puntos.
2. Los pies a la distancia de los hombros, con los dedos rectos.
3. Rodillas flexionadas.
4. Codo alineado y ceñido.
5. Balón alto entre oreja y hombro.
6. Hombros relajados.
7. La mano que no tira bajo el balón, la tiradora frente a la canasta con el pulgar relajado.
8. Dé un paso, si es necesario.

LANCE CON CONFIANZA Y RITMO

1. Salte sin tensión, lanzando durante el salto.
2. Salte con confianza y ritmo.
3. Genere fuerza secuencial de las piernas, espalda y hombros.
4. Extienda el codo.
5. Flexione muñeca y dedos hacia delante.
6. Suelte el balón del dedo índice.
7. Mantenga la mano de equilibrio en el balón hasta lanzarlo.
8. Ejecute el acompañamiento.

Error

Su tiro es corto.

Corrección

Cuando un tiro de tres puntos se queda corto, normalmente se debe a que (1) no utiliza sus piernas, espalda y hombros; (2) no acompaña el tiro, o bien (3) su ritmo es lento y desigual. Determine cuál de estos elementos es el problema. Enfatice en generar fuerza de las piernas, espalda y hombros. Complete el acompañamiento manteniendo el brazo elevado hasta que el balón llegue a la canasta. Aumente la velocidad de su ejecución o haga que el ritmo sea más fluido.

TIRO DE GANCHO

La ventaja del tiro de gancho (figura 4.5) es que resulta difícil de bloquear, incluso para los defensores más altos. El tiro de gancho está normalmente limitado a un área cercana a la canasta, digamos entre 3 y 3,5 metros. Aprenda a lanzar el gancho con las dos manos para aumentar su efectividad en la zona. Cuando es bien ejecutado, el gancho obliga al defensor a presionar intensamente, y un gancho fintado puede crear una apertura en dirección opuesta para una buena jugada, entrada o pase. Contrariamente a lo que se cree, el tiro de gancho no es difícil de aprender. Con la práctica, podrá utilizar en este tiro tanto su mano buena como su mano mala.

Comience en postura equilibrada de espalda a canasta, los pies separados a la distancia de los hombros y las rodillas flexionadas. Tenga su objetivo a la vista mirando por encima del hombro en la dirección en que va a realizar el tiro. Dentro de un ángulo de 45 grados con relación al tablero (por encima de la línea y debajo de la marca central de la línea del pasillo), la precisión se consigue con ayuda del tablero para suavizar el tiro. Al ladear el tiro, apunte al rincón superior más cercano del tablero. Si no se encuentra en un ángulo de 45 grados, apunte simplemente al aro.

En muchos casos, puede hacer una finta de balón en dirección opuesta al tiro que pretende realizar. Tras ese gesto, mueva su mano de tiro por debajo del balón y su otra mano detrás y ligeramente encima del balón. A esto se le llama *posición de gancho*. Flexione el codo de su brazo de tiro y sitúelo en la cadera, manteniendo el balón perfectamente alineado con su hombro de tiro.

Con el pie opuesto al lado de tiro, dé un paso alejándose del defensor. Mientras lo da, sostenga el balón atrás y protéjalo con la cabeza y los hombros, antes que avanzar con el balón. Pivote, girando el cuerpo hacia canasta. Eleve la rodilla de su lado de tiro y salte sobre su pie pivote.

Lance, elevando el balón a canasta, con un movimiento de gancho, extendiendo su brazo de tiro en dirección oreja-oreja. Flexione la muñeca y los dedos hacia el objetivo y suelte el balón de su dedo índice, manteniendo la mano de equilibrio en el balón hasta soltarlo. Caiga en equilibrio, listo para entrar al rebote con las dos manos en caso de tiro fallado, y anote con una jugada de fuerza. Un tiro de gancho fallido puede considerarse como un pase a usted mismo. El defensor que trata de bloquear el gancho no estará en condiciones de cazar el rebote, ni de impedir que usted lo coja.

Si rota a un lado sobre el balón, el tiro puede golpear en el aro y, en lugar de empujarlo, rodar o deslizarse desde el frente hasta el tablero y caer fuera. Si comienza con las manos a los lados del balón y rota a un lado mientras tira, o suelta el balón de su dedo anular, producirá efecto lateral en el balón. Ambos errores producen efecto lateral en lugar de efecto de retroceso. Comience en posición de tiro de gancho, con el codo de tiro alineado con la cadera. Coloque su mano de tiro bajo el balón y su mano de equilibrio ligeramente detrás, por encima del balón. Suelte el balón de su dedo índice para conseguir efecto de retroceso, y el balón será rechazado una vez que toque el aro.

Si su tiro de la mano derecha golpea el lado derecho del aro, está llevando el brazo frente a la cabeza en el acompañamiento. Si su tiro de la mano derecha golpea en el lado izquierdo del aro, lleva su brazo detrás de la cabeza en el acompañamiento. Para corregir estos problemas, comience sosteniendo el balón en posición de tiro de gancho, con el codo de tiro alineado con la cadera, permitiéndole extender el brazo en un movimiento de oreja a oreja recto hacia canasta.

Si su tiro es demasiado corto o largo, probablemente realiza una extensión del codo incompleta. Extienda el brazo completamente en cada tiro.

Figura 4.5 Tiro de gancho

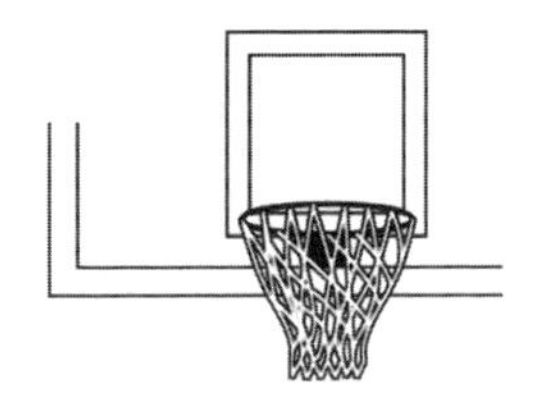

a

b

MANO DE TIRO BAJO EL BALÓN

1. De espalda a la canasta.
2. Pies a la distancia de los hombros.
3. Rodillas flexionada.
4. Hombros relajados.
5. Mano de tiro bajo el balón, mano no tiradora detrás del balón.
6. Codo a la altura de la cadera.
7. Balón atrás, protegido por cabeza y hombros.

UN PASO Y LANZAMIENTO DE GANCHO

1. Paso y pivote.
2. Eleve el balón en dirección oreja-oreja.
3. Extienda el codo.
4. Flexione muñeca y dedos.
5. Suelte el balón del dedo índice.
6. Mantenga la mano de equilibrio sobre el balón hasta soltarlo.
7. Caiga en equilibrio, listo para coger el rebote.

Error

Pierde la protección y control del balón al tirar. Retira la mano de equilibrio del balón demasiado pronto.

Corrección

Mantenga la mano de equilibrio en el balón hasta que lo suelte.

Ejercicio nº 1 de gancho

Calentamiento para el tiro de gancho

En este ejercicio lanzará tiros de gancho con ambas manos. Comience con la cabeza bajo el frontal del aro frente a la línea lateral en postura equilibrada. Sostenga el balón en posición de tiro de gancho, con su codo de tiro a un lado, la mano de tiro bajo el balón y la mano de equilibrio ligeramente detrás y por encima del balón. Lance el gancho elevando el balón a canasta en un movimiento de oreja a oreja, manteniendo la mano de equilibrio en el balón hasta soltar éste. Use las dos manos para recoger el balón cuando vuelve de canasta, o bien para atrapar un rebote en el caso de un tiro fallado. Trate a un tiro fallado como un pase que se hace a usted mismo.

Prueba

- Lance con confianza.
- Adopte una mecánica correcta.
- Trate de anotar cinco tiros de gancho consecutivos con cada mano.

Comprobación de resultados

Registre el número de tiros de gancho encestados con cada mano. Concédase 5 puntos cada vez que anote cinco tiros de gancho consecutivos.

Tiros de gancho encestados con la mano buena ____; puntos obtenidos ____

Tiros de gancho encestados con la mano mala ____; puntos obtenidos ____

Puntuación total ____ (máximo 10 puntos).

Ejercicio nº 2 de gancho

Calentamiento para el tiro de gancho con paso cruzado

Después de que haya anotado cinco ganchos consecutivos con cada mano, pase al tiro de gancho con paso cruzado. Comience con la cabeza bajo el frontal del aro. Sitúese junto a la línea lateral, sosteniendo el balón en posición de tiro de gancho. Realice un paso cruzado hacia la línea de tiros libres con su pie interior, es decir, el más cercano a canasta, y lance un tiro de gancho. Pivote hacia canasta en el paso cruzado y eleve la rodilla del lado de tiro mientras lanza.

Prueba

- Pronuncie sus palabras clave mientras ejecuta el tiro.
- Adopte una mecánica de tiro correcta.
- Trate de encestar cinco tiros de gancho consecutivos con cada mano.

Comprobación de resultados

Registre el número de tiros de gancho anotados con cada mano. Concédase 5 puntos cada vez que consiga encestar cinco tiros consecutivos de gancho.

Tiros de gancho anotados con la mano buena ____; puntos obtenidos ____

Tiros de gancho anotados con la mano mala ____; puntos obtenidos ____

Puntuación total ____ (máximo 10 puntos).

Ejercicio nº 3 de gancho

Lanzamiento de mano alterna (ejercicio Mikan)

En este ejercicio, alternará lanzando tiros de gancho desde el lado derecho y el lado izquierdo con un paso cruzado. Para el primer tiro, utilice su mano derecha. Comience bajo el aro, frente a la línea lateral. Sostenga el balón en posición de tiro de gancho, con la mano derecha bajo el balón. Realice un paso cruzado con su pie interior, en un ángulo de 45 grados, pivotando en el paso hacia canasta y elevando la rodilla derecha mientras lanza. Lance un tiro de gancho con la mano derecha, apuntando al rincón superior más próximo del cuadrado del tablero. Recoja el balón con las dos manos, tanto si ha logrado encestar como si se trata de un rebote. Coloque el balón en posición de tiro de gancho, con la mano izquierda bajo el balón. Sitúese frente a la línea lateral izquierda y realice un paso cruzado con su pie derecho en un ángulo de 45 grados. Pivote y lance un tiro lateral de la mano izquierda, y recoja el balón con las dos manos. Continúe el ejercicio, alternando lanzamientos de gancho de mano derecha e izquierda.

Prueba

- Utilice ambas manos para recoger el balón después de un enceste o en el rebote después de un tiro fallido.
- Trate de anotar 10 tiros de gancho consecutivos con cada mano, utilizando el paso cruzado.

Comprobación de resultados

Registre el número de tiros de gancho anotados con cada mano. Concédase 5 puntos cada vez que consiga encestar 10 tiros de gancho consecutivos.

Tiros de gancho anotados con la mano derecha ___; puntos obtenidos ___

Tiros de gancho anotados con la mano izquierda ___; puntos obtenidos ___

Puntuación total ___ (máximo 10 puntos).

BANDEJA

El tiro en bandeja (figura 4.6) se usa cerca de canasta tras un corte o entrada. Para saltar alto, debe adquirir velocidad en los tres o cuatro últimos pasos de su corte o entrada a canasta, pero también debe controlar su velocidad. Dé un paso con su pie opuesto. El paso antes de la bandeja debería ser corto, de modo que pueda hundir rápidamente la rodilla de apoyo para cambiar el impulso hacia delante por impulso hacia arriba. Eleve la rodilla de tiro y el balón en el momento del salto, llevando el balón entre oreja y hombro. Dirija su brazo, muñeca y dedos en línea recta a canasta, en un ángulo entre 45 y 60 grados, y suelte el balón de su dedo índice con un toque suave. Mantenga la mano de equilibrio en el balón hasta que suelte éste.

Acompañe el balón manteniendo el brazo elevado y plenamente extendido en el codo, con el dedo índice apuntando recto al objetivo y la palma de su mano de tiro hacia abajo. Esté preparado para retroceder en defensa o para luchar por el rebote si falla el tiro.

El tiro en bandeja extendida se utiliza lejos de canasta, cuando se necesita un tiro rápido de un corte o entrada. La idea es tirar del mismo modo que en la bandeja, excepto que la posición de "aterrizaje" es más lejana a canasta. Al realizar la bandeja extendida, enfatice en un ritmo fluido y un acompañamiento completo.

Cuando lance este tipo de bandeja, no lleve el balón a un lado, porque eso puede permitir un bloqueo o un robo. Eleve el balón hacia arriba mientras lanza.

Mantenga la mano de equilibrio sobre el balón hasta que éste sea lanzado. De otro modo, perderá protección y control del balón en el tiro.

Si su mano de tiro rota desde un lado, imprimirá efecto lateral al balón cuando éste ruede del aro. Lance con la mano directamente detrás del balón para imprimirle efecto de retroceso, ayudándolo a entrar en canasta.

Lance el balón alto, por encima del cuadrado del tablero, para que descienda a canasta en lugar de que vuele hacia arriba. Aunque le hagan falta durante la bandeja, el balón tiene una posibilidad de entrar.

Figura 4.6 Bandeja extendida

a

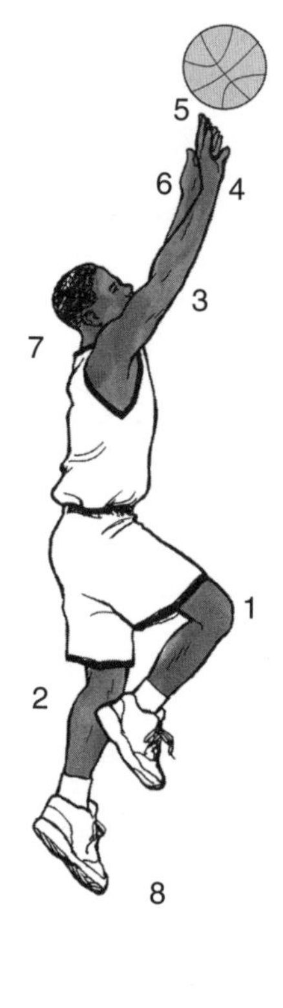

b

RODILLA BAJA, MANO ENCIMA DEL BALÓN

1. Paso corto.
2. Rodilla inclinada en posición de despegue.
3. Hombros relajados.
4. La mano no tiradora bajo el balón, mano tiradora encima del balón.
5. Codo ceñido.
6. Eleve el balón entre oreja y hombro.

LANCE LA BANDEJA EXTENDIDA

1. Eleve la rodilla de tiro.
2. Salte hacia arriba, extendiendo pierna, espalda y hombros.
3. Extienda el codo.
4. Flexione muñeca y dedos hacia delante.
5. Suelte el balón del dedo índice.
6. Mantenga la mano de equilibrio sobre el balón hasta que éste sea soltado.
7. Ejecute el acompañamiento.
8. Caiga en equilibrio en el mismo punto del despegue.

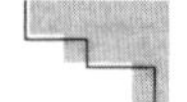

Error

En el despegue, da un salto largo (elevándose hacia delante o hacia un lado) más que alto.

Corrección

Mantenga la cabeza erguida y concéntrese en el objetivo. Dé un paso corto antes de despegar, de forma que pueda descender la rodilla de despegue y crear un impulso hacia arriba. En el despegue, eleve la rodilla opuesta recta y simultáneamente envíe el balón a canasta. La combinación de esta potente elevación de la rodilla opuesta y brazos transmite el impulso de elevación a todo su cuerpo.

Ejercicio nº 1 de bandeja — Bandeja de un bote

Este ejercicio conduce a lanzar bandejas del bote, utilizando tanto la mano buena como la mala. Primero, practique con su mano buena. Comience en postura equilibrada en la marca central de la zona, en el lado de su mano buena. Utilice el pie del lado bueno como pie pivote. Debe estar retrasado y el pie de su lado malo adelantado. Bote con su mano buena y luego dé un paso corto con el pie del lado malo. Coja el balón a la altura de la rodilla del lado bueno con su mano de equilibrio bajo el balón y su mano de tiro detrás de él, en posición de pinza. Salte recto y lance una fuerte bandeja de la mano buena por encima del cuadrado del tablero. Caiga en equilibrio y recoja el balón con las dos manos, tanto si ha acertado el tiro como si se trata de luchar por el rebote.

Lo siguiente es practicar de la misma forma con su mano mala. El pie del lado malo debería estar retrasado y el del lado bueno adelantado. Bote con su mano mala. Dé un paso corto con su pie del lado bueno, coja el balón a la altura de la rodilla del lado malo y lance una bandeja con la mano mala.

Prueba

- Coja el balón en posición de pinza.
- Adopte una correcta técnica de bandeja.
- Trate de anotar cinco tiros consecutivos de bandeja de un bote con cada mano.

Comprobación de resultados

Registre el número de bandejas a un bote que anota con cada mano. Concédase 5 puntos cada vez que logre cinco tiros consecutivos de bandejas de un bote.

Tiros de bandejas a un bote consecutivos con la mano buena ____; puntos obtenidos ____

Tiros de bandejas a un bote consecutivos con la mano mala ____; puntos obtenidos ____

Puntuación total ____ (máximo 10 puntos).

Ejercicio nº 2 de bandeja — Bandeja extendida a un bote

Este ejercicio está concebido para lanzamientos en carrera a un bote, tanto con la mano buena como con la mala. Comience con la mano buena. Sitúese en postura equilibrada a 2,80 m de la canasta. Su pie del lado bueno (el pie pivote) debe estar retrasado y el pie del lado malo adelantado. La acción del ejercicio es como la bandeja de un bote. Bote con su mano buena. Dé un paso corto con el pie del lado malo y coja el balón a la altura de la rodilla del lado bueno, con su mano de equilibrio bajo el balón y la mano de tiro detrás en posición de pinza. Salte recto y lance una fuerte bandeja de la mano buena. Caiga en equilibrio, listo para cazar el rebote o para reincorporarse a la defensa.

Practique de la misma forma con su mano mala. El pie del lado malo debe estar retrasado y el pie del lado bueno adelantado. Bote con su mano mala. Dé un paso con el pie del lado bueno y coja el balón a la altura de la rodilla de su lado malo. Salte recto y lance una bandeja con la mano mala. Caiga en equilibrio, listo para cazar el rebote o reincorporarse a la defensa.

Para aumentar la dificultad

- Después de anotar cinco tiros consecutivos de bandeja a un bote a 2,80 m, retroceda hasta 3,60 m de la canasta.
- Tras anotar cinco consecutivos de bandeja a un bote a 3,60 m, retroceda hasta 4,50 m.

Prueba

- Coja el balón en posición de pinza.
- Adopte una técnica correcta de bandeja.
- Trate de encestar cinco tiros consecutivos de bandeja extendida a un bote con cada mano y en cada distancia.

Comprobación de resultados

Registre el número de canastas consecutivas con bandejas a un bote en cada distancia y con cada mano. Concédase 1 punto cada vez que consiga encestar cinco tiros consecutivos de bandejas a un bote.

Bandejas extendidas consecutivas a un bote, a 2,80 m, con la mano buena ____; puntos obtenidos ____

Bandejas extendidas consecutivas a un bote, a 2,80 m, con la mano mala ____; puntos obtenidos ____

Bandejas extendidas consecutivas a un bote, a 3,60 m, con la mano buena ____; puntos obtenidos ____

Bandejas extendidas consecutivas a un bote, a 3,60 m, con la mano mala ____; puntos obtenidos ____

Bandejas extendidas consecutivas a un bote, a 4,50 m, con la mano buena ____; puntos obtenidos ____

Bandejas extendidas consecutivas a un bote, a 4,50 m, con la mano mala ____; puntos obtenidos ____

Puntuación total (máximo 6 puntos).

Ejercicio nº 3 de bandeja

Bandeja con bote en velocidad

Este exigente ejercicio de bandeja en el que debe alternar ambas manos, combina el uso de la mano fuerte y de la mano débil con botes en reverso. El ejercicio consiste en alternar desde cada rincón (la intersección de la línea de tiros libres y la zona) y tiros en bandeja con la mano derecha al botar a la derecha y con la mano izquierda al botar a la izquierda.

Comience en el rincón derecho, en postura equilibrada, con su pie izquierdo adelantado y el pie derecho retrasado. Entre a canasta mediante un bote en velocidad con la mano derecha y lance una bandeja de esa misma mano. Recoja el balón con las dos manos y bote en velocidad hacia el rincón izquierdo, empujando el balón hacia canasta con la mano derecha.

Entre a canasta con un bote en velocidad con la mano izquierda y lance una bandeja de esa misma mano. Coja el balón con las dos manos y bote en velocidad hacia el rincón derecho, con la mano izquierda. Sitúe su pie derecho en el rincón y bote en reverso, empujando el balón hacia canasta con la mano izquierda. Continúe el ejercicio durante 30 segundos, alternando entrada y lanzamiento de bandejas a cada lado de la canasta.

Prueba

- Adopte una buena técnica de bandeja.
- Coja el balón con las dos manos.

Comprobación de resultados

Registre el número de bandejas anotadas en 30 segundos. Concédase 5 puntos por encestar 8 o más bandejas en 30 segundos, 1 punto por 6 o 7 y 0 puntos por menos de 6.

Bandejas anotadas en 30 segundos ____

Puntuación total ____

Ejercicio nº 4 de bandeja

Bandeja en velocidad (pasar y continuar)

El ejercicio de *pasar y continuar* es una exigente combinación de bandejas de pase y tiro que se realiza con dos compañeros. Consiste en un pase alternado y corte en cada rincón o T y tiros de bandeja con la mano derecha al cortar a la derecha o con la mano izquierda al cortar a la izquierda.

Un compañero se sitúa a 3,60 m, al lado derecho de la zona, a medio camino entre el rincón y la canasta. El otro compañero se sitúa a 3,60 m al lado izquierdo de la zona, a medio camino entre el rincón y la canasta. Usted comienza en postura equilibrada, con su pie izquierdo adelantado y el pie derecho retrasado en el rincón. Pase a su compañero de la derecha y corte a canasta (pasar y continuar). Recibe un pase devuelto y lanza una bandeja de la mano derecha. Recoja el balón al salir de la red o rebotar.

Pase a su compañero al lado izquierdo de la zona y corte hacia el rincón izquierdo. Recibe entonces el pase devuelto y sitúe su pie izquierdo en el rincón izquierdo. Cambie de dirección, pase a su compañero a la izquierda de la zona y corte hacia canasta. Recibe el pase devuelto y lance una bandeja de la mano izquierda, recogiendo el balón al salir de la red o rebotar. Continúe el ejercicio durante 30 segundos, pasando, cortando y lanzando bandejas a cada lado de la canasta. Intercambie su puesto con uno de los compañeros cada 30 segundos.

Prueba

- Coja, bote y lance con movimientos graduales y fluidos.
- Adopte una técnica de bandeja adecuada.

Comprobación de resultados

Registre el número de bandejas que enceste en 30 segundos. Concédase 5 puntos si logra ocho o más bandejas en 30 segundos, 1 punto si encesta 6 o 7 y 0 puntos si no pasa de 5.

Bandejas anotadas en 30 segundos ____

Puntuación total ____

Ejercicio nº 5 de bandeja

Este ejercicio desarrolla la capacidad de botar en velocidad y realizar una bandeja de entrada, protegiendo el balón contra un defensor que lo persigue. Elija otro jugador como oponente. Comience en media pista, en el lado de su mano buena, frente a la línea lateral. Su contrario, que asumirá la función de perseguidor defensivo, comenzará a un paso de usted. El pie delantero del defensor estará tocando su pie trasero.

El ejercicio comienza cuando inicia una entrada a canasta mediante un bote en velocidad. El perseguidor debería realizar la mayor presión defensiva posible, tratando de detectar su bote, o bien presionar sobre su tiro. Utilice el bote para eludir al defensor y lance la bandeja. Intercambie los papeles ofensivo y defensivo con su compañero después de cada intento de tiro. Cada jugador debe realizar cinco tentativas de tiro.

Bote en velocidad contra perseguidor

Para aumentar la dificultad

- Comience en el lado de su mano mala y bote sólo con esa mano.

Prueba

- Adopte una adecuada técnica de bandeja.
- Realice un buen juego de pies y técnica de botado para moverse en torno al defensor.
- Proteja el balón con la mano y brazo no tiradores.

Comprobación de resultados

Cada lanzamiento acertado vale 1 punto. Trate de anotar más puntos que su compañero. Concédase 5 puntos si anota más que su compañero.

Puntuación total ____

LANZAMIENTO AL RECIBIR EL BALÓN

Muchos de los lanzamientos en baloncesto son tiros abiertos (final de un contraataque, recibir y lanzar, bola pasada fuera, balón contra la zona o defensa en ayuda, corte con bloqueo, bloqueo y continuación exterior, rebote largo, etc.). En tiros abiertos, afronte la canasta y recoja y lance en un movimiento. El mejor pase es el que permite atrapar el balón dentro de su radio de tiro y en posición de lanzar. Su radio de tiro es la distancia dentro de la cual puede anotar el tiro exterior. Si está desmarcado para lanzar el balón dentro de su radio de tiro, déle al pasador un buen blanco con sus manos hacia arriba y en posición de tiro. Una vez lanzado el pase, salte por el balón, frente a canasta en posición de tiro. Deje que el balón llegue a sus manos. No trate de alcanzarlo.

Para lanzar un tiro rápido, tenga las manos y los pies listos. Concédale al pasador un buen blanco con sus manos hacia arriba por encima de los hombros en posición de tiro y las rodillas ligeramente flexionadas. Los buenos pases permiten buenos tiros. Un buen pase es el que llega a su destino y permite al receptor coger el balón en posición de lanzar con un rápido movimiento.

Descienda las rodillas justo antes de coger el balón y extiéndase hacia arriba en un rápido y rítmico movimiento de abajo arriba. Es vital mantener el balón en alto, con la mano de tiro frente a la canasta. Procure imprimir ritmo con el movimiento abajo y arriba de las piernas antes que descender el balón. Mantener el balón en alto propicia un rápido lanzamiento y también reduce el margen de error.

Salte por el balón en los pases que están ligeramente desviados. Cuando no consiga atrapar el balón con las manos y pies listos para lanzar con ritmo, recurra a un amago antes de lanzar. El amago le da tiempo para ajustar manos y pies y establecer un ritmo de tiro. Sólo dé un paso y giro cuando esté defendido muy de cerca.

Coja el balón con las manos en posición relajada, frenando el balón al recibirlo. Utilice el método pinza para recoger el balón. Sitúese en posición de tiro con su mano de tiro frente a la canasta (detrás del balón) y la otra mano bajo el balón. No coja el balón con las manos por los lados, rotándolas, porque al apresurarse puede imprimir efecto lateral al balón. El pasador debe apuntar a su mano más alejada para recibir el pase.

Utilice palabras clave para ayudarse a aprender la mecánica correcta, establecer el ritmo e inculcar confianza. Adopte palabras de entre una y tres sílabas con ritmo. Las palabras clave deben ser positivas, concisas y personales. Diga las palabras en voz alta rítmicamente desde el comienzo del tiro hasta soltar el balón. Enfatice en la última palabra para lograr confianza. Las palabras que son clave para la correcta mecánica de su tiro se llaman palabras gatillo. Ejemplos de palabras gatillo para un rápido lanzamiento y acción de piernas rítmica son *abajo y arriba* (la clave para la acción rítmica de sus piernas) o *arriba y dentro* (para iniciar el tiro alto y no descender el balón).

Al recibir un pase frontal desde dentro (de dentro a fuera), bloquee el balón con su mano (alejada) de tiro, colocando la otra mano bajo el balón (figura 4.7). Al recibir un pase desde el lado de su mano buena, bloquee el balón con la mano no tiradora (alejada), situando su mano de tiro detrás del balón y recolocando la otra mano por debajo del balón (figura 4.8). Si le llega un pase desde el lado de su mano mala, bloquee el balón con su mano tiradora (distante), aplique la otra mano bajo el balón, luego reajuste la mano de tiro por detrás del balón (figura 4.9).

Figura 4.7 Lanzamiento al recibir un pase frontal interior

a

MANO DE TIRO ENFRENTE

1. Frente a canasta, de forma que pueda ver al pasador y la canasta.
2. Pies separados a la distancia de los hombros y dedos rectos.
3. Rodillas ligeramente flexionadas.
4. Hombros relajados.
5. Codos erguidos.
6. Manos altas entre oreja y hombro.
7. La mano que no tira bajo el balón, la tiradora hacia la canasta.

b

RECIBIR Y LANZAR CON RITMO

1. Salte detrás del balón en posición de tiro.
2. Mantenga los brazos erguidos; no trate de alcanzar el balón.
3. Bloquee el balón con la mano de tiro.
4. Aplique la mano no tiradora bajo el balón.
5. Descienda las rodillas justo antes de recibir el balón y una vez recibido extienda las rodillas y lance en un movimiento rítmico abajo-arriba.

Error

Recibe el pase pero lanza lentamente el balón, debido a que lo desciende antes de lanzarlo.

Corrección

Coja el balón en posición de tiro, manteniéndolo en alto. Recoja y lance el balón en un movimiento fluido. Descienda las rodillas justo antes de la recepción y extiéndase hacia arriba en el momento de la recepción, en un movimiento rápido y rítmico de abajo arriba.

Figura 4.8 Lanzamiento al recibir un pase desde el lado de su mano buena

a

b

MANO TIRADORA ENFRENTE

1. Frente a canasta, de modo que pueda ver al pasador y la canasta.
2. Pies separados a la distancia de los hombros, con los dedos rectos.
3. Rodillas flexionadas.
4. Hombros relajados.
5. Codos elevados.
6. Manos elevadas, entre oreja y hombro.
7. La mano no tiradora dirigida hacia el pasador, la mano tiradora hacia canasta.

BLOQUEE EL BALÓN CON LA MANO LIBRE

1. Salte detrás del balón en posición de tiro.
2. Baje las rodillas antes de recibir el balón.
3. Brazos hacia arriba; no busque el balón.
4. Bloquee el balón con la mano no tiradora.
5. Coloque la mano de tiro detrás del balón.
6. Reajuste la mano no tiradora por debajo del balón.

Error

Al recibir un pase desde un lado, se sitúa frente al pasador y va en busca del balón, ralentizando así el lanzamiento.

Corrección

Sitúese frente a canasta, gire la cabeza para ver el pase y deje que el balón llegue a sus manos. Salte tras el balón, recójalo y lance en un movimiento.

Figura 4.9 Lanzamiento al recibir un pase desde el lado de su mano mala

a

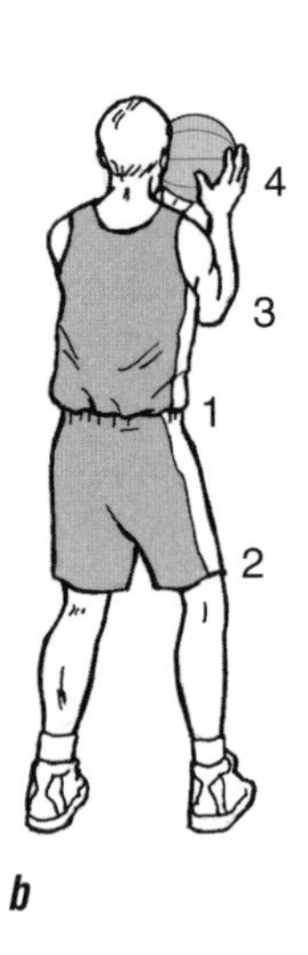

b

c

LA MANO TIRADORA FRENTE AL PASADOR

1. Frente a canasta, para ver al pasador y la canasta.
2. Pies separados a la distancia de los hombros, con los dedos rectos.
3. Rodillas flexionadas.
4. Hombros relajados.
5. Codos elevados.
6. Manos elevadas, entre oreja y hombro.
7. La mano no tiradora girada, la mano de tiro hacia el pasador.

REAJUSTE LA MANO DE TIRO

1. Salte tras el balón en posición de tiro.
2. Baje las rodillas antes de la recepción.
3. Mantenga los brazos elevados; no salga al encuentro del balón.
4. Bloquee el balón con la mano de tiro.
5. La mano no tiradora bajo el balón
6. Retire la mano de tiro y reajústela bajo el balón.

Error

Coge el balón con las manos a los lados y rotan el balón, causando efecto.

Corrección

Su mano de tiro siempre debe estar detrás del balón antes de lanzar. Cuando recibe un pase desde el lado de su mano mala, la mano de tiro es su mano alejada. Tras coger el balón, reajuste la mano de tiro, situándola detrás del balón para el lanzamiento.

Ejercicio nº 1 de tiro trás recepción

Recepción de un pase frontal (de dentro afuera) y lanzamiento

En este ejercicio, lanzará desde cinco puntos exteriores: laterales y rincones y desde el centro. Comience en el centro, directamente enfrente de la canasta. Sitúese frente a la canasta, en posición de recibir y lanzar dentro de su radio de tiro. Un compañero se sitúa dentro de la zona, en el poste bajo, con el balón. Su compañero inicia el ejercicio realizando un pase de pecho a su mano alejada (la mano de tiro). Recoja el balón y lance en un movimiento. Después de cada lanzamiento, su compañero recoge un rebote a dos manos y le devuelve el balón. Realice 10 lanzamientos e intercambie posiciones con su compañero. Después de haber lanzado desde el centro, usted y su compañero se sitúan en una de las otras posiciones. Cada uno debe realizar 10 lanzamientos desde cada posición.

Para trabajar sobre el tiro de tres puntos, repita el ejercicio desde más allá de la línea de tres puntos.

Prueba

- Pronuncie sus palabras clave y adopte la postura correcta.
- Recoja y lance en un movimiento fluido.

Comprobación de resultados

Registre el número de tiros encestados que ha conseguido en cada posición de la cancha. Concédase 1 punto cada vez que anote al menos 7 de 10 lanzamientos.

Tiros anotados desde el centro ____; puntos obtenidos ____
Tiros anotados desde el lado derecho ____; puntos obtenidos ____
Tiros anotados desde el lado izquierdo ____; puntos obtenidos ____
Tiros anotados desde el rincón derecho ____; puntos obtenidos ____
Tiros anotados desde el rincón izquierdo ____; puntos obtenidos ____
Puntuación total ____ (máximo 5 puntos).

Ejercicio nº 1 de tiro trás recepción

Lanzamiento frente a tablero

El ejercicio de lanzamiento frente al tablero se concentra en estos fundamentos: mano tiradora detrás del balón, alineación de codos elevados, el balón es soltado desde el dedo índice, acompañamiento y recoger el balón en posición de tiro.

Sitúese frente al tablero. Fíjese en un punto cerca del rincón superior del tablero que pueda servirle de objetivo. Un lugar enfrente del tablero es excelente para propiciar un tiro recto. Comience con el balón en posición de tiro, por encima de su hombro tirador. Sitúe la mano de tiro detrás del balón, con el dedo índice en el centro de aquél. Compruebe la alineación de codos elevados. Con un acompañamiento completo (plena extensión de codos), lance el balón al objetivo en el tablero, asegurándose de que el balón regrese a su posición de tiro, de modo que no tenga que mover las manos para recogerlo. Diga sus palabras clave personalizadas en sintonía, desde el comienzo del tiro hasta que suelta el balón. Si el balón no regresa a su posición inicial, salte tras él y recójalo en posición de tiro. Tras un lanzamiento fallado, visualice uno acertado, pronunciando de nuevo las palabras clave. Aproveche sus sensaciones para corregir la dirección del balón. Por ejemplo, si el fallo fue causado porque el brazo se desvió a un lado, añada la palabra clave *recto*. Utilice la palabra *punto* si el balón sale desde el dedo erróneo, creando efecto lateral. Utilice la palabra *manos* si recoge el balón con las manos a los lados.

Prueba

- Adopte la técnica adecuada.
- Recoja el rebote en posición de tiro.
- Su objetivo es conseguir 8 encestes de 10 tiros que golpean en el tablero, y luego recoger el balón en posición de tiro sin tener que mover las manos.

Comprobación de resultados

4 o menos tiros acertados = 0 puntos
5-7 tiros acertados = 1 punto
8-10 tiros acertados = 5 puntos
Puntuación total ____

Ejercicio nº 3 de tiro trás recepción

Lanzamiento a un lado del tablero

El ejercicio de lanzamiento a un lado del tablero es igual que el lanzamiento frontal, salvo que en éste sólo se utiliza un lado. Este ejercicio enfatiza mucho más en un tiro recto y una buena recepción. Si un tiro sale ligeramente desviado, el rebote saldrá hacia un lado. Esto le permite practicar el salto tras el balón para atraparlo en posición de tiro.

Sitúese a un lado del tablero. Detecte un punto cerca del lado superior del tablero que le sirva de objetivo. Un lugar a un lado del tablero es excelente para propiciar un buen tiro. Con un completo acompañamiento (a plena extensión de codos), lance el balón a su objetivo a un lado del tablero, haciendo que regrese a su posición de tiro de modo que no tenga que mover las manos para recogerlo. Recoja el balón en posición de tiro. Salte detrás del balón en los tiros que reboten a su izquierda o derecha.

Prueba

- Adopte la técnica adecuada.
- Coja el rebote en posición de tiro.
- Su objetivo es acertar 7 de cada 10 tiros en ese punto del tablero, y luego recoger el balón en posición de tiro sin tener que mover las manos.

Comprobación de resultados

2 o menos tiros acertados = 0 puntos
3-6 tiros acertados = 1 punto
7-10 tiros acertados = 5 puntos
Puntuación total ____

Ejercicio nº 4 de tiro trás recepción

Tiro a un punto del tablero

El ejercicio de lanzamiento a un punto del tablero es el mismo que el de lanzamiento frontal y lateral, excepto que en éste su objetivo es el punto del tablero situado entre el centro y el lado. Este ejercicio es, obviamente, más difícil que el lanzamiento a un lateral, porque requiere más concentración y soltar el balón del dedo índice. También constituye un mayor reto para saltar en pos del balón en posición de tiro. De los lanzamientos fallados, el rebote puede ir más lejos que en el ejercicio de lanzamiento a un lateral del tablero. Esto le permite practicar el salto tras el balón para alcanzarlo en posición de tiro.

Sitúese enfrente del tablero. Localice un punto cerca del centro para convertirlo en su objetivo. Concéntrese en su objetivo y lance el balón, asegurándose de que éste salga despedido del dedo índice. Recoja el balón en posición de tiro. Salte detrás del balón en los tiros que reboten a su izquierda o derecha.

Prueba

- Adopte la técnica de tiro adecuada.
- Coja el rebote en posición de tiro.
- Su objetivo es acertar 5 tiros de 10 que golpeen en ese punto del tablero, y luego recoger el balón en posición de tiro sin tener que mover las manos.

Comprobación de resultados

0-2 tiros acertados = 0 puntos
3-4 tiros acertados = 1 punto
5-10 tiros acertados = 5 puntos
Puntuación total ____

Ejercicio nº 5 de tiro trás recepción

Recepción y tiro de un pase lateral

Practique con un compañero. El pase le llegará por el lado de su mano buena. Lance desde tres puntos de la pista: el codo o T (intersección de las líneas de tiros libres y zona), el ala y la posición de rincón en el lado de su mano mala. Comience en un punto por encima del codo en el lado de su mano mala, dentro de su radio de tiro. Sitúese frente a canasta, listo para recibir y lanzar en un movimiento. Desde el codo del lado de su mano fuerte, su compañero ejecuta un pase de pecho a su mano (no tiradora) lejana. Al recibir el pase, bloquee el balón con la mano no tiradora, sitúe la mano de tiro detrás el balón y reajuste la otra mano situándola bajo el balón. Después de lanzar, su compañero busca el rebote a dos manos y bota al codo antes de pasarle para el siguiente tiro. Realice 10 lanzamientos y luego intercambie posiciones con su compañero. Después de haber realizado 10 lanzamientos desde el rincón, desplácese al lateral. Ambos jugadores deben ejecutar 10 tiros desde cada una de las tres posiciones.

Para aumentar la dificultad

- Trasládese al lado de su mano mala. Realice 10 lanzamientos desde el codo, el lateral y el rincón en el lado de su mano mala. El pase de su compañero va desde el codo al lado de su mano buena.
- Retrase su posición con respecto a la canasta.

Prueba

- Para recibir el pase, utilice su mano no tiradora para bloquear el balón, sitúe su mano de tiro detrás del balón y luego reajuste la otra mano, que debe quedar debajo del balón.
- Adopte una técnica adecuada y pronuncie sus palabras clave.

Comprobación de resultados

Registre el número de lanzamientos que haya realizado desde cada posición de la pista. Concédase 1 punto cada vez que convierta al menos 7 lanzamientos de cada 10.

Lanzamientos desde el codo (lado de su mano buena) ____; puntos obtenidos ____

Lanzamientos desde el lateral (lado de su mano buena) ____; puntos obtenidos ____

Lanzamientos desde el rincón (lado de su mano buena) ____; puntos obtenidos ____

Lanzamientos desde el codo (lado de su mano mala) ____; puntos obtenidos ____

Lanzamientos desde el lateral (lado de su mano mala) ____; puntos obtenidos ____

Lanzamientos desde el rincón (lado de su mano mala) ____; puntos obtenidos ____

Puntuación total ____ (máximo 6 puntos).

Ejercicio nº 6 de tiro trás recepción

Recepción y lanzamiento de rebote al codo

Un objetivo de este ejercicio es desarrollar su habilidad para recibir y lanzar en un movimiento con un rápido tiro. Otro objetivo es desarrollar su habilidad para iniciar el lanzamiento en suspensión en postura equilibrada frente a canasta y caer en equilibrio tras el lanzamiento.

Comience con el balón en la línea lateral izquierda fuera de la zona, de espaldas a la canasta. Pásese a usted mismo lanzando el balón alto de forma que también rebote alto en el codo izquierdo de la zona. Corra fuera de la zona al codo izquierdo y salte rápidamente tras el balón, girando el cuerpo para situarse de frente a la canasta. Apóyese en equilibrio con un salto de frenado. Tenga manos y pies listos con las manos por encima de los hombros y las rodillas ligeramente flexionadas. Recoja el balón con su mano de tiro elevada y girada hacia el frontal del aro. Recoja y lance en un solo movimiento. Sus rodillas deben estar más abajo justo antes de recibir y extendidas en el momento de la recepción, en un rápido movimiento rítmico de abajo a arriba. Realice el mismo ejercicio comenzando en la línea lateral derecha y haciendo rebotar el balón al codo derecho. Realice 10 lanzamientos desde el codo izquierdo y luego otros 10 desde el codo derecho.

Prueba

- Manos y pies deben estar listos para lanzar en el momento de recibir el balón.
- Recoja y lance en un rápido movimiento de abajo arriba.

Comprobación de resultados

Concédase 1 punto por cada lanzamiento convertido, tanto desde el codo izquierdo como desde el derecho.

4 lanzamientos acertados o menos = 0 puntos (necesita mejorar)

5-7 lanzamientos acertados = 1 punto (bueno)

8-10 lanzamientos acertados = 5 puntos (excelente)

Puntuación desde el codo derecho ____

Puntuación desde el codo izquierdo ____

Puntuación total ____ (máximo 10 puntos).

Ejercicio nº 7 de tiro trás recepción

Lanzamiento encadenado

El ejercicio de lanzamiento encadenado le ayuda a desarrollar la capacidad de recibir y lanzar rápidamente en un solo movimiento. Elija dos compañeros para realizar este ejercicio con usted. Un jugador controla el tiempo. El cronómetro da un pitido para iniciar el ejercicio, otro después de 20 segundos en el primer punto, otro 20 segundos después en el segundo punto, y vuelve a pitar al transcurrir 1 minuto. El otro jugador debe registrar el resultado, recoger el balón y pasárselo a usted de nuevo.

Usted debe lanzar desde tres puntos, todos frente a canasta: a 2,80 m, a 4,50 m y tras la línea de tres puntos. Comience en postura equilibrada, a 2,80 m de la canasta, con el balón en buena posición de tiro, frente a su hombro de tiro. Al primer pitido, comience a lanzar y siga haciéndolo, desde el mismo punto, hasta escuchar el segundo pitido. Al segundo pitido, sitúese a 4,50 m de la canasta y siga lanzando desde ese punto hasta el tercer pitido. Al oirlo, sitúese más allá de la línea de tres puntos, siempre frente a canasta. Continúe lanzando desde ese punto hasta el pitido final.

Una vez que haya lanzado durante 1 minuto, intercambie posiciones. El lanzador se convertirá en el reboteador y pasador, y éste en el controlador del tiempo, mientras éste pasará a ser el lanzador.

Prueba

- Un buen reboteador y pasador le ayudarán a lograr un buen resultado, porque los buenos pases contribuirán a ejecutar buenos tiros.
- Recoja y lance en un movimiento fluido.

Comprobación de resultados

Registre el número de lanzamientos anotados desde cada posición de cancha. Concédase 5 puntos por convertir 25 o más tiros, 3 puntos por convertir entre 20 y 24 tiros, 1 punto por convertir entre 15 y 19, y 0 puntos por convertir menos de 15.

Tiros acertados desde 2,80 m ____; puntos obtenidos ____

Tiros acertados desde 4,50 m ____; puntos obtenidos ____

Tiros acertados desde más allá de la línea de tres puntos ____; puntos obtenidos ____

Puntuación total ____ (máximo 15 puntos).

Ejercicio nº 8 de tiro trás recepción

Tres jugadores, dos balones

Como su nombre indica, este ejercicio requiere tres jugadores y dos balones. Hay tres zonas de lanzamiento con dos puntos de tiro en cada una de ellas: rincón derecho al codo derecho (T), del codo derecho (T) al codo izquierdo (T) y del codo izquierdo (T) al rincón izquierdo.

El tirador (L) comienza en el rincón derecho con un balón. El reboteador (R) se sitúa en el lado opuesto de la canasta y el pasador (P) en el codo (T) opuesto o rincón con un balón. El tirador lanza y se mueve al codo derecho en la misma zona de tiro para recibir el siguiente balón. El tirador se sitúa frente a canasta para lanzar, recoge el balón y lanza en un movimiento. Si el pase no alcanza el objetivo, el tirador debe saltar por el balón. El tirador debería seguir hasta que el balón llegue a canasta antes de pasar al punto siguiente.

Después de que el tirador se sitúe en el punto siguiente, el pasador pasa el balón al tirador desde el codo opuesto. El pasador debería estar situado en posición de triple amenaza, es decir, pase, frente a canasta, y podría amagar antes de pasar a la mano alejada del tirador sin telegrafiar el pase.

El reboteador recoge el balón y lo pasa al pasador. Deberá usar las dos manos para asegurar el rebote, evitando que el balón caiga al suelo. El reboteador debe caer en equilibrio, manteniendo el balón elevado por encima del antebrazo, y amagar antes de realizar un pase a dos manos por encima de la cabeza. El ejercicio debe continuar así durante 25 segundos, después de los cuales se toman 5 segundos para rotar: el tirador se convierte en reboteador, éste en el pasador, y éste se convierte en el tirador. Realice el ejercicio durante otros 25 segundos.

Tómense otros 5 segundos para pasar a la segunda zona de lanzamiento. Realicen el ejercicio durante 25 segundos en la nueva zona, tómense 5 segundos para rotar, y realicen el ejercicio durante otros 25 segundos. Transcurrido este tiempo, desplácense a la tercera zona de lanzamiento. El ejercicio requiere cuatro minutos y medio en total, y durante él cada jugador habrá lanzado al menos 30 tiros, recogido 30 rebotes y efectuado 30 pases.

Para aumentar la dificultad

- Uno o más jugadores o entrenadores taponan al tirador.
- Uno o más jugadores o entrenadores presionan al pasador.
- Uno o más jugadores o entrenadores golpean el balón de la mano del reboteador si éste desciende el balón por debajo del antebrazo.

Prueba

- Adopte la técnica correcta de rebote, pase y lanzamiento.
- Roten con fluidez en el intercambio de papeles.
- Cuando sea usted el tirador, recoja y lance en un movimiento fluido.

Comprobación de resultados

Para el tirador:
Menos de 15 lanzamientos = 0 puntos
15-19 lanzamientos = 1 punto
20-30 lanzamientos = 5 puntos
Puntuación total ____

Para el pasador:
Menos de 20 pases precisos = 0 puntos
20-23 pases precisos = 1 punto
24-30 pases precisos = 5 puntos
Puntuación total ____

Para el reboteador:
Menos de 20 rebotes a dos manos = 0 puntos
20-23 rebotes a dos manos = 1 punto
24-30 rebotes a dos manos = 5 puntos
Puntuación total ____

Ejercicio nº 9 de tiro trás recepción

Presión sobre el tirador

Este ejercicio requiere dos jugadores: uno atacante y otro defensor. Comience como jugador atacante, en posición de recoger y lanzar desde la línea de tres puntos o desde su radio de tiro. El defensor comienza situado bajo canasta e inicia el ejercicio realizando un pase de pecho a su mano de tiro. El defensor corre entonces hacia usted, tratando de presionar su lanzamiento sin bloquearlo. Anótese un punto cada vez que consiga realizar un tiro. Después de cada intento, cambie de papel con su compañero. Cada jugador debe ejecutar 10 lanzamientos.

Prueba

- Recoja el balón y lance en un movimiento fluido.
- Adopte la técnica adecuada de lanzamiento.

Comprobación de resultados

Este es un ejercicio competitivo en el que debe conseguir más puntos que su oponente. Si anota más puntos, concédase 5 puntos.

Puntuación total ____

LANZAMIENTO TRAS EL BOTE

En posición desmarcada, bote frente a su rodilla de tiro y recoja el balón frente a canasta en posición de tiro. No se estire hacia el balón. Recójalo frente a su rodilla de lanzamiento con las rodillas flexionadas para ganar equilibrio en su tiro e impedir que oscile hacia delante, atrás o a un lado.

Recoja el balón con su mano de tiro por encima y la otra mano por debajo. Mientras eleva el balón para lanzar, su mano de tiro debe estar situada frente a canasta (detrás del balón), imprimiendo un efecto de retroceso al balón. Nunca coja el balón con las manos por los lados y las rote para situarlas en la posición correcta, porque con la prisa imprimirá efecto lateral al balón en el lanzamiento.

Al botar hacia su mano buena (figura 4.10), salte tras su último bote y recoja el balón frente a su rodilla de tiro. Al botar hacia su mano mala (figura 4.11), utilice un cambio de mano en el último bote para recoger el balón frente a su rodilla de tiro.

Figura 4.10 Lanzamiento al recibir un pase desde el lado de su mano mala

a

BOTE HACIA LA RODILLA DE TIRO

1. Bote con la mano buena.
2. Bote con control hacia la rodilla de tiro.

b

MANO DE TIRO ENCIMA DEL BALÓN

1. Salte detrás del balón, frente a la canasta.
2. Recoja el balón con la mano de tiro encima.
3. Sitúe la mano no tiradora debajo del balón.

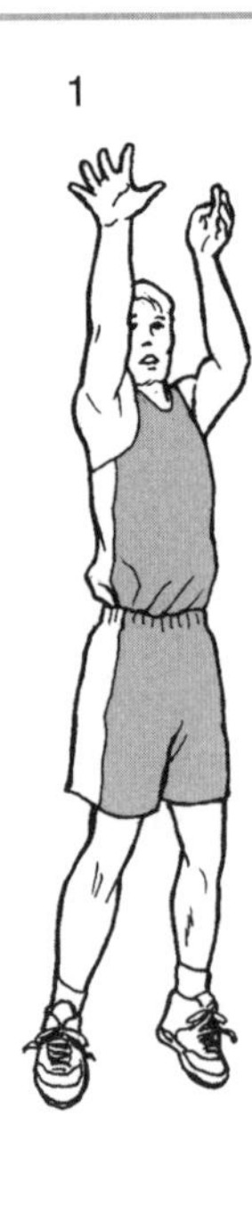

c

LANZAMIENTO

1. Tiro en suspensión.

Error

El balón sale desviado a derecha o izquierda de la canasta.

Corrección

Fallar el lanzamiento porque se desvía a un lado de canasta, se debe a que el balón ha sido sujetado por los lados y porque el tiro se inicia a un lado del cuerpo. Al estar desmarcado, bote frente a su rodilla de tiro y recoja el balón frente a canasta en posición de tiro. No se estire para alcanzar el balón.

Figura 4.11 Lanzamiento tras el bote, del lado de la mano mala

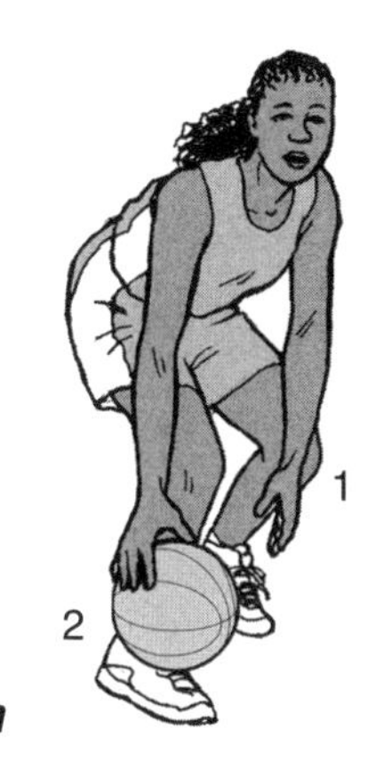

a

CAMBIO DE MANO HACIA LA RODILLA DE TIRO

1. Bote con la mano mala.
2. Bote cruzado frente a la rodilla de tiro.

b

MANO DE TIRO ENCIMA DEL BALÓN

1. Salte tras del balón, frente a la canasta.
2. Recoja el balón con la mano de tiro encima.
3. La mano no tiradora debajo del balón.

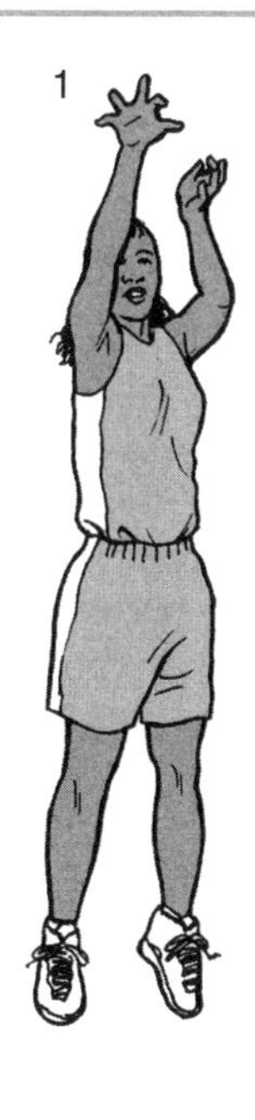

c

LANZAMIENTO

1. Tiro en suspensión.

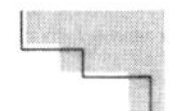

Error

Al lanzar tras el bote, oscila hacia delante, atrás o a un lado.

Corrección

Recoja el balón frente a su rodilla de tiro y con las rodillas flexionadas a fin de conseguir equilibrio para el tiro e impedir balanceos.

Ejercicio nº 1 de lanzamiento tras el bote

Tiro en suspensión con entrada recta a un bote

Este ejercicio consiste en lanzar tiros en suspensión tras el bote, tanto al lado de la mano buena como de la mala. Comience con el balón en la línea lateral izquierda de la zona, de espaldas a la canasta. Hágase un pase a sí mismo, lanzando el balón alto de forma que produzca un rebote también alto en el codo izquierdo de la cancha. Corra hacia el codo izquierdo y recoja el balón, de espaldas a la canasta, con una parada en dos tiempos, descansando en su pie interior (izquierdo) primero. Pivote sobre el pie izquierdo, con un giro frontal hacia el centro. Sitúese frente a la canasta y realice un frenado en seco con su pie derecho, con el balón elevado. Sitúese en postura de triple amenaza y en posición de lanzar primero. Bote una vez con la mano derecha hacia el centro de la línea de tiros libres. Salte por el balón. Recoja el balón frente a su rodilla de tiro con la mano de tiro por encima y la mano de equilibrio por debajo del balón. Salte recto y lance un tiro en suspensión. Caiga en equilibrio. Realice otra vez el ejercicio, comenzando por la línea lateral derecha y rebotando el balón hacia el codo derecho. Lance 10 tiros en suspensión tras un bote desde el codo izquierdo y otros 10 tiros en suspensión tras un bote desde el codo derecho.

Nota: Un jugador zurdo tendrá que saltar más lejos para recoger en el lado derecho el balón frente a su rodilla de tiro. Un jugador diestro tendrá que saltar más cuando se trate del lado izquierdo.

Prueba

- Recoja el balón a la altura de su rodilla de tiro cuando su mano de tiro se encuentre elevada.
- Salte y caiga en el mismo punto.

Comprobación de resultados

Registre el número de tiros en suspensión tras un bote que consiga de 10 intentos, entrando a derecha desde el codo izquierdo. Registre el número de tiros en suspensión tras un bote que consiga de 10 intentos, entrando a izquierda desde el codo derecho. Concédase 1 punto por cada tiro en suspensión convertido.

4 o menos tiros = necesita mejorar
4-7 tiros = bueno
8-10 tiros = excelente
Puntuación total, botando a derecha ___;
botando a izquierda ___ (máximo 20 puntos).

Ejercicio nº 2 de tiro tras el bote

Tiro en suspensión con un cambio por delante

Este ejercicio desarrolla la habilidad de lanzar en suspensión tras un cambio por delante, ya sea hacia el lado de su mano buena o de su mano mala. El ejercicio comienza de la misma manera que el anterior. Comience con el balón en la caja derecha fuera de la zona. Haga rebotar el balón hacia el codo derecho. Recoja el balón de espaldas a la canasta con una parada en dos tiempos, descansando sobre su pie interior (derecho) y pivotando hacia el centro. Sitúese frente a la canasta con un frenado en seco de su pie izquierdo, con el balón elevado. Sitúese en postura de triple amenaza, siendo la primera la de lanzar. Realice un paso cruzado con su pie izquierdo hacia el exterior y bote una vez con la mano exterior (derecha) en un ángulo de 45 grados con el tablero. Salte por el balón. Recójalo frente a su rodilla de tiro con la mano tiradora encima y la de equilibrio debajo del balón. Salte en línea recta y lance un tiro en suspensión. Caiga en equilibrio. Lance 10 tiros en suspensión tras un cambio de mano, entrando por la derecha en un ángulo de 45 grados con respecto al tablero. Realice el mismo ejercicio desde la línea lateral izquierda, haciendo rebotar el balón hacia el codo izquierdo. Al botar al lado de su mano mala, practique un cambio de mano por delante en el último bote para recoger el balón frente a la rodilla de tiro.

Nota: El jugador zurdo tendrá que saltar más cuando vaya a la derecha para recoger el balón frente a la rodilla de tiro. El jugador diestro, en cambio, tendrá que saltar más cuando tenga que recoger el balón a su izquierda.

Para aumentar la dificultad

- Después de anotar 8 de 10 tiros en suspensión tras un bote hacia el lado de su mano buena, trate de realizar 8 de 10 al lado de su mano mala.

Prueba

- Recoja el balón a la altura de su rodilla de tiro, con la mano de tiro por encima de él.
- Utilice un cambio de mano como el último bote antes de recoger el balón frente a su rodilla de tiro, en el lado de su mano mala.
- Salte y caiga en el mismo punto.

Comprobación de resultados

Registre el número de aciertos en 10 intentos hacia la derecha, y otros tantos hacia la izquierda. Concédase 1 punto por cada tiro en suspensión que enceste.

4 tiros o menos = necesita mejorar
5-7 tiros = bien
8-10 tiros = excelente
Puntuación total, botando a la derecha ____; botando a la izquierda ____; (máximo 20 puntos).

RESUMEN DEL TIRO

La única forma de anotar es meter el balón en la canasta. Desarrollar las diferentes habilidades de tiro le ayudará a convertirse en una amenaza atacante desde cualquier lugar de la cancha.

En el siguiente paso, estudiaremos el rebote del balón, o lo que debe hacer si el lanzamiento no tiene éxito. Sin embargo, antes de concentrarnos en el quinto paso, debemos examinar cómo ha realizado los ejercicios del anterior. Anote los puntos que ha conseguido en cada uno de los ejercicios aquí propuestos y súmelos para poder evaluar su grado general de acierto.

Ejercicios de tiro	
1. Calentamiento para el tiro	___ de 15
2. Lanzamiento a una mano	___ de 10
3. Tiro tumbado boca arriba	___ de 5
4. Lanzamiento desde una silla	___ de 5
Ejercicios de tiros libres	
1. Práctica diaria	___ de 5
2. Con los ojos cerrados	___ de 5
Ejercicios de tiro en suspensión	
1. Calentamiento para el tiro en suspensión	___ de 6
2. Calentamiento para el tiro en suspensión lateral	___ de 8
Ejercicios de tiro de gancho	
1. Calentamiento para el tiro de gancho	___ de 10
2. Calentamiento para el tiro de gancho con paso cruzado	___ de 10
3. Lanzamiento de mano alterna (ejercicio Mikan)	___ de 10
Ejercicios de bandeja	
1. Bandeja a un bote	___ de 10
2. Bandeja extendida a un bote	___ de 6

3. Bandeja con bote en velocidad	___ de 5
4. Bandeja en velocidad (pasar y continuar)	___ de 5
5. Bote en velocidad contra perseguidor	___ de 5
Ejercicios de tiro trás recepción	
1. Recepción de un pase frontal (de dentro afuera y lanzamiento)	___ de 5
2. Lanzamiento frente a tablero	___ de 5
3. Lanzamiento a un lado del tablero	___ de 5
4. Tiro a un punto del tablero	___ de 5
5. Recepción y tiro de un pase lateral	___ de 6
6. Recepción y lanzamiento de rebote al codo	___ de 10
7. Lanzamiento encadenado	___ de 15
8. Tres jugadores, dos balones	___ de 15
9. Presión sobre el tirador	___ de 5
Ejercicios de lanzamiento tras el bote	
1. Tiro en suspensión con entrada recta a un bote	___ de 20
2. Tiro en suspensión con un cambio por delante	___ de 20
Total	___ ***de 231***

Si ha conseguido 170 puntos o más, ¡enhorabuena! Ha dominado los fundamentos de este paso y está preparado para afrontar el quinto, el rebote. Si ha anotado menos de 170 puntos, puede que deba consagrar más tiempo a los fundamentos cubiertos en este paso. Practique de nuevo los ejercicios para lograr el dominio de las técnicas e incrementar su puntuación.

5.º PASO

El rebote

El rebote es uno de los fundamentos del baloncesto que no pueden ignorarse. Puede lanzar demasiado, botar demasiado, pasar demasiado y tratar de robar el balón o bloquear lanzamientos en exceso, pero nunca reboteará demasiado. El equipo que controla los tableros, normalmente controla el partido.

La posesión del balón resulta de tiros fallados más que de ninguna otra jugada. El rebote ofensivo añade oportunidades de anotar a su equipo, mientras que el rebote defensivo limita las oportunidades de anotar del equipo contrario.

Atacar el rebote ofensivo permite a su equipo crear segundas posibilidades de encestar. Con mayor frecuencia que al revés, estos segundos tiros son lanzamientos interiores de alto porcentaje y muchos se traducen en jugadas de tres puntos. El rebote ofensivo requiere ambición y esfuerzo. Lograr la posesión del balón mediante un rebote ofensivo a menudo inspira al equipo.

Conseguir la posesión del balón gracias a un rebote defensivo todavía resulta más valioso. Si controla el tablero propio, su oponente tendrá menos oportunidades de lograr segundos tiros, que a menudo se traducen en canastas fáciles e incluso en jugadas de tres puntos. El rebote defensivo no sólo limita las segundas oportunidades de anotar de su oponente, sino que también crea las mejores oportunidades para lograr un contraataque.

FUNDAMENTOS DEL REBOTE

Los factores esenciales que determinan a un buen reboteador son de naturaleza emocional, mental y física, además de habilidad.

Desear el balón es el factor más importante en el rebote. A eso se le llama **ambición**. Asumir que cada lanzamiento puede fallarse, y añadir a eso la actitud de luchar por cada rebote. Puesto que muchos rebotes no los consigue el primer jugador en tocar el balón, se requiere un segundo esfuerzo. La diferencia entre los buenos y los grandes reboteadores es que estos últimos siempre pelearán por más rebotes. El contacto físico del rebote exige **coraje**. Para ser un gran reboteador, debe estar ansioso por participar en la lucha bajo los tableros. A menudo no es la gloria lo que se consigue con el rebote, sino la victoria.

Cultive la inteligencia reboteadora. **Prevea lanzamientos fallidos.** Compruebe los aros, los tableros y el vigor para determinar la fuerza con que rebotará el balón. Conozca las técnicas de lanzamiento de sus compañeros de equipo y estudie las de sus adversarios para anticiparse a posibles rebotes. Observe el ángulo y la distancia de los tiros. Muchos tiros rebotan en el lado opuesto y los lanzamientos de tres puntos tienden a producir rebotes largos. **Analice a su oponente.** Trate de conocer la fuerza, capacidad de salto, rapidez, agresividad, técnica de bloqueo y disposición a un segundo esfuerzo de cada jugador del equipo contrario.

Físicamente, ¡necesita moverse! Así que **desarrolle la rapidez.** En ataque, muévase rápidamente en torno a su oponente y busque el balón. En defensa, muévase rápidamente para bloquear a su contrario y buscar el balón. Trabaje continuamente en mejorar su **capacidad de salto**, no sólo en cuanto a altura, sino también en cuanto a rapidez y explosividad. Un segundo salto rápido es un gran triunfo para un reboteador. Incremente la **resistencia muscular** de sus piernas. Eso mejorará no sólo la altura de sus saltos, sino también la capacidad para saltar varias veces consecutivas. Aumente también **la fuerza total de su cuerpo,** a fin de poder resistir el contacto corporal bajo los tableros.

Utilice la **visión periférica** para ver el cuadro general, incluido el balón y su oponente. Cuando actúe en defensa, observe a su contrario tras el tiro, bloquee y busque el balón. En ataque, determine cómo bloquea su contrario tras el tiro, utilice el método correcto para superar el bloqueo y busque siempre el balón.

Mantenga una **postura equilibrada** para contrarrestar el juego físico, como el choque o los empujones. Apóyese en las puntas de sus pies, separados éstos a la distancia de los hombros, con las rodillas flexionadas, la espalda recta, la cabeza erguida y las manos por encima de los hombros. Trate de prever la jugada de su contrario y trabaje para conseguir una **posición interior.**

Mantenga sus **manos elevadas.** Muévalas por encima del antebrazo, separadas el ancho de un balón. **Salte a por el balón en el momento preciso** la máxima altura. En el rebote, no es tanto la altura como **las veces** que puede saltar lo que resulta crucial para el éxito.

Coja el balón con las dos manos y protéjalo agresivamente con su antebrazo y lejos de su contrario. Tras lograr la posesión y aún en el aire, **extienda las piernas** y mantenga los codos bajos para proteger el balón.

Descienda en postura equilibrada. En ataque esté listo para anotar con una jugada de fuerza o para pasar a un compañero. En defensa, esté listo para pivotar y utilizar un rápido pase largo para iniciar un contraataque.

Pídale a un experto, como un entrenador, instructor o un buen jugador, que observe su actuación reboteadora y le aporte una crítica constructiva. Pídale también a su entrenador que evalúe su capacidad reboteadora en competición, prestando especial atención a su ambición a la hora de luchar por cada rebote.

Ejercicio nº 1 de rebote — *Rebote en el tablero*

Comience en postura equilibrada, a 2,50 m frente al tablero y a un lado del aro. Realice un pase de pecho a dos manos, apuntando al lado alto del tablero. Busque el rebote con las dos manos y caiga en equilibrio. Proteja el balón por encima de su antebrazo con los codos abajo y no baje el balón. Repítalo 10 veces.

Prueba

- Busque el rebote con las dos manos.
- Proteja el balón al capturar el rebote.
- Caiga en equilibrio.

Comprobación de resultados

3 o menos rebotes conseguidos = 0 puntos
4-5 rebotes = 1 punto
6-7 rebotes = 3 puntos
8-10 rebotes = 5 puntos
Puntuación total ____

Ejercicio nº 2 de rebote

Superman o Superwoman al rebote

Comience en postura equilibrada con un pie fuera de la línea de zona y encima de la línea lateral. Realice un fuerte pase de pecho a dos manos, tratando de golpear en el rincón superior opuesto del tablero. Pase el balón de manera que rebote por encima de la línea lateral al lado opuesto de la zona. Capture el rebote con las dos manos y caiga en equilibrio, con al menos un pie fuera de la zona y encima de la caja. Proteja el balón por encima de su antebrazo con los codos abajo. Repítalo durante 30 segundos.

Prueba

- Utilice ambas manos para capturar el balón.
- Proteja el balón al capturar el rebote.
- Caiga en equilibrio.

Comprobación de resultados

5 o menos rebotes conseguidos en 30 segundos = 0 puntos
6-7 rebotes conseguidos en 30 segundos = 1 punto
8-9 rebotes conseguidos en 30 segundos = 3 puntos
10 o más rebotes conseguidos en 30 segundos = 5 puntos
Puntuación total ____

EL REBOTE DEFENSIVO

En el rebote defensivo, la clave es lograr una posición interior sobre su contrario y buscar el balón. Al jugar en defensa, normalmente debe tener la posición interior ganada entre su contrario y la canasta, lo que le concede la primera baza para ganar la batalla por el rebote.

Hay dos estrategias de entrenamiento para el rebote defensivo. La más empleada es *bloquear* al contrario. Bloquear supone obstaculizar el camino de su oponente hacia el balón, situando su espalda contra el pecho del contrario y luego buscar el balón. La otra estrategia, abrazada por John Wooden (el gran entrenador de UCLA que consiguió 10 campeonatos de la NCAA), es sencillamente dar un paso en el camino de su contrario y buscar el balón. El método de Wooden, llamado *check-and-go,* puede que sea el mejor cuando su rapidez y su capacidad de brinco son muy superiores a la de su contrario. El bloqueo está recomendado para la mayoría de los jugadores.

Hay dos métodos de bloqueo: el giro frontal y el giro en reverso. Situar su espalda contra el pecho del oponente y buscar el balón es más importante que cualquier otro método de bloqueo.

El método del *giro frontal* (figura 5.1) es el mejor para bloquear a un tirador. Después del tiro, sencillamente da un paso hacia el tirador. El *giro en reverso* (figura 5.2) es el más apropiado cuando está defendiendo a un contrario sin balón. Después del tiro, primero observa el corte de su contrario y luego gira en reverso, retirando su pie trasero a un lado del corte de su oponente. Al defender al jugador sin el balón, adopte una postura defensiva que le permita ver al mismo tiempo el balón y a su contrario.

Para defender a un jugador con el balón a un lateral de canasta (también llamado el lado fuerte), adopte una postura agresiva, con una mano arriba y un pie sobre el pasillo de pase. Para defender a un jugador en el lado opuesto de la canasta (llamado el lado de ayuda o lado débil), adopte una postura defensiva a varios pasos que le permita ver el balón y al jugador que va a defender. Cuando defiende a un jugador con el balón que va a lanzar, primero observe el corte de su contrario y luego dé un giro en reverso retirando su pie trasero del corte de su oponente. Bloquee y logre el rebote.

Desarrolle la actitud de lucha por cada balón. Trate siempre de capturar el balón con las dos manos, pero si no puede hacerlo así, utilice una mano para tratar de mantenerlo vivo hasta que usted o un compañero pueda cogerlo.

Figura 5.1 Rebote defensivo: giro frontal

a

b

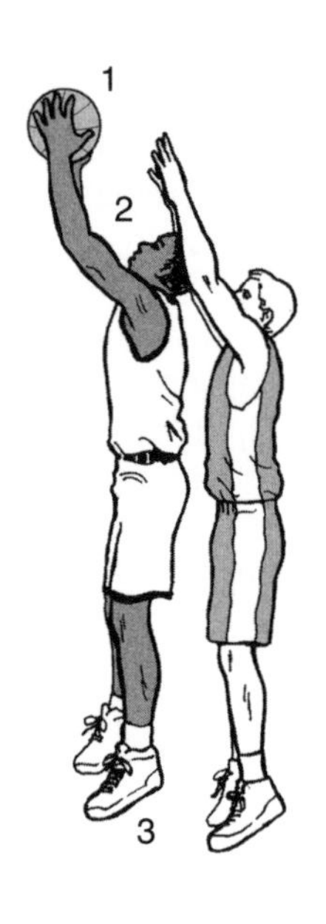

c

GIRO FRONTAL

1. Postura defensiva con la mano arriba en la calle de pase.
2. Pivote frontal sobre el pie trasero.
3. Un paso hacia su rival.

BLOQUEO

1. Espalda contra el pecho del oponente.
2. Base amplia.
3. Manos elevadas.

LUCHA POR EL BALÓN

1. Luche por el balón y sujételo con las dos manos.
2. Proteja el balón frente al antebrazo.
3. Caiga en equilibrio.

Error

Mira el balón y su contrario le supera.

Corrección

Concéntrese primero en su contrario, logre una posición interior, bloquee o presione y luego luche por el balón.

Figura 5.2 Rebote defensivo: giro en reverso

a

b

c

PIVOTE REVERSO
1. Postura defensiva con la mano arriba en la línea de pase.
2. Pivote reverso sobre el pie más cercano al corte del contrario.
3. Retroceda con el otro pie.

BLOQUEO
1. Espalda contra el pecho del oponente.
2. Base amplia.
3. Manos hacia arriba.

GANE EL REBOTE
1. Luche por el balón y cójalo con ambas manos.
2. Proteja el balón frente al antebrazo.
3. Caiga en equilibrio.

Error
Pierde el equilibrio cuando su oponente amaga.
Corrección
Asiéntese sobre una base amplia y manténgase en movimiento sobre las puntas de los pies.

Ejercicio nº 1 de rebote defensivo — *Bloqueo al tirador*

Este ejercicio requiere dos jugadores. Comience como jugador defensivo y que su compañero actúe como tirador. El tirador comienza fuera de la línea de tiros libres con el balón, y usted adopta una postura defensiva frente a su contrario. Permita el lanzamiento y luego dé un giro frontal para bloquear al tirador y hacerse con el rebote si el tiro falla. Entretanto, el tirador trata de capturar el rebote ofensivo. Si el atacante se asegura el rebote, puede volver a lanzar desde el punto del rebote. Continúe de esta forma hasta que coja el rebote. Una vez que lo consiga, tómese un descanso de 10 segundos. Después de este intervalo, el jugador atacante comienza de nuevo fuera de la línea de tiros libres y el ejercicio debe repetirse cuatro veces más. Rote y alterne el papel de defensa con el de atacante.

Prueba

- En defensa, bloquee al tirador con buena técnica.
- En ataque, trate de superar el bloqueo del defensor con una buena técnica de rebote.

Comprobación de resultados

Registre el número de rebotes defensivos que consiga. Concédase 5 puntos si logra 5 o más rebotes defensivos, 1 punto si logra 3 o 4 y 0 si logra menos de 3 rebotes defensivos. En ataque, registre el número de rebotes ofensivos que consiga. Concédase 5 puntos si logra, al menos, 2 rebotes ofensivos.

Puntuación total en rebotes defensivos ____

Puntuación total en rebotes ofensivos ____

Ejercicio nº 2 de rebote defensivo

Bloqueo al jugador sin balón

Este ejercicio requiere tres jugadores: un jugador defensivo, un jugador atacante y un tirador. Asuma primero el papel de jugador defensivo. Tendrá que luchar por el rebote con un atacante sin el balón. El tercer jugador actúa sólo como tirador. Lanzando desde un lado de la cancha desde, al menos, 4,50 m, el tirador tratará de fallar a propósito. En el lado opuesto de la canasta, adopte una postura defensiva que le permita ver el balón y al jugador sin el balón, a quien está defendiendo.

En el lanzamiento, observe primero el corte de su contrario y luego dé un giro en reverso, desviando su pie del corte del rival en dirección hacia atrás. Bloquee y hágase con el rebote. El jugador atacante tratará de lograr el rebote ofensivo tras un tiro fallido. Si tiene éxito, el jugador atacante puede volver a lanzar desde el punto del rebote. Continúe hasta que se haga con el rebote. Una vez que lo consiga, tómese un descanso de 10 segundos. Tras este intervalo, el balón es devuelto al tirador y el ejercicio se repite otras cuatro veces. Después de cinco jugadas, los jugadores intercambian los papeles: el defensor se convierte en el jugador atacante sin balón, el atacante sin balón se convierte en el tirador y éste se convierte en el defensor.

Prueba

- En defensa, observe al jugador que está defendiendo y al balón.
- Bloquee al tirador con buena técnica.

Comprobación de resultados

Registre el número de rebotes defensivos que consiga. Concédase 5 puntos si logra 5 o más rebotes defensivos, 1 punto si logra tres o 4 rebotes defensivos y 0 puntos si consigue menos de 3. En ataque, registre el número de rebotes ofensivos que consiga. Concédase 5 puntos si consigue al menos 2 rebotes ofensivos.

Puntuación total en rebotes defensivos ____

Puntuación total en rebotes ofensivos ____

EL REBOTE OFENSIVO

La clave del rebote ofensivo es moverse. Cultive la actitud adecuada y se moverá y perseguirá cada balón. Muévase para superar al defensor, que normalmente se encuentra entre usted y la canasta. Realice un movimiento rápido y agresivo para superar al defensor y saltar tras el balón, tratando siempre de cogerlo con ambas manos. Si no puede capturar el balón con las dos manos, utilice una mano para tratar de mantener el balón cerca de canasta o en vilo, hasta que usted mismo o un compañero puedan capturarlo. Para evitar ser bloqueado, manténgase en movimiento.

Si le bloquean, utilice toda su energía para liberarse del bloqueo. Hasta los grandes reboteadores son bloqueados, pero se mantienen en movimiento para superar al contrario. Que un contrario lo bloquee no es un error, pero sí lo es permanecer bloqueado.

Hay cuatro métodos para zafarse del bloqueo: el corte directo, la finta y marcha, el giro y el paso atrás. Utilice el corte directo (figura 5.3) cuando su contrario le bloquee con un giro frontal. Corte rápidamente antes de que se haya creado el bloqueo. Utilice la finta y marcha (figura 5.4) cuando su contrario le bloquee con un giro en reverso. Amague en dirección al paso en reverso de su rival y corte al otro lado. Utilice el giro (figura 5.5) cuando su contrario le bloquee conteniendo su cuerpo. Sitúe su antebrazo en la espalda de su contrario, pivote en reverso sobre su pie delantero, lance un gancho con el brazo por encima del brazo de su rival como palanca y corte. Utilice el paso atrás (figura 5.6) cuando su contrario se incline hacia atrás mientras le bloquea. Sencillamente, dé un paso atrás a fin de que su contrario pierda el equilibrio, luego corte y busque el balón.

Figura 5.3 Rebote ofensivo: corte recto

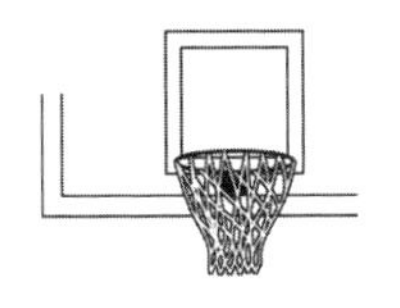

MANOS HACIA ARRIBA

1. Vista sobre el balón y el contrario.
2. Postura ofensiva.
3. Manos hacia arriba.

CORTE RECTO

1. El contrario da un giro frontal.
2. Corte recto a su rival.
3. Manos hacia arriba.
4. Luche por el balón.

REBOTE

1. Coja el balón con las dos manos.
2. Proteja el balón frente a su antebrazo.
3. Caiga en equilibrio.

Error

Tiene problemas para controlar los rebotes.

Corrección

Coja el balón con las dos manos.

Figura 5.4 Rebote ofensivo: amago y marcha

FINTA

1. Postura ofensiva con las manos hacia arriba.
2. El contrario lo contiene.
3. Finta en dirección del reverso del contrario.

CORTE OPUESTO

1. Corte al lado opuesto.
2. Mantenga las manos hacia arriba.
3. Luche por el balón.

REBOTE

1. Coja el balón con las dos manos.
2. Proteja el balón enfrente del antebrazo.
3. Caiga en equilibrio.

Figura 5.5 Rebote ofensivo: centrifugado

ANTEBRAZO EN LA ESPALDA DEL RIVAL

1. Postura ofensiva con las manos hacia arriba.
2. El contrario lo contiene.
3. Antebrazo en la espalda del rival.

PIVOTE REVERSO

1. Pivote reverso.
2. Gancho sobre el brazo del contrario.
3. Luche por el balón.

REBOTE

1. Coja el balón con las dos manos.
2. Proteja el balón enfrente del antebrazo.
3. Caiga en equilibrio.

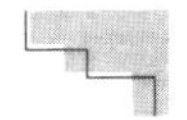

Error
Usted contiene a su oponente, y su oponente le hace un gancho de palanca sobre su brazo.
Corrección
Mantenga las manos hacia arriba.

Figura 5.6 Rebote ofensivo: paso atrás

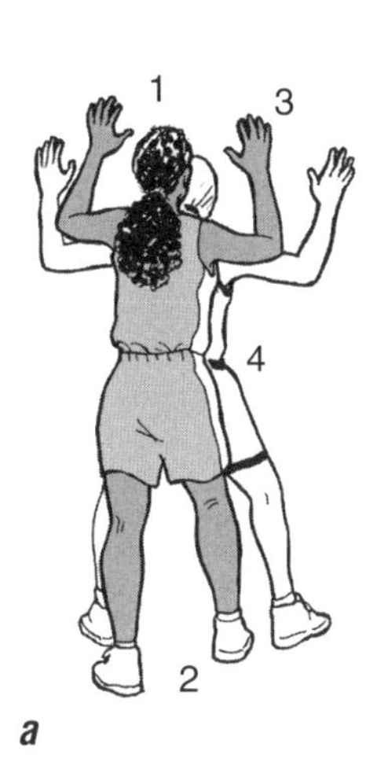

a

b

c

EL CONTRARIO SE INCLINA SOBRE USTED

1. Vista sobre el balón y el contrario.
2. Postura ofensiva.
3. Manos hacia arriba.
4. Su contrario se inclina sobre usted.

PASO ATRÁS

1. Paso atrás.
2. El contrario cae.
3. Busque el balón.

REBOTE

1. Coja el balón con las dos manos.
2. Proteja el balón frente al antebrazo.
3. Caiga en equilibrio.

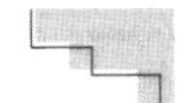

Error
Tras lograr el rebote, su oponente le roba el balón.
Corrección
Mantenga el balón protegido por encima de su antebrazo, con los codos abajo y lejos del alcance de su contrario.

Ejercicio nº 1 de rebote ofensivo

Uno contra dos y canasta

Comience en postura equilibrada, a 2,50 m frente al tablero y a un lado del aro. Dos jugadores toman posiciones a ambos lados de usted. Realice un pase de pecho a dos manos a tablero. Salte por el rebote a dos manos y caiga en equilibrio. En lugar de bajar el balón por debajo del antebrazo y mantener sus codos abajo, trate de anotar con fuerza, como un mate a dos manos. Los demás jugadores le ofrecerán alguna resistencia, golpeando ligeramente sus brazos y tratando de arrebatarle el balón tras el rebote y durante su intento de anotar. Realice 10 veces este ejercicio.

Prueba

- Concéntrese en lograr el rebote y anotar.
- Utilice ambas manos para capturar el balón.

Comprobación de resultados

Entre 0 y 1 rebote con canasta = 0 puntos
2-3 rebotes conseguidos con canasta = 1 punto
4-5 rebotes conseguidos con canasta = 3 puntos
6-10 rebotes conseguidos con canasta = 5 puntos
Puntuación total ____

Ejercicio nº 2 de rebote ofensivo

Palmeo

Sitúese enfrente del tablero a un lado del aro en postura equilibrada. Utilizando sólo una mano, lance el balón alto y con suavidad a tablero. Planifique el lanzamiento de forma que pueda tocar el balón con una mano en el momento culminante de su salto. Con su mano buena, toque el balón en alto en el tablero cinco veces consecutivas y luego anote. A continuación, utilice su mano mala tocando el balón cinco veces consecutivas y luego anote.

Para darle variedad y hacer más difícil el ejercicio, trate de alternar las manos en cada punteado del balón. Manténgase en postura equilibrada frente al tablero y a un lado de la canasta. Utilice su mano mala para lanzar el balón alto y suave al tablero, de forma que rebote en el lado opuesto. Muévase rápidamente hacia el otro lado de la canasta, salte y toque el balón con su mano buena, de manera que rebote al lado opuesto. Muévase rápidamente hacia el primer lado de la canasta, salte y toque el balón con su mano mala. Continúe punteando el balón alto sobre el tablero, alternando las manos mientras puntea. Después de tres punteos alternos de mano, anote en el último palmeo.

Prueba

- Realice el ejercicio tanto con su mano buena como con su mano mala.
- Puntee el balón en el momento culminante del salto.

Comprobación de resultados

Para el ejercicio de palmeo, trate de realizar 5 series (de cinco palmeos consecutivos y canasta) con cada mano. Concédase 1 punto cada vez que consiga realizar 5 palmeos consecutivos con enceste final.
Puntuación total ____

Para el ejercicio de palmeo alternado, trate de realizar 5 series (de 3 palmeos consecutivos alternos y canasta). Concédase 1 punto cada vez que consiga realizar 3 palmeos consecutivos alternos con enceste final.
Puntuación total ____

Ejercicio de rebote ofensivo y defensivo

Rebote en círculo

Para este ejercicio se necesitan tres jugadores. Se inicia con un balón situado dentro de la línea de tiros libres o del círculo central. Comience como jugador defensivo. Asuma una postura de rebote fuera del círculo, frente al balón. Un jugador atacante adopta una postura equilibrada detrás de usted. El tercer jugador da órdenes. A la orden de "¡Adelante!", el jugador atacante utilizará los métodos del rebote ofensivo para tratar de capturar el balón mientras usted lo bloquea. Trate de impedir que el jugador atacante se haga con el balón durante tres segundos. A la orden de "¡Basta!", el ejercicio se interrumpe después de esos 3 segundos. Tómese un descanso de 10 segundos y luego realice el ejercicio durante otros 3 segundos. Realice cinco ejercicios de 3 segundos, con intervalos de 10 segundos entre uno y otro. Luego los jugadores intercambian los papeles: el jugador defensivo se convierte en el atacante, éste pasa a ocupar el puesto del que da órdenes y éste se convierte en el jugador defensivo.

Para dar variedad, añada un giro frontal al ejercicio de rebote en círculo. Comience como defensor en postura defensiva frente al jugador atacante, que se supone es el tirador. A la orden de "¡Adelante!", bloquee al jugador atacante con un giro frontal. El jugador atacante utiliza un método de rebote ofensivo para tratar de hacerse con el balón mientras usted lo bloquea. Trate de impedir que el jugador atacante consiga el balón durante tres segundos. A la orden de "¡Stop!", el ejercicio se interrumpe. Después de un descanso de 10 segundos, vuelva a realizar el ejercicio durante otros tres segundos. Realice cinco ejercicios de 3 segundos cada uno, con intervalos de 10 segundos entre uno y otro. Los jugadores rotan a continuación: el jugador defensivo ocupa el puesto del atacante, éste ocupa el puesto del que da órdenes y éste ocupa el puesto del jugador defensivo.

Prueba

- En defensa, utilice una buena técnica de bloqueo.
- En ataque, utilice una buena estrategia de rebote ofensivo para superar el bloqueo.
- Luche por el balón.

Comprobación de resultados

En defensa, registre el número de veces que consigue bloquear al jugador atacante. Concédase 5 puntos si consigue tener éxito al menos en 3 bloqueos de cinco intentos.

En ataque, registre el número de veces que consigue superar el bloqueo del jugador defensivo. Concédase 5 puntos cada vez que consiga tener éxito al menos 3 veces en 5 intentos.

Puntuación total en defensa ____

Puntuación total en ataque ____

RESUMEN DEL REBOTE

Por buen tirador que usted sea, no todos sus lanzamientos acabarán dentro de la canasta. Se requieren buenas cualidades de rebote para conservar la posesión del balón (rebotes ofensivos), o para ganarla (rebotes defensivos).

En el paso siguiente examinaremos jugadas de ataque con el balón, o maneras de ayudar a su equipo cuando tiene la posesión del balón. Pero antes de iniciar el próximo paso, examinaremos su actuación en los ejercicios de este paso. En cada uno de los ejercicios propuestos en este paso, anote los puntos obtenidos, luego súmelos y podrá evaluar su eficiencia general.

Ejercicio de rebote	
1. Rebote en el tablero	___ de 5
2. Superman o Superwoman al rebote	___ de 5
Ejercicios de rebote defensivo	
1. Bloqueo al tirador	___ de 10
2. Bloqueo al jugador sin balón	___ de 10
Ejercicios de rebote ofensivo	
1. Uno contra dos y canasta	___ de 5
2. Palmeo	___ de 10
Ejercicio de rebote ofensivo y defensivo	
1. Rebote en círculo	___ de 10
Total	***___ de 55***

6.º
PASO

Jugadas de ataque con el balón

Algunos jugadores sólo pueden anotar cuando reciben tiros desmarcados. Los mejores jugadores desarrollan jugadas de ataque que se convierten en amenazas triples (lanzar, pasar o entrar a canasta). Para crear una triple amenaza, debe convertir el lanzamiento exterior, saber pasar a un compañero desmarcado en mejor posición de tiro y entrar a canasta para rematar la jugada con un tiro o un pase a un compañero desmarcado que anote seguramente doblará.

Cada vez que recibe el balón, tiene la oportunidad de emprender jugadas de ataque con el balón contra su defensor en una confrontación uno a uno. Puede ayudar o perjudicar a su equipo, según lo que haga en tal situación. Un jugador egoísta elegirá lanzar o entrar, aun cuando no esté justificado. La defensa colectiva, en la que los defensores ayudan al compañero que está defendiendo al jugador que lleva el balón, impide que el jugador egoísta tenga éxito.

Como jugador de equipo, en el uno contra uno, puede lograr ventaja sobre su defensor con una finta sólida o con una penetración que obligue a la participación defensiva de otro contrario, y crear así una ventaja que le permita pasar a su compañero para que éste anote. Este concepto del uno contra uno se llama en baloncesto atraer y pasar, y forma parte integral del juego de equipo. No hay mejor juego de ataque que el que obliga a otro jugador defensivo a reaccionar para frenar al jugador que lleve el balón, y pasar luego a un compañero desmarcado que está esperando para realizar un tiro fácil. Este concepto del baloncesto participativo, que crea aperturas para los compañeros, es el baloncesto de equipo en su mejor expresión. Los grandes de todos los tiempos, como Bob Cousy, Julius Erving, Magic Johnson, Larry Bird y Michael Jordan eran jugadores uno contra uno que sabían atraer en jugadas de ataque a un segundo jugador defensivo, pasando entonces a un compañero bien situado para anotar.

Pida a su entrenador, instructor o a un buen jugador que evalúe su capacidad para crear aperturas, su postura de triple amenaza y sus jugadas en el poste bajo y en el uno contra uno, para que le aporte una crítica constructiva. Pídale también a su entrenador que evalúe sus decisiones al interpretar los movimientos de su defensor y su reacción con la jugada correcta.

JUGADAS EN EL POSTE BAJO

Las jugadas de ataque con balón pueden clasificarse de dos formas. Las jugadas en el poste bajo se realizan de espaldas al aro y cerca de la canasta, dentro de las líneas centrales de la zona y por debajo de la línea semicircular de puntos de la zona. Las cuatro jugadas básicas en el poste bajo son: el paso de reverso hacia la línea de fondo, el paso de reverso con medio gancho, el tiro de suspensión lateral con giro frontal y el giro frontal cruzado en la línea de fondo con gancho.

Cuando se encuentre en el poste bajo, trate de fijar a su defensor (es decir, mantener al defensor a un lado) utilizando la espalda, el hombro y el brazo superior de ese lado. No permita que su defensor sitúe un pie por delante del suyo. Las estrategias varían, según quiera desmarcarse o quedar en posición frontal.

Si su defensor se encuentra en posición de cortarle con un pie y mano en la línea de pase entre usted y el balón, aléjese unos pasos del pasador (figura 6.1). Corte rápidamente hacia atrás y a un lado del defensor y hacia el balón. Trate de desmarcarse –con pasos cortos y rápidos– y gane posición con una postura fuerte y equilibrada, con los pies separados, al menos a la distancia de los hombros, las rodillas flexionadas, la espalda recta y las manos hacia arriba separadas por el ancho del balón para un objetivo.

Al recibir el pase, coja el balón con las dos manos. Utilice una parada en salto, cayendo fuera de la zona y encima del pasillo. En la parada en salto, los pies descienden al mismo tiempo, permitiéndole utilizar cualquiera de ellos como pie pivote. Para impedir que dé un paso hacia delante tras la recepción, caiga inicialmente con el peso hacia atrás, cargando sobre los talones. Después de caer, traslade el peso hacia las puntas de sus pies a fin de lograr el equilibrio que necesita para reaccionar y ejecutar una jugada de ataque. Utilice una base amplia y flexione las rodillas. Proteja el balón manteniéndolo frente a su antebrazo con los codos abajo.

Figura 6.1 Cómo lograr abrirse para un pase en el poste bajo, cuando se le cierra el paso

a

EL DEFENSOR OBSTACULIZA

1. El defensor obstaculiza la recepción.
2. La vista sobre el balón y su contrario.
3. Postura ofensiva.
4. Manos hacia arriba.

b

DESPLÁCESE, CORTANDO HACIA ATRÁS

1. Aléjese del defensor.
2. Corte hacia atrás.
3. Manos hacia arriba, separadas a la distancia del balón.

c

COJA EL BALÓN

1. Coja el balón con las dos manos.
2. Proteja el balón enfrente del antebrazo.
3. Mantenga los codos extendidos.
4. Parada en salto y caída en equilibrio en el exterior de la zona, por encima del pasillo.

Si un defensor se encuentra completamente por delante de usted, supérele en altura moviéndose hasta la zona con pasos cortos y rápidos, a una posición por encima de la marca central (figura 6.2). Selle a su defensor manteniendo el antebrazo sobre la espalda del defensor. Indique un pase elevado con la mano más cercana a canasta. Corte hacia canasta y capture el pase en globo alto hacia la esquina del tablero. Haga una parada en salto y caiga en equilibrio listo para anotar.

Figura 6.2 Apertura para un pase en el poste bajo cuando un defensor está delante

a

EL DEFENSOR ESTÁ SITUADO DELANTE

1. El defensor está delante de usted.
2. Vista sobre balón y oponente.
3. Postura ofensiva.
4. Manos hacia arriba

b

SUPERE AL DEFENSOR

1. Supere al defensor por arriba.
2. Indique el pase de globo con las manos arriba.
3. Corte hacia canasta en el pase.

c

CAPTURE EL GLOBO

1. Coja el balón con las dos manos.
2. Proteja el balón frente al antebrazo.
3. Salto de parada y caída en equilibrio listo para anotar.

Leer los movimientos defensivos significa determinar cómo va a jugar su defensor y cómo va a reaccionar usted con la jugada correcta. También supone ver a su contrario o sentir el cuerpo del defensor contra usted. En el poste bajo, lea la posición viendo o sintiendo si su defensor se encuentra en el vértice de la zona (hacia la línea de tiros libres), o en la línea de fondo. En ambos casos, debe retroceder un paso con el pie opuesto al lado del defensor. Si no puede localizar a su defensor o tiene dudas, haga un giro frontal hacia la línea de fondo para encarar la canasta y ver la posición del defensor.

Antes de recibir el balón, puede anticipar la posición de su contrario reconociendo desde donde llegará el pase (es decir, desde el rincón, desde un lateral o el poste alto) y siendo consciente de la posición de su contrario al tratar de impedir el pase.

Paso de reverso hacia la línea de fondo. Jugada de fuerza

Tras coger el balón en el poste bajo y leer la posición de su defensor en el lateral, realice un amago hacia el centro mostrando el balón por encima del hombro (figura 6.3). Después del amago, mueva el balón a una posición protegida frente a su antebrazo con los codos abiertos. Retroceda hacia la línea de fondo con su pie interior, el más cercano al tablero. Mientras realiza el paso de reverso, aplique el peso sobre el pie pivote para evitar arrastrarlo. Trate de mantener los hombros paralelos al tablero con el defensor a su espalda. Adopte una postura fuerte y equilibrada, con la espalda recta y el balón protegido frente al antebrazo, fuera del alcance del defensor. Realice una jugada de fuerza hacia canasta, saltando sobre ambos pies. Lance el balón con las dos manos, manteniendo los hombros paralelos al tablero y sin abrirse en el tiro. Lance el balón alto hacia el cuadrado. Caiga en equilibrio, listo para coger el rebote con las dos manos en caso de un eventual fallo. Hágalo de nuevo tantas veces como necesite para anotar.

Figura 6.3 **Jugadas en el poste bajo: paso de retroceso hacia la línea de fondo, jugada de fuerza**

a

DEFENSOR EN EL VÉRTICE DE LA ZONA

1. Parada en salto al recibir el balón y caer en postura equilibrada.
2. Proteja el balón frente al antebrazo.
3. Los codos seeparados.
4. Lea la posición del defensor en el vértice de la zona.
5. Amago de balón hacia el centro.

b

PASO DE REVERSO HACIA LA LÍNEA DE FONDO

1. Paso de reverso hacia la línea de fondo con postura equilibrada.
2. Proteja el balón frente al antebrazo.
3. Los codos separados.
4. Amague el tiro.

c

JUGADA DE FUERZA

1. Realice la jugada de fuerza.
2. Salte sobre ambos pies.
3. Lance con las dos manos.
4. Acompañe el tiro cayendo en equilibrio con las manos elevadas, listo para cazar el rebote.

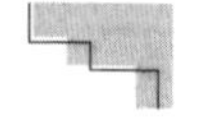

Error

Cae con parada en dos tiempos y sólo puede utilizar uno de los pies para pivotar.

Corrección

Caiga con una parada en salto.

Paso de reverso con medio gancho

Tras recibir el balón en el poste bajo y leer la posición del defensor en el lateral de la línea de fondo, realice una finta hacia la línea de fondo mostrando el balón por encima del hombro (figura 6.4). Después de la finta, dé un paso de reverso hacia la línea de fondo con el pie exterior, el más alejado del tablero. Mientras realiza el paso de reverso, mueva el balón para un tiro de gancho, con la mano de tiro bajo el balón y la mano de equilibrio detrás y ligeramente encima del balón. Sostenga el balón atrás, protegiéndolo con la cabeza y los hombros antes que adelantarlo. Pivote hacia canasta. Lance un tiro de gancho. Caiga en equilibrio, listo para recoger un posible rebote con las dos manos, y utilice una jugada de fuerza para anotar.

Figura 6.4 Jugadas en el poste bajo: paso en reverso con medio gancho

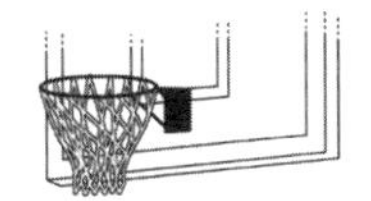

DEFENSOR EN EL VÉRTICE DE LA ZONA

1. Parada en salto al recibir el balón, cayendo en equilibrio.
2. Proteja el balón frente al antebrazo.
3. Los codos separados.
4. Lea la posición del defensor en un lateral de la línea de fondo.
5. Finta de balón hacia la línea de fondo.

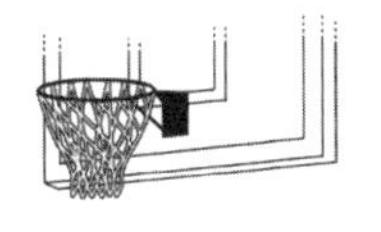

PASO DE REVERSO HACIA LA LÍNEA DE FONDO

1. Paso de reverso hacia el centro, manteniendo una postura equilibrada.
2. Disponga las manos en posición de tiro de gancho.
3. Sostenga el balón atrás y protéjalo con cabeza y hombros.

JUGADA DE FUERZA

1. Lance el tiro de gancho.
2. Mantenga las dos manos sobre el balón hasta soltarlo.
3. Acompañe el balón cayendo en equilibrio, las manos elevadas, listo para coger el rebote.

Error

Se apresura a realizar la jugada sin leer la posición del defensor.

Corrección

Tras recibir el pase en el poste bajo, deténgase al menos un momento para leer la posición del defensor. Luego realice la jugada.

Tiro en suspensión desde un lateral de la línea de fondo

Si, tras recibir el balón en el poste bajo, no puede ver o sentir a su defensor, es porque se encuentra detrás de usted. Realice un giro frontal hacia la línea de fondo para ver a su defensor. En el giro frontal, dé un paso agresivo de penetración y haga un amago de tiro. El paso de penetración es un paso corto (de unos 25 cm) con un pie en dirección a canasta. El paso de penetración debería hacer que su defensor reaccionase con un paso de retroceso.

Mantenga la vista en la canasta y en su defensor. Sea una triple amenaza de lanzar, pasar o penetrar. Sostenga el balón con las dos manos en posición de tiro. Asegúrese de mantener el equilibrio y no se precipite. Según la reacción de su defensor, puede realizar tanto un giro frontal con tiro en suspensión desde un lateral de la línea de fondo (figura 6.5) como una salida cruzada hacia la línea de fondo y gancho.

Si el defensor retrocede ante su paso de penetración, lance un tiro en suspensión lateral. Apunte al rincón superior del cuadrado más próximo. Caiga en equilibrio, listo para recoger el rebote a dos manos en caso de fallo, y utilice una jugada de fuerza para anotar.

Figura 6.5 Jugadas en el poste bajo: giro frontal hacia la línea de fondo, con tiro lateral en suspensión

DEFENSOR DETRÁS

1. Parada en salto al recibir el balón, cayendo en postura equilibrada.
2. Proteja el balón frente al antebrazo.
3. Los codos abiertos.
4. El defensor está detrás de usted.

GIRO FRONTAL HACIA LA LÍNEA DE FONDO

1. Giro frontal hacia la línea de fondo.
2. Realice un paso de penetración.
3. Vea el aro y el defensor (las manos de éste están abajo).
4. Amague el tiro.

TIRO LATERAL EN SUSPENSIÓN

1. Tiro lateral en suspensión.
2. Apunte a la esquina superior del cuadrado del tablero.
3. Acompañamiento con caída en equilibrio, las manos elevadas, listo para recoger el rebote.

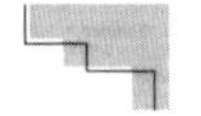

Error

Sigue dudando sobre la posición del defensor y da un giro frontal hacia el centro, lo que limita sus jugadas a un tiro en suspensión desde el centro o un giro cruzado y gancho desde la línea de fondo, jugadas ambas difíciles de ejecutar.

Corrección

Cuando tenga dudas, dé siempre un giro frontal hacia la línea de fondo, de modo que pueda ejecutar el tiro lateral en suspensión o bien dé un paso cruzado hacia el centro y gancho.

Giro frontal hacia la línea de fondo, paso cruzado hacia el centro y gancho

Si su defensor se extiende ante su amago, dé un paso cruzado hacia el centro con el mismo pie que utilizó para el paso de salida (figura 6.6). Cuando cruza hacia el centro, mueva agresivamente el balón frente a su cuerpo para lograr la posición de gancho. Sostenga el balón atrás, protegiéndolo con cabeza y hombros. Pivote hacia canasta y lance un tiro de gancho. Caiga en equilibrio, listo para recoger el rebote con las dos manos en caso de fallo y utilice una jugada de fuerza para anotar.

Figura 6.6 Jugadas en el poste bajo: giro frontal hacia la línea de fondo, paso cruzado hacia el centro y gancho

EL DEFENSOR DETRÁS

1. Parada en salto al recibir el balón, cayendo en postura equilibrada.
2. Proteja el balón frente al antebrazo.
3. Los codos separados.
4. El defensor está detrás de usted.

a

GIRO FRONTAL HACIA LA LÍNEA DE FONDO, AMAGO DE TIRO

1. Giro frontal hacia la línea de fondo.
2. Paso de salida.
3. Vea el aro y las manos del defensor arriba.
4. Amague el tiro.

EL DEFENSOR DETRÁS

1. Paso cruzado hacia el centro.
2. Coloque las manos en posición de tiro de gancho.
3. Sostenga atrás el balón y protéjalo con la cabeza y los hombros.

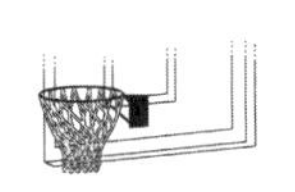

a

GIRO FRONTAL HACIA LA LÍNEA DE FONDO, AMAGO DE TIRO

1. Pivote hacia canasta.
2. Lance un tiro de gancho.
3. Mantenga ambas manos sobre el balón hasta soltarlo.
4. Acompañamiento con caída en equilibrio, manos elevadas para recoger el rebote.

b

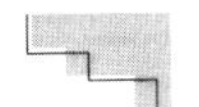

Error
Bota el balón antes de realizar la jugada.

Corrección
Realice la jugada sin botar. Aprenda a ahorrarse el bote hasta después del paso cruzado, cuando puede amagar un gancho y luego, bien botar hacia el defensor o bien botar en reverso para una jugada de fuerza.

Ejercicio nº 1 en el poste bajo

Jugadas en el poste bajo

Este ejercicio cubre las cuatro jugadas del poste bajo: el paso de reverso hacia la línea de fondo con jugada de fuerza, el paso de reverso hacia el centro con gancho, el giro frontal hacia la línea de fondo con tiro lateral en suspensión y el giro frontal hacia la línea de fondo con paso cruzado y gancho.

En cada jugada, comience haciendo rebotar el balón en el tablero y recogiéndolo en el poste bajo. Sitúese bajo la canasta y haga que el balón rebote en un punto del poste bajo, fuera de la zona y por encima de la línea. Recoja el balón de espaldas a canasta y realice una parada en salto, quedando fuera de la zona y encima del pasillo. Tras hacerse con el balón en el poste bajo, de espaldas a canasta, mire a la línea de fondo para determinar la posición de un defensor imaginario.

Para la jugada de paso en retroceso hacia la línea de fondo con mate, asuma que el defensor no se encuentra en esa línea de fondo. Haga un amago de tiro hacia el centro y luego proteja el balón frente a su antebrazo. Realice un paso de reverso hacia la línea de fondo con su pie interior, es decir, el más cercano a canasta, seguido de otro amago de tiro. Añada una fuerte jugada de mate, saltando sobre ambos pies y manteniendo los hombros paralelos al tablero mientras lanza el balón con las dos manos. Apunte alto a tablero, a la esquina del recuadro del tablero.

Para el paso en reverso hacia el centro con gancho, asuma que el defensor se encuentra en un lateral de la línea de fondo. Haga un amago de tiro a la línea de fondo y luego coloque el balón en posición de tiro de gancho, con su mano de tiro bajo el balón. Dé un paso de reverso hacia el centro, con su pie exterior, es decir, el más alejado de canasta. Mire el aro y lance un tiro de gancho.

Para el giro frontal hacia la línea de fondo con tiro lateral en suspensión, asuma que debe realizar un giro frontal para determinar la posición del defensor. Realice un giro frontal hacia la línea de fondo, paso de penetración, y vea el aro. A su paso de penetración, muestre el balón, amague un tiro en suspensión alto. Cree una triple amenaza de lanzar, pasar o penetrar. Apunte al rincón superior más próximo del recuadro del tablero y lance un tiro lateral en suspensión.

Para el giro frontal hacia la línea de fondo con cruzado y tiro de gancho, realice un giro frontal hacia la línea de fondo y amague un lanzamiento, deteniéndose un segundo antes de realizar su siguiente movimiento. Dé un paso cruzado hacia el centro, moviendo agresivamente el balón frente a su cuerpo para situarlo en posición de gancho con su mano de tiro bajo el balón, y lance un tiro de gancho.

En cada jugada, caiga en equilibrio, listo para coger el rebote con tantos movimientos de fuerza como sean necesarios para anotar. Como alternativa, haga rebotar el balón a la derecha, realizando cada jugada al lado derecho de canasta, y luego al lado izquierdo. Ejecute cinco ejercicios de cada jugada desde cada lado.

Prueba

- Mantenga una posición de triple amenaza, listo para pasar, lanzar o penetrar.
- Tómese tiempo para leer al defensor.
- Trate de realizar cinco tiros consecutivos en cada jugada y desde cada lado.

Comprobación de resultados

Trate de anotar cinco lanzamientos consecutivos en cada jugada y desde cada lado. Concédase 1 punto cada vez que anote cinco tiros consecutivos.

Paso de retroceso hacia la línea de fondo, con jugada de fuerza, desde la derecha ____; puntos obtenidos ____

Paso de retroceso hacia la línea de fondo, con jugada de fuerza, desde la izquierda ____; puntos obtenidos ____

Paso de retroceso hacia el centro, con tiro de gancho desde la derecha ____; puntos obtenidos ____

Paso de retroceso hacia el centro, con tiro de gancho desde la izquierda ____; puntos obtenidos ____

Giro frontal hacia la línea de fondo, con tiro lateral en suspensión desde la derecha ____; puntos obtenidos ____

Giro frontal hacia la línea de fondo, con tiro lateral en suspensión desde la izquierda ____; puntos obtenidos ____

Giro frontal hacia la línea de fondo, con cruzado y tiro de gancho desde la derecha ____; puntos obtenidos ____

Giro frontal hacia la línea de fondo, con cruzado y tiro de gancho desde la izquierda ____; puntos obtenidos ____

Puntuación total ____ (máximo 8 puntos).

Ejercicio nº 2 en el poste bajo

Leer la defensa

Este ejercicio le dará práctica para leer a los defensores en el poste bajo, a fin de que pueda reaccionar con la jugada correcta. Busque un compañero que actúe como jugador defensivo. El jugador defensivo sólo le defiende hasta que usted lee la defensa y elige la jugada correcta, no mientras ejecuta la jugada. Después de que coja el balón en el poste bajo, el defensor modificará su posición defensiva –línea de fondo, lateral o encima– para que usted adquiera práctica en tomar la decisión correcta.

Cuando ve o percibe el pie opuesto al lado del defensor en el lateral (hacia la línea de falta) o en el lateral de la línea de fondo, retroceda un paso con el pie opuesto al lado del defensor y realice la jugada apropiada. Si no puede localizar al defensor o tiene dudas, dé un giro frontal hacia la línea de fondo para encarar la canasta y ver la posición del defensor. Tras el giro frontal, el defensor le presionará con las manos arriba o abajo. Si las manos del defensor están abajo, realice un tiro lateral en suspensión. Si las manos del defensor están arriba, dé un paso cruzado hacia el centro y lance un tiro de gancho. Continúe con el ejercicio hasta realizar 10 tiros.

Prueba

- Lea al defensor y realice la jugada apropiada.
- Adopte una técnica correcta para cada jugada en el poste bajo.

Comprobación de resultados

Concédase 1 punto por cada lectura correcta del defensor y 1 punto por cada tiro convertido. Totalice los puntos anotados para establecer su puntuación global.

Menos de 11 puntos = 0 puntos
11-15 puntos = 1 punto
16-20 puntos = 5 puntos
Puntuación total ____

Ejercicio nº 3 en el poste bajo

Uno contra uno en el semicírculo

Este ejercicio competitivo desarrolla su habilidad para leer al defensor y para usar fintas, pivotes y diferentes jugadas en el poste bajo para anotar o conseguir una falta. También desarrolla la destreza en defensa y rebote. Usted asumirá el ataque contra un defensor. Utilice como frontera la mitad inferior del círculo de tiros libres. Su objetivo es anotar con una jugada en el poste bajo. No debe botar el balón, sino dar un paso fuera del semicírculo inferior antes de lanzar el balón.

El defensor inicia el juego adoptando una postura defensiva y luego entregándole el balón. Cada vez que consigue anotar, obtiene 2 puntos. Si fuerza una falta al anotar un lanzamiento, logra un tiro libre adicional. Si fuerza una falta pero falla el tiro, logra dos tiros libres. Si falla el lanzamiento pero logra un rebote ofensivo, puede realizar una jugada y anotar desde el punto en que ha capturado el rebote. Una vez más, no está permitido botar. Continúe jugando hasta que anote o vuelva a hacerse con el balón, o hasta que el defensor robe el balón o consiga capturar un rebote y bote hasta la línea de tiros libres. Intercambie los papeles de atacante y defensor. Juegue hasta conseguir 7 puntos.

Como variación, comience al ataque con un balón y de espaldas a canasta. El defensor inicia el juego tocándole. Otra variación es comenzar de espaldas a canasta en el poste bajo o a cualquier lado de la zona.

Prueba

- Lea al defensor y realice la mejor jugada en el poste bajo.
- No bote el balón.
- Sea agresivo.

Comprobación de resultados

Este es un ejercicio competitivo. El primer jugador que anote 7 puntos gana el partido. Concédase 5 puntos si es usted quien gana.

Puntuación total ____

JUGADAS DE UNO CONTRA UNO EN EL PERÍMETRO

Las jugadas de uno contra uno se hacen en el exterior, o área del perímetro, frente a canasta. Las seis jugadas básicas del uno contra uno son: el paso de salida con tiro en suspensión, paso de salida con entrada directa, paso de salida con entrada cruzada, salida recta con tiro en suspensión salida cruzada con tiro en suspensión y paso en retroceso con tiro en suspensión.

Puede que sea usted un excelente tirador capaz de ejecutar buenas jugadas ofensivas, pero si no sabe desmarcarse para recibir el balón cuando está siendo defendido, toda esa habilidad con el balón no le servirá para nada. Cuando se mueva para desmarcarse, trate de ver el balón, la canasta y su defensor. Si no ve que le están pasando el balón, el resultado será un balón perdido y una oportunidad de encestar malograda.

Muévase para librarse de la defensa. ¡No puede permanecer quieto! Cambie constantemente de ritmo y dirección. Crear espacio entre jugadores –un fundamento a menudo descuidado– es importante. Juegue con 3,5 o 4 metros de espacio, margen suficiente para impedir que un defensor cubra a dos jugadores atacantes. Trate de moverse a un área abierta o de crear un ángulo para abrir un pasillo entre usted y el pasador. Cuando el defensor le cierra un pasillo en el perímetro, bloqueando el contacto entre usted y el pasador, realice un corte trasero hacia canasta. Si sigue sin recibir un pase tras ese corte, cambie de dirección y corte hacia el exterior. A esto se le llama un corte en V. Desmárquese para recibir el balón dentro de su radio de tiro. Su radio de tiro es la distancia en la que puede lanzar con garantía un tiro exterior.

Hay dos métodos de recibir el balón, según esté usted desmarcado o estrechamente defendido. En el cuarto paso habrá leído la forma de recibir el balón cuando está desmarcado y en posición de tiro (página 95). Recoger el balón cuando está estrechamente defendido en el área de anotación requiere una técnica diferente. En tal situación, debe *acercarse a recibir el pase.* Saliendo al encuentro del pase puede vencer a su defensor. Concédale al pasador un buen objetivo. Sus manos deben estar situadas por encima de la cintura para pases rectos, por encima de la cabeza para pases altos y por debajo de la cintura y encima de las rodillas para pases picados. Coja el balón con las manos en posición relajada, llevándolas hacia el balón mientras lo recoge. Caiga en parada uno-dos. Es bueno plantar primero el pie interior (el pie más cercano a canasta), de manera que éste sea el pie pivote. Puede entonces proteger el balón con el cuerpo mientras está en posición de ejecutar un giro reverso (paso en retroceso) con el pie opuesto, si su defensor le presiona en exceso al recibir el pase. Tras recibir el balón, dé un giro frontal, encare la canasta y mire al aro. Concentrarse en el aro le permite ver el cuadro general, como ver si su defensor está tratando de impedir su tiro, la penetración o el pase. Sostenga el balón en alto con las manos en posición de tiro. Cree la triple amenaza de lanzar, penetrar o pasar.

Al recibir el balón, sitúese frente a la canasta y a su defensor. Al estar *cuadrado* para la canasta le sitúa también como una triple amenaza de lanzar, pasar o penetrar (figura 6.7). Mantenga la vista en la canasta y el defensor. Al concentrarse en la canasta, puede ver mejor la pista y si un compañero está desmarcado en posición de anotar. También puede ver al defensor para leer si pretende jugarle para taponar o se retrasa para impedir un pase o una penetración. Sostenga el balón en alto con las manos en posición de tiro. Debe constituir primero una amenaza de lanzar antes de que las opciones de pasar o penetrar resulten factibles. Realice un paso agresivo de penetración (también llamado *jab step*). Un paso de penetración es un paso corto y rápido con el pie no pivote dirigido hacia su defensor. El peso debe cargarse sobre el pie pivote, con las rodillas flexionadas y el tracto superior recto. Un paso de penetración se emplea para amagar una penetración y obligar a su defensor a reaccionar con un paso de retroceso.

Figura 6.7 Posición de triple amenaza

TRIPLE AMENAZA DE LANZAR, PASAR O PENETRAR

1. Vea la canasta y al defensor.
2. Cabeza erguida.
3. Espalda recta.
4. Posición de manos en pinza.
5. Balón en alto.
6. Rodillas flexionadas.
7. Los pies separados a la distancia de los hombros.
8. Peso sobre el pie pivote (trasero).
9. Paso corto de salida con el pie de tiro.

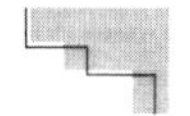

Error

Sostiene el balón demasiado lejos del cuerpo, permitiendo que el defensor pueda robarlo.

Corrección

Mantenga el balón en alto y cerca de la cabeza y del hombro de tiro.

Leer la defensa cuando está siendo defendido en el perímetro supone determinar cómo reacciona su defensor a su paso de penetración agresivo, y reaccionar con una correcta jugada de ataque. Desde su posición de triple amenaza, puede realizar una de las seis jugadas básicas uno contra uno, todas las cuales se inician con el paso de penetración: el paso de salida con tiro en suspensión, el paso de salida con entrada recta, el paso de salida con entrada cruzada, la salida directa con tiro en suspensión, la salida cruzada con tiro en suspensión y el paso de retroceso con tiro en suspensión. La jugada que elija depende de la posición del jugador defensivo en reacción a su paso de penetración.

Cuando las manos de su defensor están abajo, dé un paso de salida con su pie trasero para lograr una posición de tiro y lance un tiro en suspensión. Cuando su defensor tiene una mano arriba para bloquear el tiro, penetre a un lado de la mano elevada. La debilidad en la postura del defensor es el pie delantero (el pie adelantado o débil). Para un defensor es más difícil parar una penetración hacia el pie delantero, porque necesita un largo paso en retroceso con ese pie, mientras pivota sobre el trasero con un paso de salida. Una salida hacia el pie trasero del defensor sólo necesita un paso corto de retroceso. En una postura defensiva normal, la mano del defensor que está arriba se encontrará en el mismo lado que el pie débil. En lugar de mirar hacia abajo para comprobar qué pie está adelantado, mire simplemente qué mano está elevada y penetre por ese lado. Cualquier mano que esté elevada en el lado del pie adelantado de su defensor constituye una debilidad. Cuando la mano del defensor está arriba en el lado de su paso de penetración, utilice una salida directa. Cuando la mano del defensor está arriba al lado alejado de su paso de penetración, opte por una penetración cruzada.

Al constituirse en triple amenaza, realizar un paso de penetración y leer la reacción de su defensor y la posición de la mano es extremadamente importante. No se apresure. Mantenga su equilibrio tanto físico, como mental y emocional. Sólo manteniendo el control y leyendo a su defensor podrá ejecutar con éxito una jugada de ataque uno contra uno.

Paso de salida con tiro en suspensión

Si las manos del defensor están abajo, dé rápidamente con su pie trasero un paso de salida a una postura equilibrada de tiro y realice un tiro en suspensión (figura 6.8).

Figura 6.8 Jugadas en el perímetro: paso de salida con tiro en suspensión

TRIPLE AMENAZA

1. Postura de triple amenaza.
2. Vea la canasta y al defensor.
3. Paso corto de penetración.
4. Lea al defensor; la mano está abajo.

TIRO EN SUSPENSIÓN

1. Dé un paso de salida.
2. Tiro en suspensión.

ACOMPAÑAMIENTO

1. Caiga en equilibrio.
2. Mantenga el acompañamiento hasta que el balón llegue a canasta.
3. Esté preparado para capturar el rebote o incorporarse a la defensa.

Error

Bota el balón antes de realizar su jugada.

Corrección

Realice su jugada sin botar antes. Aprenda a ahorrarse el bote.

Paso de salida con salida directa

Si la mano del defensor está arriba en el lado de su paso de salida, dé un paso más largo con su pie de penetración, superando al pie delantero del defensor (figura 6.9). Dé un bote largo con su mano exterior, la más alejada del defensor, y luego avance su pie pivote manteniendo la cabeza erguida con la mirada en la canasta. El balón debe dejar su mano antes de que eleve su pie pivote del suelo, o cometerá una violación. Al aplicar su peso sobre el pie pivote durante el paso de penetración, evita cometer pasos. Proteja el balón con su mano interior y el cuerpo.

Penetre en línea recta hacia canasta, cerrando a su defensor. Corte el retroceso del defensor cerrando el hueco entre su cuerpo y el paso de retroceso del defensor. Tras superar al defensor, mire a canasta y esté preparado para una ayuda defensiva. Puede decidir finalizar la jugada con una bandeja en canasta, explotando el salto y protegiendo el balón con las dos manos. Si otro defensor trata de interceptarle, pase a un compañero desmarcado que pueda anotar.

Figura 6.9 Jugadas en el perímetro: paso de salida con entrada directa

a

PASO DE SALIDA

1. Paso de salida, y luego paso largo para superar al pie delantero del defensor.
2. Bote el balón al pasar al defensor, con la mano exterior.
3. Avance el pie pivote.
4. Proteja el balón con la mano interior.

b

CIERRE DE HUECO

1. Cierre el hueco entre su cuerpo y el paso de retroceso del defensor.
2. Recoja el balón a la altura de la rodilla de tiro.
3. La mano de tiro por encima del balón.

c

BANDEJA EN CANASTA

1. Lance una bandeja o pase a un compañero.
2. Proteja el balón con las dos manos hasta soltarlo.
3. Caiga en equilibrio, listo para coger el rebote.

Error

Su paso de salida es demasiado largo o se inclina, cargando el peso sobre su pie del paso de salida. Esto limita su capacidad para mover rápidamente el pie delantero reaccionando ante la respuesta del defensor.

Corrección

Mantenga el peso sobre su pie pivote al ejecutar el paso de salida. Esto le permitirá mover rápidamente el pie delantero para lanzar, pasar o efectuar una salida directa o cruzada.

Paso de salida con entrada cruzada

Esta jugada de uno contra uno es similar a la salida directa, excepto en que cruza el balón frente al pecho y da un paso cruzado de salida al superar el pie delantero del defensor (figura 6.10). Luego dé un bote largo con su mano exterior y continúe como en la salida directa.

Figura 6.10 Jugadas en el perímetro: paso de salida con entrada directa

TRIPLE AMENAZA

1. Postura de triple amenaza.
2. Vea la canasta y el defensor.
3. Paso corto de salida.
4. Lea al defensor; la mano elevada en el lado alejado del paso de salida.

PENETRACIÓN CRUZADA

1. Paso cruzado, superando el pie delantero del defensor.
2. Bote al superar al defensor con la mano exterior.
3. Avance el pie pivote.
4. Proteja el balón con la mano interior.

CIERRE DE HUECO

1. Cierre el hueco entre su cuerpo y el paso de retroceso del defensor.
2. Recoja el balón a la altura de la rodilla de tiro.
3. La mano de tiro encima del balón.

TIRO EN BANDEJA

1. Haga una bandeja o pase a un compañero.
2. Proteja el balón con las dos manos hasta soltarlo.
3. Caiga en equilibrio, listo para coger el rebote.

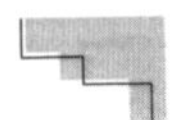

Error
En una salida hacia a canasta, bota demasiado amplio, dando al defensor más tiempo para recuperarse.

Corrección
Bote detrás del defensor para cerrar el hueco y cortarle el paso de caída.

Salida directa con tiro en suspensión

Desde una posición de triple amenaza, realice un paso de salida agresiva (figura 6.11). Deténgase y lea la posición de la mano del defensor. Si la mano del defensor está arriba *al mismo lado* de su paso de penetración, dé un paso más largo con su pie de salida para superar al pie delantero del defensor. Dé un bote largo con la mano exterior –la más alejada del defensor– y luego empuje su pie pivote. Apunte el bote a un punto alejado del cuerpo del defensor, manteniendo la vista en la canasta. Proteja el balón con la mano interior y el cuerpo.

Muévase bajo el brazo del defensor y haga una parada en salto tras el cuerpo del defensor. Este movimiento dificulta bloquear su tiro sin cometer falta. Si avanza demasiado amplio, el defensor tendrá tiempo y espacio para bloquear el tiro. Recoja el balón frente a su rodilla de tiro, con la mano tiradora por encima del balón y la mano de equilibrio por debajo de él. Proteja el balón con la cabeza y los hombros y salga del alcance de su defensor para lanzar un tiro en suspensión.

Figura 6.11 **Jugadas en el perímetro: salida directa con tiro en suspensión**

a

b

c

SALIDA DIRECTA

1. Dé un paso largo para superar al pie delantero del defensor.
2. Bote el balón detrás del defensor con la mano exterior.
3. Empuje el pie pivote.
4. Proteja el balón con la mano interior.

PARADA EN SALTO

1. Muévase bajo el brazo del defensor.
2. Parada en salto detrás del cuerpo del defensor.
3. Recoja el balón a la altura de la rodilla de tiro.
4. Sitúe la mano de tiro encima del balón.

TIRO EN SUSPENSIÓN

1. Proteja el balón con cabeza y hombros.
2. Mueva el balón lejos del defensor.
3. Espere una posible falta.
4. Lance un tiro en suspensión.

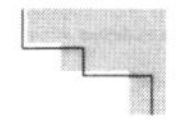

Error

El bote previo al tiro en suspensión es demasiado amplio, concediéndole al defensor tiempo y espacio para bloquear el tiro.

Corrección

Muévase bajo el brazo del defensor y pare en salto detrás del cuerpo del defensor, haciendo difícil que éste pueda bloquear su tiro sin incurrir en falta.

Salida cruzada con tiro en suspensión

La salida cruzada con bote y tiro en suspensión es similar a la salida directa con bote y tiro en suspensión. Si la mano del defensor está arriba *al otro lado* de su paso de penetración, cruce el balón frente al pecho antes del bote (figura 6.12). Paso cruzado con su pie de salida superando al pie delantero del defensor.

Figura 6.12 Jugadas en el perímetro: salida cruzada con tiro en suspensión

TRIPLE AMENAZA

1. Posición de triple amenaza.
2. Mire la canasta y al defensor.
3. Paso corto de salida.
4. Lea al defensor; mano arriba al otro lado del paso de salida.

SALIDA CRUZADA

1. Paso cruzado superando el pie delantero del defensor.
2. Bote tras el cuerpo del defensor con la mano exterior.
3. Empuje el pie pivote.
4. Proteja el balón con la mano interior.

PARADA EN SALTO

1. Muévase bajo el brazo del defensor.
2. Salte tras el cuerpo del defensor.
3. Recoja el balón a la altura de la rodilla de tiro.
4. La mano de tiro encima del balón.

TIRO EN SUSPENSIÓN

1. Proteja el balón con cabeza y hombros.
2. Mueva el balón fuera del alcance del defensor.
3. Espere una posible falta.
4. Lance un tiro en suspensión.

a b

Error

Se apresura a realizar la jugada antes de leer la posición del defensor.

Corrección

Después de recibir un pase, tómese un momento para leer la posición del defensor. Luego realice la jugada.

Paso atrás con tiro en suspensión

Si el defensor da un paso de retroceso, dé un rápido paso atrás para alejarse del defensor con el mismo pie del paso de penetración (figura 6.13). Bote hacia atrás con su mano buena, salte tras el balón y recójalo enfrente de su rodilla de tiro, con la mano tiradora por encima del balón. Lance un tiro en suspensión. Mantenga el equilibrio recogiendo el balón a la altura de la rodilla y exagerando el acompañamiento de sus hombros, cabeza y mano tiradora hacia canasta, para contrarrestar cualquier tendencia a inclinarse hacia atrás o a retroceder con el tiro.

Figura 6.13 **Jugadas en el poste bajo: paso atrás con tiro en suspensión**

a

TRIPLE AMENAZA

1. Posición de triple amenaza.
2. Mire la banda y al defensor.
3. Paso corto de penetración.
4. Lea el retroceso del defensor al paso de salida.

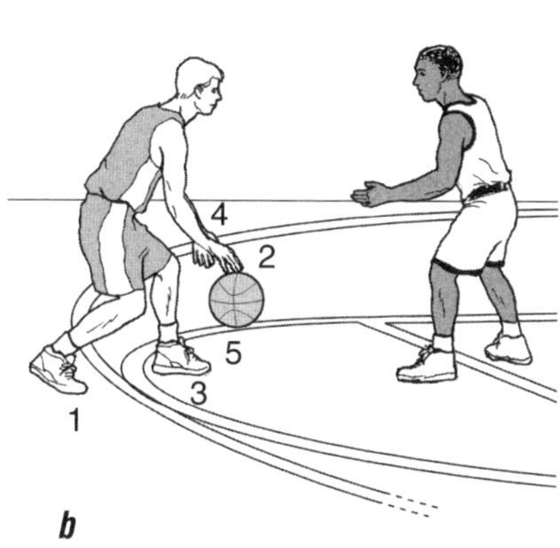

b

PASO ATRÁS CON BOTE

1. Paso atrás con el pie de salida.
2. Bote hacia atrás con la mano buena.
3. Empuje el pie pivote.
4. Proteja el balón con la mano no tiradora.
5. Recoja el balón a la altura de la rodilla de tiro con la mano tiradora encima del balón.

c

TIRO EN SUSPENSIÓN

1. Lance un tiro en suspensión.
2. Exagere el acompañamiento.
3. Caiga en equilibrio, mano elevada hasta que el balón llegue a canasta, listo para coger el rebote.

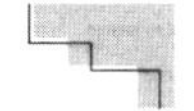

Error

Al botar hacia atrás, inclina la cabeza y los hombros hacia atrás, haciendo que pierda potencia y se quede corto en el tiro.

Corrección

Dé un bote bajo hacia atrás y mantenga la cabeza y los hombros adelantados.

Ejercicio nº 1 en el perímetro

Jugadas uno contra uno con pase desde el codo

Este ejercicio practica las seis jugadas uno contra uno en el paso de salida: el paso de salida con tiro en suspensión, el paso de salida con entrada directa, el paso de salida con entrada cruzada, la salida directa con tiro en suspensión, la salida cruzada con tiro en suspensión y el paso atrás con tiro en suspensión.

Coloque una silla dentro del codo izquierdo que sirva como defensor imaginario. Comience en la línea lateral izquierda y lance el balón de forma que rebote en el codo izquierdo por detrás de la silla. Se está pasando el balón a sí mismo. Utilice un *tossback* si dispone de él. Recoja el balón con una parada en dos tiempos. Su pie interior (el más cercano a canasta) debe ser el primero en tocar el suelo, convirtiéndose así en su pie pivote. Haga un giro frontal hacia el centro, paso de penetración y mire al aro. Asuma una posición de triple amenaza de lanzar, pasar o penetrar.

En el paso de salida con tiro en suspensión, después de dar el paso de salida, asuma que las manos del defensor están abajo y ejecute un tiro en suspensión.

En la entrada directa, tras dar el paso de salida, asuma que la mano interior del defensor (la más próxima al centro) está arriba. Haga un amago agresivo de tiro y luego dé un paso recto, dejando atrás la silla con el mismo pie del paso de salida. Bote más allá de la silla con la mano alejada del defensor, penetre a canasta y haga una bandeja, asegurándose de que su pie pivote no deja el suelo antes de que suelte el balón en el bote. Utilice su mano interior para protejerlo y mantenga el cuerpo cerca de la silla para cortar el paso de retroceso del defensor imaginario. Tras realizar una bandeja, caiga en equilibrio, listo para coger el rebote y realizar tantas jugadas de fuerza como sean necesarias para anotar.

En la entrada cruzada, tras dar el paso de salida, asuma que la mano exterior del defensor (la más alejada del centro) está arriba. Realice un amago agresivo de tiro y luego dé un paso cruzado a la altura de la silla con el mismo pie del paso de penetración. En el paso cruzado, mueva agresivamente el balón frente a su cuerpo. Bote más allá de la silla con la mano alejada del defensor, penetre a canasta y haga una dejada. A partir de aquí, siga como en la salida directa.

En la entrada directa con tiro en suspensión, tras dar el paso de salida, asuma que la mano interior del defensor (la más cercana al centro) está arriba. Realice un amago agresivo de tiro y luego dé un paso recto para superar a la silla con el mismo pie utilizado en el paso de penetración. Apunte el bote detrás de la silla. Bote con la mano alejada del defensor, salte detrás del balón y recójalo a la altura de la rodilla de tiro con la mano de tiro encima del balón. Lance un tiro en suspensión. Imagine que está penetrando bajo el brazo del defensor y mantenga el cuerpo cerca del defensor imaginario para impedir que éste bloquee su lanzamiento. Utilice la cabeza y los hombros para proteger el balón, y trate de provocar una falta, pues lanzará para un posible tiro de tres puntos. Después del lanzamiento, caiga en equilibrio, listo para coger el rebote y realizar tantas jugadas de fuerza como sean necesarias para anotar.

En la salida cruzada con tiro en suspensión, después de dar el paso de penetración, asuma que la mano exterior del defensor (la más alejada del centro) está arriba. Realice un amago agresivo de tiro y luego dé un paso cruzado a la altura de la silla con el mismo pie empleado para el paso de penetración. En el paso cruzado, mueva agresivamente el balón frente al cuerpo, apuntando el bote a un punto detrás de la silla. Continúe como en la salida directa con tiro en suspensión.

En el paso atrás con bote y tiro en suspensión, tras realizar el paso de penetración, asuma que el defensor da un paso de retroceso. Dé un rápido paso atrás para alejarse de la silla, con el mismo pie del paso de penetración. Bote atrás con la mano buena y salte detrás del balón. Lance un tiro en suspensión. Asegúrese de recoger el balón frente a la rodilla con la mano de tiro encima del balón y exagere el acompañamiento de hombros, cabeza y mano de tiro para contrarrestar la posible tendencia a inclinarse hacia atrás o a dar un paso atrás al lanzar.

La alternativa es hacer rebotar el balón a la izquierda, realizando las jugadas en el codo izquierdo, y a la derecha, realizando las jugadas hacia el codo derecho. Ejecute 10 ejercicios de cada jugada y a cada lado.

Prueba

- Conviértase en una triple amenaza de pasar, lanzar o penetrar.
- Lea al defensor y reaccione con la mejor jugada.
- Adopte una correcta técnica de tiro.

Comprobación de resultados

Realice 10 intentos en cada jugada y a cada lado. Registre el número de tiros efectuados que convierte a cada lado. Concédase 1 punto si convierte al menos 8 tiros de cada 10 intentos.

Paso de salida con tiro en suspensión, codo izquierdo ____; puntos obtenidos ____

Paso de salida con tiro en suspensión, codo derecho ____; puntos obtenidos ____

Paso de salida con entrada directa, codo izquierdo ____; puntos obtenidos ____

Paso de salida con entrada directa, codo derecho ____; puntos obtenidos ____

Paso de salida con entrada cruzada, codo izquierdo ____; puntos obtenidos ____

Paso de salida con entrada cruzada, codo derecho ____; puntos obtenidos ____

Salida directa con tiro en suspensión, codo izquierdo ____; puntos obtenidos ____

Salida directa con tiro en suspensión, codo derecho ____; puntos obtenidos ____

Salida cruzada con tiro en suspensión, codo izquierdo ____; puntos obtenidos ____

Salida cruzada con tiro en suspensión, codo derecho ____; puntos obtenidos ____

Paso atrás con tiro en suspensión, codo izquierdo ____; puntos obtenidos ____

Paso atrás con tiro en suspensión, codo derecho ____; puntos obtenidos ____

Puntuación total ____ (máximo 12 puntos).

Ejercicio nº 2 en el perímetro

Leer la defensa

Con este ejercicio practicará el uno contra uno para leer la forma de jugar de un defensor y cómo reaccionar con la jugada correcta. Pídale a un compañero que actúe como defensor. El defensor sólo le defenderá cuando lea la defensa, aplicando la jugada apropiada.

Después de coger el balón en la línea de tiros libres, el defensor modifica su posición defensiva –manos abajo o una mano arriba– para permitir que usted practique en tomar la decisión correcta. Si las manos del defensor están abajo, lance un tiro en suspensión. Si la mano del defensor está arriba, penetre a un lado de la mano elevada con la salida adecuada (recta o cruzada). Si el defensor retrocede ante su paso de salida, opte por el paso atrás con tiro en suspensión. Continúe el ejercicio hasta que haya encestado 10 lanzamientos.

Prueba

- Lea al defensor y tome la decisión correcta.
- Utilice la técnica adecuada para cada jugada y cada tiro uno contra uno.

Comprobación de resultados

Registre el número de veces que hace una lectura correcta de la defensa y el número de tiros que convierte. Cada uno de estos elementos vale 1 punto. Después de finalizar el ejercicio, sume sus puntos y obtenga el total general.

Menos de 11 puntos = 0 puntos

11-15 puntos = 1 punto

16-20 puntos = 5 puntos

Puntuación total ____

Ejercicio nº 3 en el perímetro

Uno contra uno en el círculo de tiros libres (un bote)

Este ejercicio competitivo desarrolla la capacidad de leer al defensor y emplear amagos, pivotes y jugadas uno contra uno para anotar o forzar falta. También desarrolla la habilidad defensiva y reboteadora. Jugará como atacante contra un defensor. Su objetivo es anotar en una jugada uno contra uno. Utilice la mitad superior del círculo de tiros libres como frontera. Puede botar una vez y dar un paso fuera de la mitad superior del círculo antes de lanzar el tiro.

El defensor inicia el juego logrando una postura defensiva dentro de la línea de tiros libres y entregándole el balón en un punto por encima de la línea de tiros libres. Cada vez que anota obtiene dos puntos. Si logra provocar una falta en un lanzamiento acertado, obtiene un tiro libre adicional. Si el defensor le hace falta y falla el tiro, obtiene dos tiros libres. Si falla el tiro pero logra un rebote ofensivo, realice una jugada y anote desde el punto en que ha cogido el rebote. Una vez más, sólo le está permitido un bote. Continúe jugando hasta anotar o capturar el balón, o hasta que el defensor consiga robarle el balón o capturar el rebote y vuelva a devolvérselo más allá de la línea de tiros libres. Intercambien los papeles de atacante y defensor. Juegue hasta obtener 7 puntos.

Prueba

- Lea al defensor y opte por la mejor jugada uno contra uno.
- No bote el balón más de una vez.
- Sea agresivo.

Comprobación de resultados

Este es un ejercicio competitivo. El primer jugador que anote 7 puntos gana el partido. Concédase 5 puntos si es el ganador.

Puntuación total ____

Ejercicio nº 4 en el perímetro

Cierre uno contra uno (tres botes)

Este ejercicio competitivo desarrolla también la habilidad de leer a un defensor y de utilizar fintas, pivotes y jugadas de uno contra uno para anotar o forzar una falta. Desarrolla también la habilidad defensiva y reboteadora. Su objetivo es anotar con una jugada uno contra uno. Comience en el perímetro dentro de su radio de tiro. El defensor comienza bajo canasta.

El defensor lanza un balón al jugador atacante para iniciar el ejercicio. El defensor cierra en defensa, es decir, corre hacia el jugador atacante y adopta una postura defensiva dentro de la distancia de contacto con el jugador contrario. El jugador atacante puede realizar tres botes. Usted logra 2 puntos cada vez que anota. Si su contrario le hace falta en un tiro acertado, logra un tiro libre adicional. Si le hace falta pero el tiro es fallido, obtiene dos tiros libres. Si falla el tiro pero se hace con el rebote ofensivo, puede realizar una jugada y anotar desde el punto en que ha cogido el rebote. Una vez más, sólo le están permitidos tres botes. Continúe jugando hasta que anote o capture el balón, o hasta que el defensor consiga robar el balón o coger un rebote y vuelva a entregárselo más allá de la línea de tiros libres. Intercambien los papeles atacante y defensivo.

Para mayor variedad, el jugador atacante puede comenzar en una posición diferente, como el centro de la línea de tres puntos, un lateral o cualquier rincón, dentro del radio de tiro del jugador.

Prueba

- Lea al defensor y adopte la mejor jugada uno contra uno.
- No bote el balón más de tres veces.
- Sea agresivo.

Comprobación de resultados

Este es un ejercicio competitivo. El primer jugador que anote 7 puntos gana el partido. Si es usted el ganador, concédase 5 puntos.

Puntuación total ____

Ejercicio nº 5 en el perímetro

Bloqueo del tiro

Este ejercicio requiere dos jugadores, uno en ataque y otro en defensa. Comience como jugador atacante. Sitúese en posición de recoger el balón y lanzar en la línea de tres puntos o dentro de su radio de tiro. El defensor comienza situado bajo la canasta.

El defensor inicia el ejercicio lanzando un pase de pecho a su mano tiradora. El defensor corre entonces hacia usted, tratando de bloquear el tiro. Mientras el defensor corre hacia usted, haga un amago de lanzamiento, luego dé un paso con bote alejándose del bloqueo y lance un tiro en suspensión. Después de cada intento, intercambien los papeles atacante y defensivo. Cada jugador realiza 10 intentos.

Prueba

- Esté preparado para recoger y lanzar en un movimiento fluido.
- Dé un solo bote para alejarse del defensor tras el amago.

Comprobación de resultados

Este es un ejercicio competitivo. Trate de anotar más puntos que su compañero y concédase 5 puntos si lo consigue.

Puntuación total ____

Ejercicio nº 6 en el perímetro

Bote en el uno contra uno

Este ejercicio requiere dos jugadores, uno en ataque y otro en defensa. El defensor comienza situado bajo la canasta y hace un pase de pecho al jugador atacante antes de adoptar rápidamente una posición defensiva. Como jugador atacante, bote ante el defensor recurriendo a un bote de balón explosivo (página 62) en el momento de encontrarse. El bote explosivo normalmente hace que un defensor se congele por un segundo, dándole tiempo a usted para lograr el equilibrio, leer la posición del defensor y luego optar por una jugada apropiada de uno contra uno.

Usted obtiene 2 puntos cada vez que anota. Si fuerza una falta en un tiro acertado, obtiene un tiro libre adicional. Si su contrario le hace falta y su tiro falla, obtiene dos tiros libres. Si falla el tiro pero consigue el rebote ofensivo, realice una jugada y anote desde el punto en que ha cogido el balón. Continúe jugando hasta anotar o hasta que el defensor se haga con el balón con un robo o un rebote. Intercambien los papeles atacante y defensivo. Juegue hasta 7 puntos.

Prueba

- Lea al defensor y adopte la mejor jugada uno contra uno.
- Utilice el bote explosivo para congelar al defensor.
- Sea agresivo.

Comprobación de resultados

Este es un ejercicio competitivo. El primer jugador que consiga 7 puntos gana el partido. Si es usted el ganador, concédase 5 puntos.

Puntuación total ____

RESUMEN DE JUGADAS DE ATAQUE CON EL BALÓN

Conviértase en una triple amenaza de lanzar, pasar o penetrar mediante un perfecto movimiento con el balón. Aprenda a luchar en el uno contra uno y ganar al defensor, abriendo oportunidades defensivas para su equipo. En este paso, hemos cubierto varias jugadas con el balón que le permitirán crear esa triple amenaza.

En el paso siguiente, examinaremos movimientos sin balón. Pero antes de afrontar el séptimo paso, procede analizar cómo ha realizado los ejercicios de éste. Registre los puntos que ha obtenido en cada uno de los ejercicios de este paso, y luego súmelos para poder evaluar su grado total de acierto.

Ejercicios en el poste bajo	
1. Jugadas en el poste bajo	___ de 8
2. Leer la defensa	___ de 5
3. Uno contra uno en el semicírculo	___ de 5
Ejercicios en el perímetro	
1. Jugadas uno contra uno con pase desde el codo	___ de 12
2. Leer la defensa	___ de 5
3. Uno contra uno en el círculo de tiros libres (un bote)	___ de 5
4. Cierre uno contra uno (tres botes)	___ de 5
5. Bloqueo del tiro	___ de 5
6. Bote en el uno contra uno	___ de 5
Total	___ ***de 55***

Si ha obtenido 40 o más puntos, ¡enhorabuena! Ha dominado los fundamentos de este paso y está listo para avanzar hacia el paso siguiente, que se ocupa de movimientos sin balón. Si ha anotado menos de 40 puntos, puede que deba invertir más tiempo en los fundamentos tratados en este paso. Practique de nuevo los ejercicios para dominar las técnicas y aumentar las puntuaciones.

7.º

PASO

Movimiento sin balón

El baloncesto es un deporte de equipo. Contar con los jugadores de mayor talento no garantiza que su equipo gane. Para ganar, se debe jugar como un verdadero equipo. El éxito de un equipo depende de que todos los jugadores trabajen juntos, de modo que todos los miembros del equipo utilicen plenamente su talento atacante. En ataque, el objetivo es encestar. Esto significa que todos y cada uno deben ayudarse mutuamente para crear ocasiones de obtener el mejor lanzamiento posible en cada caso que su equipo tenga la posesión del balón. Sólo uno de los cinco jugadores del equipo puede tener el balón cada vez, por lo que más o menos el 80% del tiempo estará usted jugando sin balón.

Para ayudar a su equipo a crear ocasiones de anotar, debe poder moverse sin el balón. Jugar sin el balón incluye ayudarse a que usted mismo o un compañero se desmarque disponiendo un bloqueo, o cortando y manteniendo a su defensor pendiente de sus movimientos, lejos del balón, limitando así las ayudas defensivas sobre el jugador que tiene el balón.

Cuando aprenda a moverse sin el balón, no sólo será un mejor jugador, sino que también se divertirá más. El saber que está ayudando a sus compañeros le reportará satisfacción, además del reconocimiento de su entrenador, de sus compañeros y de los seguidores de su equipo.

Por buena que sea su habilidad atacante con el balón, no le servirá de mucho si no aprende a desmarcarse para poder explotarla. En primer lugar, debe moverse para desmarcarse y recibir el balón allí donde pueda convertirse en triple amenaza (lanzar, salir o pasar). También debe moverse sin el balón para crear oportunidades de tiro para usted y sus compañeros, como en el poste alto interior, una salida uno contra uno, o un tiro en suspensión que pueda lanzar con ritmo y espacio. Antes de lanzar, usted o su compañero deben desmarcarse. Moverse sin balón significa no sólo que usted deba desmarcarse, sino también poner los medios como bloqueos, para permitir que se desmarque un compañero.

Jugar sin balón también es importante cuando se está lejos del balón. Al no tener clara su posición, el defensor no estará tan pendiente de dar ayudas defensivas al compañero que defiende al poseedor del balón.

He aquí algunas situaciones específicas de moverse sin el balón:

- utilice maniobras para desmarcarse y recibir el balón en posición de convertirse en triple amenaza: lanzar, pasar o penetrar;
- disponga un bloqueo, permitiendo abrirse a un compañero o forzar un cambio de posición que le permitirá desmarcarse a sí mismo;

- corte un bloqueo para desmarcarse o forzar un cambio de posición que permitirá desmarcarse al jugador que hace el bloqueo;
- manténgase en movimiento lejos del balón para dificultar que su defensor pueda verle a usted y al balón, o para estar en posición de proporcionar ayuda defensiva al compañero que defienda al jugador con el balón;
- manténgase alerta para capturar balones perdidos o cambiar del ataque a defensa cuando su equipo pierde la posesión del balón, y
- muévase en un tiro para conseguir una buena posición de rebote o para reincorporarse a la defensa.

Pídale a un experto, como un entrenador, un instructor o un buen jugador, que evalúe y le aporte críticas constructivas sobre sus movimientos en la cancha sin el balón y participe en partidos de dos contra dos y tres contra tres.

CORTE EN V

Cuando su defensor tiene un pie y una mano en la línea de pase para impedir su pase, arrastre a su contrario hacia canasta y dé un brusco cambio de dirección, cortando hacia el exterior. A esto se le llama *corte en V* (figura 7.1) y es la manera más frecuente con que un jugador trata de recibir. Puede utilizar un corte en V en cualquier posición de la cancha, si un contrario está presionando muy cerca cortándole la línea de pase entre usted y el pasador.

La efectividad de un corte en V depende de su capacidad de fintar, elegir el momento oportuno y la intensidad del cambio de dirección desde la trayectoria a canasta hacia el exterior. Cuando arrastra a un defensor hacia canasta, debe fintar antes de cambiar de dirección para cortar al exterior. El tiempo del corte debe coincidir con el momento del pase.

Cuando cambia de dirección, cuente uno-dos. Primero dé un paso con su pie interior y luego con el exterior, sin cruzar los pies. El primer paso, debe ser un paso de tres cuartos antes que un paso normal, y debe flexionar la rodilla al plantar el pie con firmeza para frenar el impulso. Gire sobre la punta de su pie interior y empuje hacia el exterior. Cargue el peso y dé un paso largo con el pie exterior, los dedos apuntando hacia el exterior. Siga moviéndose, saliendo al encuentro del balón que le está siendo pasado.

Cuando se mueva para desmarcarse, mantenga a la vista el balón, la canasta y el defensor. Si no ve el balón cuando se lo pasan, normalmente es una pérdida de balón y una oportunidad de anotar fallida. Una vez realizado el corte en V, mantenga arriba su mano delantera como objetivo del pase. Supere a su defensor yendo al encuentro del pase, y coja el balón con ambas manos.

Caiga con una parada en dos tiempos. Caiga primero sobre su pie interior (el más próximo a canasta), estableciéndolo como pie pivote. Entonces puede proteger el balón con el cuerpo y seguir en posición de ejecutar un giro reverso (paso de retroceso) con el pie opuesto, si su defensor se esfuerza mucho por interceptar el pase. Una vez capturado el pase, dé un giro frontal hacia el centro, encare la canasta, mire el aro y conviértase en una triple amenaza de lanzar, penetrar o pasar.

Figura 7.1 El corte en V

CORTE HACIA LA CANASTA

1. Corte hacia canasta, con un paso de 3/4 del pie interior.
2. Finte y elija el momento oportuno y cuente uno-dos.
3. Flexione la rodilla.

CORTE EXTERIOR EN V

1. Gire sobre la punta del pie y empuje hacia el exterior.
2. Cargue el peso y dé un paso largo con el pie exterior.
3. Mano exterior elevada como objetivo del pase.
4. Siga cortando hacia el exterior.

RECOJA EL PASE Y GIRO FRONTAL

1. Salga al encuentro del pase y coja el balón con las dos manos.
2. Parada uno-dos, cayendo primero sobre el pie interior.
3. Giro frontal hacia el centro.
4. Mantenga a la vista el aro y el defensor.
5. Conviértase en una triple amenaza.

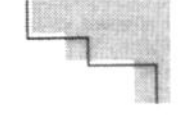

Error

En lugar de dar un cambio brusco de dirección, hace un movimiento circular.

Corrección

Cuente uno-dos, dando primero un paso de tres cuartos flexionando la rodilla, para pivotar bruscamente y empujar en la dirección que desea. Cargue el peso y dé un segundo paso largo.

CORTE POR PUERTA ATRÁS

Cuando su defensor tiene un pie y una mano en la línea de pase para privarle de un posible pase exterior, cambie de dirección y corte por detrás del defensor hacia canasta. A esto se le llama corte *por puerta atrás* (figura 7.2). Puede utilizar esta figura técnica en cualquier posición de la cancha si su contrario está cubriendo muy bien la línea entre usted y el pasador.

Con experiencia, podrá realizar este corte prácticamente en cualquier momento que se vea privado de un pase desde el exterior. Use también esta jugada cuando vea la cabeza del defensor girada a un lado y hacia el balón. Esta momentánea pérdida de visión puede hacer que el defensor deje de verle a usted y su posible corte por puerta atrás hacia canasta para recibir un pase, con probable bandeja.

El éxito de un corte por puerta atrás resulta de comunicarse con el pasador y de un drástico cambio de dirección hacia canasta. El pasador puede lanzar el balón fuera de alcance cuando no se realiza un corte por puerta atrás. Elimine los titubeos utilizando una palabra clave para indicarle al pasador que va a realizar un corte por puerta atrás. Esa clave indica que, una vez iniciado, continuará con su corte hacia canasta. Una palabra impactante de dos sílabas (por ejemplo, *viaje* o *meta*) da buen resultado porque coincide con su cuenta uno-dos. Plantee el corte por puerta atrás iniciándolo lejos. En un lateral, arrastre al defensor al menos a un paso de la línea prolongada de tiros libres. En ese punto, lleve al defensor a un paso por encima del círculo de tiros libres. Grite la palabra clave para indicar su corte por puerta atrás antes de cambiar de dirección y cortar hacia canasta. Cuente uno-dos para cambiar de dirección, dando un primer paso con su pie exterior y luego con el interior (véase el corte en V para repasar cómo debe hacerlo).

El corte por puerta atrás puede parecer una jugada relativamente sencilla, pero requiere una práctica considerable para ejecutarlo con la debida intensidad y efectividad. Concéntrese en la cuenta uno-dos. Al cambiar de dirección de derecha a izquierda, debe concentrarse en la cuenta uno-dos *derecha-izquierda*. Al cambiar de izquierda a derecha, debe concentrarse en la cuenta *izquierda-derecha*.

Como en el corte en V, al cortar por puerta atrás debe mantener a la vista el balón, la canasta y otros defensores. También debe estar alerta para las posibles ayudas de otros defensores que rotan hacia usted y posiblemente traten de arrancar una falta en su corte. Tras realizar el corte por puerta atrás, convierta a su mano delantera en objetivo de pase. Tras recibir el pase, mire al lanzamiento, penetre a canasta para una bandeja o, si es retenido por otro defensor, pase al compañero que haya quedado libre.

Figura 7.2 Corte por puerta atrás

a

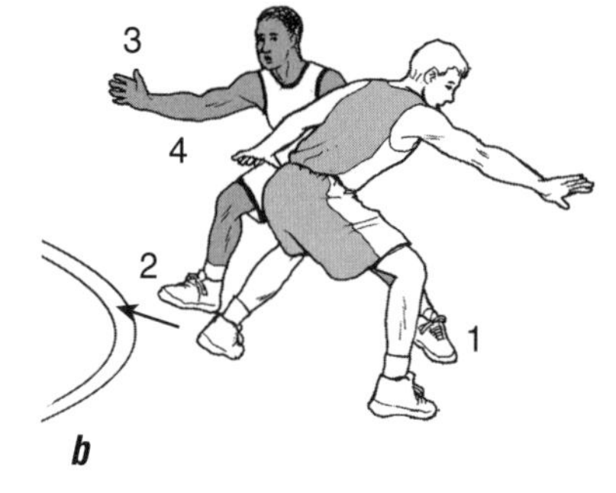

b

c

DEFENSOR ARRIBA

1. Arrastre al defensor hacia afuera.
2. Concéntrese en un movimiento uno-dos.
3. Grite la palabra clave para el corte por puerta atrás.
4. Dé un paso de 3/4 con el pie exterior.
5. Flexione la rodilla.

CORTE A CANASTA

1. Gire sobre la punta del pie y empuje hacia el interior.
2. Cargue el peso y dé un paso largo con el pie interior.
3. La mano interior arriba como objetivo.
4. Siga cortando hacia canasta.

RECOJA EL PASE

1. Recoja el balón con las dos manos.
2. Haga una bandeja o lance un pase.
3. Proteja el balón con las dos manos hasta soltarlo.
4. Acompañamiento y caída en equilibrio, listo para el rebote.
5. Conviértase en una triple amenaza.

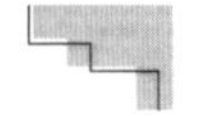

Error

No logra espacio suficiente en su corte por puerta atrás para desmarcarse.

Corrección

Coja al defensor arriba. En un lateral, arrastre al defensor al menos un paso por encima de la línea de tiros libres prolongada. En ese punto lleve el defensor un paso arriba del círculo de tiros libres.

Ejercicio de corte por puerta atrás

Dos contra cero

Este ejercicio requiere dos jugadores. Comience con el balón en un pasillo fuera de la zona, de espaldas a canasta. Pásese a usted mismo haciendo rebotar el balón en diagonal a través de la zona hacia el codo opuesto. Recoja el balón con una parada en dos tiempos cayendo primero sobre su pie interior. Pivote hacia el centro, mire la canasta y dé un paso de salida. Conviértase en triple amenaza de lanzar, pasar o penetrar.

Al rebotar el balón, su compañero corre hacia la línea lateral opuesta, da un brusco cambio de dirección y recorre el pasillo hasta el codo del lado opuesto a donde se encuentra usted. Al llegar al codo, su compañero asume que un defensor le está privando de un pase al codo (una silla puede representar el papel de defensor) y realiza un corte por la puerta trasera hacia canasta, dándole una señal verbal justo antes del corte por la puerta trasera. Se recomienda una palabra de dos sílabas como *balón* o *vaso,* para que coincida con el brusco cambio de dirección en dos tiempos necesario para que el corte por la puerta trasera sea efectivo. Dé un pase picado a su compañero, quien recibirá el balón y hará una bandeja. Siga el lanzamiento para coger el rebote ante un posible fallo y anotar con fuerza. Intercambie posiciones con su compañero y prosiga el ejercicio, realizando cada jugador cinco cortes por la puerta trasera y cinco bandejas por cada lado.

Prueba

- Haga una parada en dos tiempos al recoger el balón, cayendo primero sobre su pie interior.
- Indique verbalmente a su compañero que va a realizar el corte por puerta atrás.
- Adopte la posición de triple amenaza cuando tenga el balón.

Comprobación de resultados

Concédase 1 punto por cada corte efectivo por la puerta trasera y por cada bandeja en cada lado, hasta un máximo de 20 puntos. Si obtiene entre 16 y 20 puntos, su actuación en este ejercicio habrá sido excelente.

Puntuación total ____

PASAR Y CONTINUAR

Pasar y continuar, la jugada más básica del baloncesto, ha formado parte de este deporte desde la primera vez que se practicó. El nombre procede de la acción: usted entrega (pasa) el balón a su compañero y se va (corta) hacia canasta, esperando que le devuelva el balón para una bandeja. La jugada pasar y continuar ejemplifica el juego de equipo. Al pasar el balón y luego moverse sin él, crea una ocasión de anotar con un pase devuelto. Aunque no consiga desmarcarse en el corte, al menos le concede a su compañero una mejor oportunidad de iniciar una jugada de uno contra uno, porque su defensor se encontrará en una posición menos ventajosa para proporcionar ayuda defensiva.

Tras iniciar la jugada con un pase, asegúrese de leer la posición del defensor antes de cortar hacia canasta. Si el defensor se mueve con usted, y sigue defendiéndolo encima, haga sencillamente un corte brusco a canasta. Pero si su oponente retrocede alejándose de usted, moviéndose hacia el balón en el momento de su pase (como muchos jugadores aprenden a hacer), engañe a su defensor con un amago antes del corte. Dé un paso o dos *alejándose* del balón, como si no estuviera implicado en la jugada. Si el defensor se mueve con usted, realice un brusco cambio de dirección y *corte frontal* a canasta (figura 7.3). También puede amagar dando un paso o dos hacia el balón, como si fuera a disponer un bloqueo para relevar al jugador con el balón. Luego, mientras el defensor se mueve con usted, realice un brusco cambio de dirección y *corte por la puerta trasera* hacia canasta (figura 7.4). Cuando gane experiencia al ejecutar la jugada de pasar y continuar, y aprenda a leer al defensor, utilice una finta o amago y ejecute el corte en el momento oportuno.

Figura 7.3 Pasar y continuar: finta y corte frontal

PASE

1. Pase al compañero.

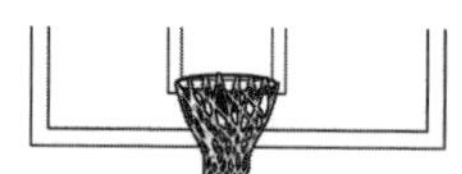

FINTA ALEJÁNDOSE DEL BALÓN

1. Finta con paso alejándose del balón.

CORTE FRONTAL

1. Cambio de dirección y corte frontal hacia canasta.
2. La mano delantera elevada.
3. Recoja el balón con las dos manos.
4. Haga una bandeja.

Error

No logra espacio bastante para desmarcarse.

Corrección

Si está situado en el punto, inicie el pasar y continuar al menos un paso antes del círculo de tiros libres. Si está en un lateral, inicie el pasar y continuar un paso antes de la línea de tiros libres prolongada.

Figura 7.4 Pasar y continuar: paso hacia el balón y corte por puerta de atrás

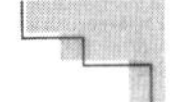

Error

Tras iniciar su corte por puerta atrás, se frena, con lo que el pase se pierde.

Corrección

En un corte por puerta atrás, debe cortar directamente hacia canasta. El pasador sólo le pasará si está usted desmarcado. De esa forma se eliminará el riesgo de pérdida de balón en el pase.

Ejercicio de pasar y continuar

Dos contra cero

Elija un compañero para practicar este ejercicio. Comience con el balón en un pasillo fuera de la zona, de espaldas a canasta. Su compañero comienza en el pasillo opuesto, al otro lado de la zona. Pásese a sí mismo, haciendo rebotar el balón en diagonal a través de la zona hacia el codo opuesto. Recoja el balón con una parada en dos tiempos, cayendo primero sobre su pie interior. Pivote hacia el centro, mire al aro y dé un paso de salida. Conviértase en triple amenaza de lanzar, pasar o salir.

Al rebotar el balón, su compañero corre hacia el pasillo opuesto, realiza un brusco cambio de dirección y recorre la línea de zona hasta el codo del lado opuesto a donde usted se encuentra. Haga un pase de pecho a su compañero y corte hacia canasta (pasar y continuar). Su compañero le devuelve un pase picado en el corte. Recoja el pase y haga una bandeja. Su compañero sigue para coger un eventual rebote y realiza los esfuerzos necesarios para anotar.

Intercambie posiciones con su compañero y continúe este ejercicio hasta que cada uno de los jugadores realice cinco cortes y cinco bandejas a cada lado, con un total de 10 bandejas cada uno.

Prueba

- Haga una parada en dos tiempos, cayendo primero sobre su pie interior.
- Asuma una posición de triple amenaza cuando tenga el balón.

Comprobación de resultados

Menos de 5 bandejas convertidas = 0 puntos
5-6 bandejas convertidas = 1 punto
7-8 bandejas convertidas = 3 puntos
9-10 bandejas convertidas = 5 puntos
Puntuación total ____

LA PANTALLA

Formar una pantalla es maniobrar para situarse en posición de bloquear el camino al defensor de un compañero. Puede formar una pantalla tanto el jugador con balón como sin balón.

El pase y bloqueo es básico para el juego de equipo en baloncesto. Implica, al menos, a tres jugadores: el que hace la pantalla, el cortador y el pasador. Puede usted crear una pantalla para un compañero, que corta por el bloqueo para desmarcarse y recibir un pase para lanzar o penetrar. Si su defensor se ocupa de su compañero que corta, entonces usted quedará momentáneamente abierto y al lado del balón del defensor al que ha hecho el bloqueo.

Hacer una pantalla supone cuatro pasos: formar la pantalla, ver la pantalla, utilizar la pantalla y liberar la pantalla.

Formar la pantalla. Al disponer una pantalla, alinee el centro de su cuerpo con el del defensor de su compañero en un ángulo que pueda impedir que el defensor lo atraviese. Dar algunos pasos hacia canasta, antes de disponer la pantalla, le permite obtener un mejor ángulo sobre el defensor de su compañero. Para evitar un bloqueo ilegal en movimiento, haga una parada en salto a dos pies para lograr una posición estática. De esa forma, estará restando agresividad al defensor de su compañero, de modo que necesita un buen equilibrio con los pies más abiertos que la distancia de los hombros y las rodillas flexionadas. Mientras su compañero aprovecha el bloqueo, no le está permitido mover ninguna parte de su cuerpo hacia el defensor. Mantenga un brazo enfrente de su entrepierna y el otro frente al pecho para protegerse.

Ver la pantalla. Espere hasta que la pantalla esté formada para evitar un bloqueo ilegal en movimiento. Sea paciente. Conceda tiempo para crear la pantalla y leer cómo va a jugar contra ella la defensa. En la utilización de bloqueos se producen muchos errores, bien porque no lee la defensa o bien porque se mueve demasiado rápido sin fijar a la defensa.

Utilizar la pantalla. Cuando está cortando por una pantalla, enfóquela con control, pero luego realice una jugada explosiva. Puede caminar hacia su defensor en el bloqueo, ganando un buen ángulo para cortar sobre el bloqueo. Primero, muévase lentamente en la dirección en que juega su oponente antes de cortar bruscamente el bloqueo en dirección opuesta. Cuando corta por el bloqueo, vaya hombro con hombro con el compañero que hace el bloqueo, de modo que el defensor no pueda interponerse entre usted y el bloqueo. Asegúrese de cortar con la suficiente distancia del bloqueo, de forma que un defensor no pueda cubrirle a usted ni al compañero que hace el bloqueo; de este modo crea usted espacio para un pase a aquél cuando hay un cambio de posición defensiva.

Liberar la pantalla. Disponer una buena pantalla tendrá uno de estos dos desenlaces: bien usted o bien el compañero que utiliza el bloqueo quedarán libres. Si su compañero corta correctamente por su bloqueo, la reacción habitual del defensor será conceder una ayuda defensiva y cambiar defensivamente. Esto le deja momentáneamente en posición interior sobre el defensor que ha acudido a dar una ayuda defensiva, tras un cambio, sobre su nuevo defensor.

Puede mantener libre su posición utilizando un giro, pivotando sobre su pie interior y abriendo el cuerpo en dirección al balón, situando al defensor a su espalda. Si su compañero corta hacia el exterior, usted quedará libre para rodar frente a canasta y recibir un pase para un tiro interior. Si su compañero corta hacia canasta, usted quedará libre para retroceder y recibir un paso para un tiro exterior.

También puede fintar una pantalla y cortar (lo que se llama *amagar el bloqueo*). Esta maniobra es efectiva si su defensor decide proporcionarle ayuda presionando fuerte para impedir el corte de su compañero por el bloqueo. Si su defensor le deja acercarse al cortador por no disponer el bloqueo, haga un rápido corte hacia canasta para recibir un pase para un tiro interior.

Si ambos defensores están tratando de ocuparse del cortador, muévase hacia un área libre. Tras recibir el pase, usted estará mal defendido y se encontrará en posición de penetrar o pasar a un compañero para un tiro con ventaja.

Tiene usted cuatro acciones básicas para cortar un bloqueo, según cómo sea defendido: bloqueo y continuación exterior, rizo, corte por puerta atrás y el desvío. A medida que usted y sus compañeros practiquen los bloqueos, aprenderá a leer la defensa y reaccionar con la mejor opción para crear una apertura para un tiro. Debidamente ejecutada, la salida de bloqueo es un hermoso ejemplo de juego de equipo. Al disponer un bloqueo para su compañero lejos del balón, crea una oportunidad para su compañero o para usted de anotar.

Cuando el defensor del jugador que hace la pantalla retrocede para permitir que su defensor se deslice tras la pantalla, desmarcarse hacia afuera para recibir un pase de pecho o por encima de la cabeza para un lanzamiento de recibir y lanzar a ritmo y medida (figura 7.5).

Figura 7.5 Corte de un bloqueo: desmarcarse hacia afuera

EL DEFENSOR

1. Un jugador dispone la pantalla.
2. Parada en salto con base amplia.
3. Mantenga los brazos extendidos.
4. El cortador amaga, esperando la pantalla.
5. El defensor acude hacia la pantalla.

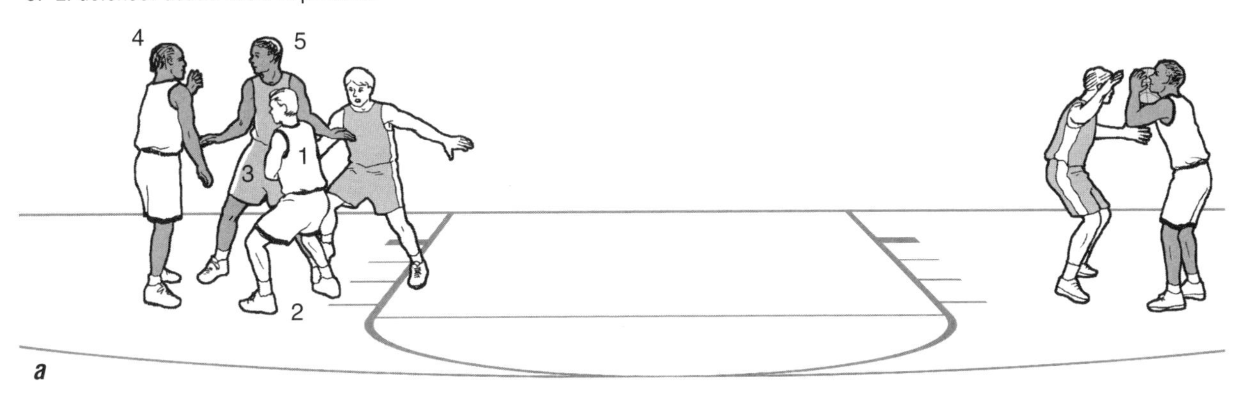

a

(continúa)

Figura 7.5 Corte de un bloqueo: desmarcarse hacia afuera *(continuación)*

DESMARCARSE AL EXTERIOR

1. El defensor se desliza entre la pantalla.
2. El cortador lee la defensa y continúa hacia el exterior.
3. El bloqueador sale del bloqueo hacia canasta.

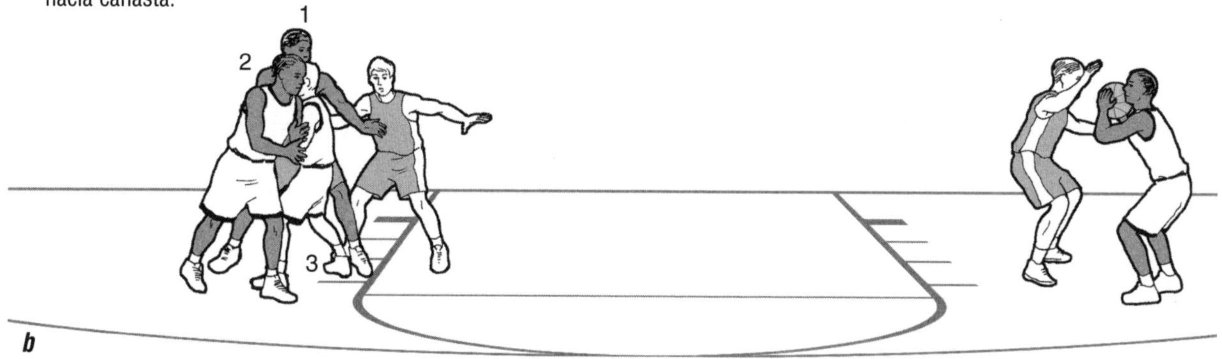

b

CAPTURA Y LANZAMIENTO

1. El balón es pasado al cortador abierto.
2. El cortador lanza un tiro en suspensión.

c

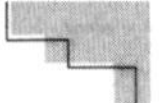

Error

Mientras corta la pantalla, no crea espacio suficiente para desmarcarse y permite al defensor del bloqueador que defienda a ambos.

Corrección

Corte a suficiente distancia la pantalla para crear espacio operativo para usted y para que el bloqueador pueda desmarcarse.

Si un defensor arrastra su cuerpo en la pantalla, haga un rizo (corte frontal y en redondo por el bloqueo) hacia canasta para recibir un pase por encima de la cabeza o picado para un tiro interior de gancho (figura 7.6). Indique esta jugada poniendo su brazo alrededor del cuerpo del compañero que hace el bloqueo mientras realiza el rizo. Si el defensor del bloqueador ayuda, ralentice su corte; el bloqueador se apartará entonces para un tiro en suspensión abierto de recibir y lanzar.

Figura 7.6 Corte de un bloqueo: el rizo

EL DEFENSOR ARRASTRA AL CORTADOR

1. Un compañero hace la pantalla.
2. El cortador para en salto con amplia base.
3. Los brazos del cortador están ceñidos.
4. El cortador hace un amago, esperando la pantalla.

RIZO

1. El defensor arrastra el cuerpo del cortador en torno a la pantalla.
2. El cortador lee la defensa.
3. El cortador indica que va a hacer el rizo con el brazo en torno al bloqueador.
4. El cortador se revuelve en rizo hacia canasta.

(continúa)

Figura 7.6 Corte de un bloqueo: el rizo *(continuación)*

RECEPCIÓN Y TIRO

1. El bloqueador sale de repente.
2. El balón es pasado al cortador desmarcado en el rizo.
3. El cortador lanza un tiro de gancho.

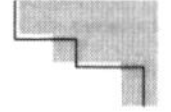

Error

Usted predetermina el corte cuando se crea un bloqueo para usted y no lee la posición del defensor. Por ejemplo: sale a un lado cuando debería girar en rizo.

Corrección

El éxito de su corte depende de leer la defensa y reaccionar según cómo su defensor juegue contra el bloqueo. No decida de antemano cómo realizará el corte. Si su defensor retrocede, salga. Si su defensor le arrastra, gire en rizo hacia canasta. Si su defensor da un paso anticipándose a su corte, recurra al corte por la puerta trasera. Si su defensor hace un atajo por detrás del bloqueador y el defensor de éste, desvíese.

Si su defensor *trata de anticiparse* a su jugada por el centro del bloqueo antes de que usted realice el corte, salga del bloqueo con su pie exterior y cambie bruscamente de dirección con un corte por puerta atrás –es decir, por detrás del bloqueo y hacia canasta–, para recibir un globo o un pase picado para una bandeja (figura 7.7). Indique el corte por la puerta trasera antes de dar su paso con una palabra clave de dos sílabas. Al mismo tiempo, aporte un objetivo de pase con su mano interior apuntando hacia canasta para un pase picado o señalando al aire para un pase en globo. Si el defensor del bloqueador ayuda en el corte por la puerta trasera, el bloqueador sale de repente y quedará libre para un tiro en suspensión de recibir y lanzar en ritmo y dentro de su radio de tiro.

Figura 7.7 Pasar y continuar: el corte por puerta atrás

EL DEFENSOR SE INTERPONE

1. Un compañero dispone la pantalla.
2. El cortador espera la pantalla.
3. El defensor se interpone para impedir el pase.
4. El cortador grita la palabra clave para un corte por puerta atrás.
5. El cortador hace una finta.

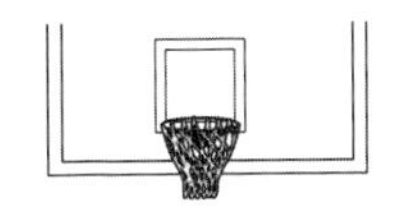

a

CORTE POR PUERTA ATRÁS

1. El defensor se interpone para impedir el pase.
2. El cortador lee la defensa.
3. El cortador ejecuta el corte por la puerta trasera hacia canasta.
4. El bloqueador sale de repente.

b

TIRO A RECEPCIÓN

1. El cortador por la puerta trasera recibe un pase picado o en globo.
2. El cortador hace una bandeja.

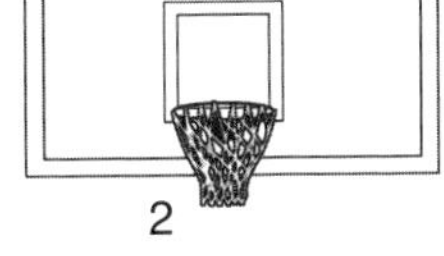

c

Error

No crea un fuerte bloqueo y el defensor puede seguir con el cortador.

Corrección

Disponga su bloqueo en un ángulo que obligue al defensor a quedar frenado por usted. Apóyese en una base amplia con las rodillas flexionadas para mantener el equilibrio. Mantenga un brazo frente a su entrepierna y el otro frente al pecho para protegerse si el defensor trata de penetrar a través del bloqueo.

Si su defensor toma un atajo ante el corte previsto moviéndose por detrás del defensor del bloqueador al lado de canasta del bloqueo, desvíese del bloqueo (figura 7.8). Indique esta jugada poniendo las manos en la cadera del bloqueador antes de desviarse. Prepárese para recibir un pase por encima de la cabeza hacia el lado alejado del bloqueo, para un tiro a recepción en suspensión en sintonía con su movimiento y dentro de su radio de tiro. Si el defensor del bloqueador cambia de posición para presionar sobre su tiro, el bloqueador corta hacia el poste alto o para situarse en posición de rebote.

Figura 7.8 Corte de un bloqueo: desvío

EL DEFENSOR TOMA UN ATAJO

1. Un compañero forma una pantalla.
2. El cortador espera la pantalla.
3. El defensor toma un atajo entre el bloqueador y su defensor.
4. El cortador lee la defensa.
5. El cortador indica que va a desviarse con las manos en las caderas del bloqueador.
6. El cortador grita la palabra desvío.

DESVÍO

1. El defensor toma un atajo.
2. El cortador se desvía del balón.
3. El bloqueador sale de repente.

(continúa)

Figura 7.8 Corte de un bloqueo: desvío *(continuación)*

EL DEFENSOR TOMA UN ATAJO

1. El balón es pasado al cortador abierto en el desvío.
2. El cortador lanza un tiro en suspensión.

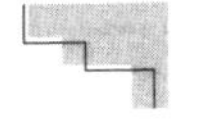

Error

Después de que usted dispone la pantalla y se produce un cambio defensivo, gira en la dirección errónea apartando sus ojos del balón, lo que le impide ver un posible pase.

Corrección

En un cambio defensivo, haga un pivote reverso sobre su pie interior. Abra el cuerpo hacia el balón en el giro, de manera que pueda ver el pase.

BLOQUEO Y CONTINUACIÓN

La *bloqueo y continuación* es otra jugada básica que ha formado parte del baloncesto desde su nacimiento. Su nombre, como el pasar y continuar, procede de la acción de juego. Usted forma una pantalla para un compañero, que la aprovecha para un tiro exterior o salida. Si su defensor pasa a ocuparse de su compañero, usted quedará momentáneamente delante del defensor al que ha hecho bloqueo y libre para girarse hacia canasta, esperando recibir un pase del driblador para realizar una bandeja. Cuando se dispone una pantalla para usted, debería utilizar al menos dos botes al salir del bloqueo para crear espacio para un pase del bloqueador, que se gira hacia canasta tras un cambio defensivo.

El bloqueo y continuación básico presenta otras opciones, según cómo sea defendido, entre ellas el bloqueo y salida, el deslizamiento y el *tienda la trampa.* En la jugada básica de bloqueo y continuación, su pantalla es defendida con un cambio defensivo. Para combatir ese cambio, usted gira hacia canasta para un pase y bandeja (figura 7.9).

A medida que usted y sus compañeros se hacen expertos en ejecutar esta jugada, aprenderá a leer cómo va a ser defendido el bloqueo y a reaccionar con un giro, una salida brusca o un bote para crear una ventaja de tiro. Debidamente ejecutado, el bloqueo y continuación puede crear una ocasión de anotar para usted o su compañero. Se trata de otro ejemplo de excelente trabajo de equipo.

Figura 7.9 Bloqueo y continuación

LOS DEFENSORES CAMBIAN POSICIONES

1. Un compañero dispone la pantalla.
2. El cortador espera la pantalla.
3. Los defensores cambian posiciones.
4. Los jugadores atacantes leen la defensa.

a

DESVIARSE DEL BLOQUEO

1. Desvíese del bloqueo hombro con hombro.
2. Dé dos botes al pasar la pantalla.
3. El bloqueador gira hacia canasta.

b

EL BLOQUEADOR GIRA HACIA CANASTA

1. Pase picado o globo al bloqueador.
2. El bloqueador hace una bandeja.

c

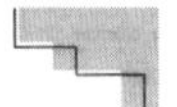

Error

Tiende a cometer falta porque mueve el cuerpo o parte del cuerpo en el camino del defensor mientras su compañero bota al pasar por la pantalla.

Corrección

Haga una parada en salto a dos pies antes de que su compañero dé un bote para evitar moverse en un bloqueo ilegal. Mantenga rodilla y brazo ceñidos mientras el defensor trata de atravesar la pantalla.

Ejercicio nº 1 de bloqueo y continuación

Dos contra cero

Este ejercicio requiere dos jugadores. Comience con el balón en una línea lateral fuera de la zona y de espaldas a canasta. Pásese a usted mismo haciendo rebotar el balón en diagonal a través de la zona hacia el codo opuesto. Recoja el balón con una parada en dos tiempos cayendo primero sobre su pie interior. Pivote hacia el centro, mire al aro y realice un paso de salida. Conviértase en triple amenaza de lanzar, pasar o penetrar.

Al rebotar el balón, su compañero corre hacia el pasillo opuesto, realiza un brusco cambio de dirección y recorre la línea de zona hasta el codo del lado opuesto a usted. Realice un pase de pecho a su compañero y disponga un bloqueo hacia el interior (zona) del defensor imaginario de su compañero. Su compañero aprovecha el bloqueo para impedir que un defensor penetre en el bloqueo y se mantiene botando.

Su compañero bota al menos dos veces al pasar por el bloqueo y crear espacio para un pase, mientras usted se gira hacia canasta. Ejecute el giro abriéndose hacia el balón con un pivote reverso sobre su pie interior (el más cercano a canasta) y deje atrás a un defensor imaginario. Su compañero le hace un pase picado o en globo cuando usted se acerca a canasta. Haga una bandeja. Su compañero sigue para capturar el rebote en caso necesario, con una jugada de fuerza para anotar. Intercambien posiciones y sigan el ejercicio. Cada jugador debe ejecutar cinco bloqueos y continuación y cinco bandejas a cada lado.

Para aumentar la dificultad

- Añada un tercer jugador al ejercicio: un defensor. Tras ejecutar el pase de pecho, disponga un bloqueo hacia el interior (zona) del defensor del receptor.

Prueba

- Realice una parada en dos tiempos al recoger el balón, cayendo primero sobre su pie interior.
- Cuando tenga el balón, adopte una posición de triple amenaza.
- Al aprovechar un bloqueo, roce el hombro exterior del bloqueador para impedir que un defensor traspase el bloqueo.

Comprobación de resultados

Concédase 1 punto por cada ejercicio de bloqueo y continuación correcto que ejecute a cada lado, hasta un máximo de 20 puntos. 16 puntos es una excelente puntuación.

Puntuación total ____

Ejercicio nº 2 de bloqueo y continuación

Defensa cambiante (dos contra dos)

Este ejercicio aporta práctica en la ejecución de bloqueo y continuación contra una defensa cambiante. El ejercicio requiere cuatro jugadores: dos en ataque y dos en defensa. Comience con el balón en una línea lateral fuera de la zona y de espaldas a canasta. Pásese a usted mismo, haciendo rebotar el balón en diagonal a través de la zona hasta el codo opuesto. Recoja el balón con una parada uno-dos, cayendo primero sobre su pie interior. Pivote hacia el centro, mire el aro y realice un paso de salida. Plantee una triple amenaza de lanzar, pasar o penetrar.

Al rebotar el balón, su compañero corre hacia la línea lateral opuesta, realiza un brusco cambio de dirección y recorre la zona hasta el codo del lado opuesto a donde usted se encuentra. Realice un pase de pecho al otro jugador de ataque y disponga un bloqueo hacia el interior (zona) del defensor de su compañero. El defensor debería cambiar de posición mientras su compañero bota al pasar por el bloqueo. Gire hacia canasta. Si el defensor sigue defendiéndole en su giro, revolviéndose del bloqueo hacia canasta, puede usted salir para recibir un pase con el que realizar un tiro en suspensión.

Cada canasta vale 2 puntos. Si a un atacante se le hace falta y su tiro va dentro, tiene derecho a un tiro libre adicional. Si al hacerle falta, el atacante falla el tiro, tiene derecho a dos tiros libres. Si el bando atacante recupera el rebote tras un tiro fallado, puede seguir jugando al ataque hasta anotar, hasta que pierdan el balón o hasta que la defensa robe el balón o capture el rebote y boten hasta pasada la línea de tiros libres. Intercambien los papeles. Jueguen hasta que un equipo anote 7 puntos.

Prueba

- Haga una parada en dos tiempos cuando recoge el balón, cayendo primero sobre su pie interior.
- Luche por los rebotes y siga jugando hasta que la defensa se haga con el balón o hasta que realice el tiro.
- Comuníquese con su compañero.

Comprobación de resultados

Este es un ejercicio competitivo. El primer equipo que consiga anotar 7 puntos gana el partido. Concédase 5 puntos si es su equipo el ganador.

Puntuación total ____

El bloqueo y salida (figura 7.10) se utiliza cuando su defensor se abre (retrocede) para permitir al defensor al que usted hace bloqueo que se deslice bajo el bloqueo. En lugar de girar, puede usted salir para recibir un pase y lanzar un tiro en suspensión. También puede hacerlo cuando la defensa cambia y el defensor al que hace el bloqueo rápidamente se revuelve en torno al bloqueo hacia canasta.

Figura 7.10 Bloqueo y salida

LOS DEFENSORES SE ABREN

1. Un jugador forma el bloqueo.
2. El cortador espera la formación del bloqueo.
3. El defensor del bloqueador se abre (retrocede) y su defensor se desliza bajo el bloqueo.
4. Los jugadores atacantes leen la defensa.

a

(continúa)

Figura 7.10 Bloqueo y salida *(continuación)*

SALIDA DESDE EL BLOQUEO

1. Salida desde el bloqueo hombro contra hombro.
2. Dé al menos dos botes al salir del bloqueo.
3. El bloqueador sale de repente.

b

EL BLOQUEADOR CONTINÚA EXTERIOR PARA UN TIRO EN SUSPENSIÓN

1. El compañero devuelve el balón al bloqueador.
2. El bloqueador lanza un tiro en suspensión.

c

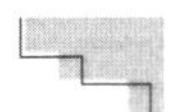

Error

Al entrar a canasta desde el bloqueo no crea el espacio suficiente, permitiendo que un contrario le defienda a usted y al bloqueador.

Corrección

Dé al menos dos botes fuera del bloqueo para crear espacio de tiro, o bien pasar al bloqueador para un tiro abierto.

Ejercicio de bloqueo y salida

Desmarcarse y deslizarse bajo la defensa (dos contra dos)

En este ejercicio practicará la ejecución de un bloqueo y salida contra una defensa deslizante. Este ejercicio se parece al de defensa cambiante en la sección bloqueo y continuación, salvo en que los dos defensores adoptan una defensa deslizante en lugar de cambiante. El defensor del bloqueador se desmarca (retrocede) para permitir que el defensor que está sufriendo el bloqueo pueda deslizarse bajo la pantalla y perseguir al jugador que bota. Tras retroceder, el primer defensor se recupera a posición defensiva sobre el bloqueador.

Cuando, al disponer un bloqueo, su defensor se abre (retrocede) permitiendo que el defensor que sufre el bloqueo se deslice bajo ésta, en lugar de rodearla, salga explosivo para recibir un pase para un tiro con ventaja. Su compañero puede ejecutar un tiro en suspensión, o bien pasarle a usted para que lance en suspensión si su defensor no se recupera tras el retroceso.

Cada canasta vale 2 puntos. Si un jugador atacante recibe falta y el tiro entra, se le concede un tiro libre adicional. Si el jugador atacante recibe falta y su lanzamiento falla, puede lanzar dos tiros libres. Si el bando atacante recupera el rebote en un tiro fallido, puede seguir jugando hasta anotar, hasta que se produzca una pérdida de balón o hasta que la defensa se haga con el balón en un robo o rebote y bote pasada la línea de tiros libres. Intercambien posiciones. Jueguen hasta que un bando anote 7 puntos.

Prueba

- Tras disponer la pantalla, salga explosivamente para recibir el pase.
- Comuníquese con su compañero.

Comprobación de resultados

Este es un ejercicio competitivo. El primer equipo que anote 7 puntos gana el partido. Concédase 5 puntos si su equipo es el ganador.

Puntuación total ____

Amague cuando su defensor reacciona a la pantalla y gire presionando fuertemente para permitir que su compañero utilice su giro de bloqueo (figura 7.11). Si su defensor le deja dar un paso hacia el jugador que bota mientras dispone la pantalla, finte y haga un corte a canasta para un pase de su compañero.

Figura 7.11 Deslizamiento de la pantalla

EL DEFENSOR DEL BLOQUEADOR SALE AFUERA

1. El jugador crea la pantalla.
2. El cortador espera la pantalla.
3. El defensor del bloqueador da un paso afuera.
4. Los jugadores atacantes leen la defensa.

a

(continúa)

Figura 7.11 Deslizamiento de la pantalla *(continuación)*

DESLIZAMIENTO DE LA PANTALLA

1. El bloqueador se desliza de la pantalla y corta hacia canasta.
2. Pase por encima de la cabeza al bloqueador.
3. El bloqueador hace una bandeja.

b

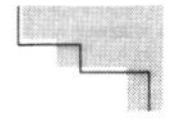

Error

No lee al defensor y se desliza de la pantalla antes de que su defensor dé un paso afuera, permitiendo a su defensor seguir defendiéndole.

Corrección

Lea a su defensor. Espere a que su defensor dé un paso afuera antes de deslizarse del bloqueo y cortar hacia canasta.

Ejercicio de deslizamiento de la pantalla

Defensa de ayuda y recuperación (dos contra dos)

Este ejercicio requiere cuatro jugadores, dos en ataque y dos en defensa. Los dos defensores utilizan una defensa de ayuda y recuperación cuando un jugador atacante bota al pasar el bloqueo dispuesto por su compañero.

Comience con el balón en un pasillo fuera de la zona y de espaldas a canasta. Pásese a usted mismo haciendo rebotar el balón en diagonal a través de la zona hasta la esquina opuesta. Recoja el balón con una parada en dos tiempos, descansando primero el pie interior. Pivote hacia el centro, mire al aro y realice un paso de penetración. Conviértase en una triple amenaza de lanzar, pasar o penetrar.

Al rebotar el balón, su compañero corre hacia el pasillo opuesto, realiza un brusco cambio de dirección y recorre la línea de zona hasta la esquina del lado opuesto al que se encuentra usted. Realice un pase de pecho a su compañero y plantee un bloqueo en el interior (lado de la zona) sobre el defensor de su compañero. Su defensor ayudará al otro defensor interponiéndose al atacante que bota. Tras ese enfrentamiento, el primer defensor recupera una posición defensiva sobre el bloqueador. Su compañero puede entonces entrar a canasta para una bandeja, lanzar un tiro en suspensión o devolverle el balón si su defensor no consigue recuperarse tras la ayuda. Otra opción de que usted dispone es deslizarse del bloqueo *(early release).* Si su defensor decide defender el bloqueo y continuación interponiéndose pronto para frenar a su compañero, deslícese del bloqueo y haga un corte a canasta para recibir un pase de su compañero de ataque.

Cada canasta vale 2 puntos. Si se comete falta sobre un jugador atacante y el tiro entra, el lanzador dispone de un tiro libre adicional. Si se comete falta sobre un jugador atacante y el tiro no entra, el lanzador dispone de dos tiros libres. Si el bando atacante recupera el rebote tras un tiro fallido, puede seguir jugando al ataque hasta anotar, hasta perder el balón o hasta que la defensa se haga con el balón en un robo o un rebote, y bote hasta pasada la línea de tiros libres. Intercambien posiciones. Jueguen hasta que un equipo anote 7 puntos.

Prueba

- Haga una parada en dos tiempos al recoger el balón, descansando primero sobre su pie interior.
- Comuníquese con su compañero.
- Lea la defensa y reaccione ante lo que los defensores pretenden hacer.

Comprobación de resultados

Este es un ejercicio competitivo. El primer equipo que anote 7 puntos gana el partido. Concédase 5 puntos si su equipo ha sido el ganador.

Puntuación total ____

Cuando ambos defensores reaccionan al bloqueo y continuación, encerrando al jugador con el balón cuando usted dispone el bloqueo, hay un ajuste diferente que resulta ventajoso, llamado *salir del 2 contra 1* (figura 7.12). Cuando se produce el encierro, el jugador con el balón debe retroceder en el bote para estrechar la defensa y crear espacio. El jugador que bota puede entonces deshacer la trampa o pasar al bloqueador moviéndose a un área libre. Entonces la defensa quedará desequilibrada y usted estará en condiciones de penetrar o pasar al compañero para un tiro con ventaja.

Figura 7.12 Salir del 2 contra 1

EL DEFENSOR DEL BLOQUEADOR SALE AFUERA

1. Un jugador dispone la pantalla.
2. El cortador espera la pantalla.
3. Los defensores encierran el balón.
4. Los jugadores atacantes leen la defensa.

a

(continúa)

Figura 7.12 Salir del 2 contra 1 *(continuación)*

SALIR DEL 2 CONTRA 1

1. Botar el balón de retroceso para salir del cerco (al menos dos botes).
2. El bloqueador corta hacia un área abierta y pide el balón.
3. Pase por encima de la cabeza al bloqueador o deshaga el cerco con un bote de salida a canasta.

a

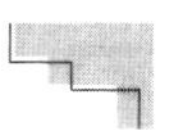

Error

Deja de botar y permite que la defensa lo encierre.

Corrección

Dé al menos dos botes fuera del bloqueo para crear el espacio abierto que le permita lanzar o pasar al bloqueador en un giro o salida repentina. Mantenga vivo el bote con un bote de retroceso para salir del cerco y crear espacio para pasar al bloqueador, o con un bote del balón de penetración.

Ejercicio salir del 2 contra 1 *Dos contra dos*

Este ejercicio requiere cuatro jugadores, dos en ataque y dos en defensa. Los dos defensores planean una trampa contra su bloqueo.

Comience con el balón en un pasillo fuera de la zona y de espaldas a canasta. Pásese a usted mismo haciendo rebotar el balón en diagonal a través de la zona hacia la esquina opuesta. Recoja el balón con una parada en dos tiempos, cayendo primero sobre su pie interior. Pivote hacia el centro, mire al aro y realice un paso de penetración. Conviértase en triple amenaza de lanzar, pasar o penetrar.

Al rebote del balón, su compañero corre hacia el pasillo opuesto, realiza un brusco cambio de dirección y recorre la línea de zona hasta la esquina, en el lado opuesto al que usted se encuentra. Realice un pase de pecho a su compañero y disponga un bloqueo en el interior (lateral de la zona) del defensor de su compañero. El defensor del jugador-bloqueador encierra al botador mientras se dispone el bloqueo. Si ambos defensores encierran al botador durante el bloqueo, usted debería ajustar para deshacer 2 contra 1. Su compañero debe realizar un bote de retroceso para salir de la defensa. El botador puede salir del cerco con un bote de penetración o un pase al bloqueador moviéndose hacia un área libre. Después de recibir el pase, la defensa estará desequilibrada y usted se encontrará en posición de entrar a canasta.

Cada canasta vale 2 puntos. Si se comete falta sobre un jugador atacante, éste dispondrá de un tiro libre adicional si su lanzamiento ha entrado. Si el lanzamiento no ha entrado, dispondrá de dos tiros libres. Si el bando atacante recupera el balón en un rebote tras un tiro fallado, pueden seguir jugando al ataque hasta anotar, hasta que se produzca una pérdida de balón o hasta que el bando defensor robe el balón o consiga un rebote y bote hasta pasada la línea de tiros libres. Intercambien posiciones. Jueguen hasta que un equipo logre anotar 7 puntos.

Prueba

- Haga una parada en dos tiempos al recoger el balón, descansando sobre su pie interior.
- Comuníquese con su compañero.
- Alargue la defensa.

Comprobación de resultados

Este es un ejercicio competitivo. El primer equipo que anote 7 puntos gana el partido. Concédase 5 puntos si su equipo es el ganador.

Puntuación total ____

FLASH Y CORTE POR PUERTA ATRÁS

Un flash es un corte veloz hacia el balón. El flash y el corte por puerta atrás (figura 7.13) implica a tres jugadores: un pasador, un receptor estrechamente marcado y un jugador que hará el flash. Cuando un defensor priva a un compañero de alcanzar el balón y usted es el jugador más próximo a ese receptor obstaculizado, debería automáticamente continuar a un área libre, entre el pasador y su compañero sobredefendido. Una continuación al exterior hacia el balón alivia la presión defensiva sobre sus dos compañeros, dándole al pasador otro objetivo de pase. Un flash no sólo impide una posible pérdida de balón, sino que también puede crear una oportunidad de encestar cuando se combina con un oportuno corte por puerta atrás del receptor.

Mientras realice el flash, indique el corte con la palabra clave *flash*. Para ejecutarlo, diríjase con las dos manos hacia arriba para recibir el pase. Al recibir el balón, haga una parada en dos tiempos, descansando primero con su pie interior (el más cercano a canasta). Recoja el balón y mire a su compañero sobredefendido, que debería poder hacer un corte por puerta atrás hacia canasta. Haga un pivote en reverso y un pase picado al compañero que corta hacia canasta por puerta atrás para una bandeja. Si su compañero es cubierto en el corte por puerta atrás, haga un giro frontal para convertirse en una triple amenaza de lanzar, penetrar o pasar.

Debería hacer flash de manera automática siempre que vea a un compañero estrechamente defendido y no pueda recibir un pase en el perímetro. También puede hacer flash al poste alto cuando un compañero está cubierto en el poste bajo, o puede hacerlo al poste bajo cuando un compañero está sobredefendido en el poste alto.

El éxito del flash y el corte por puerta atrás se basa en la comunicación entre compañeros y en realizar el corte por puerta atrás del receptor en el momento oportuno. Al emplear la palabra clave se indica al pasador que está haciendo flash y alerta a su compañero sobredefendido de que corte por puerta atrás después de que usted reciba el pase. El compañero sobredefendido debería desbordar a la defensa dando un paso en sentido contrario a canasta antes del corte por puerta atrás. El flash y el corte por puerta atrás requieren estar alerta y el momento oportuno para ejecutarlo con rapidez y eficiencia.

Figura 7.13 Flash y corte por puerta atrás

IDENTIFIQUE A UN COMPAÑERO SOBREDEFENDIDO

1. Identifique a un compañero sobredefendido.
2. Finte a un lado.

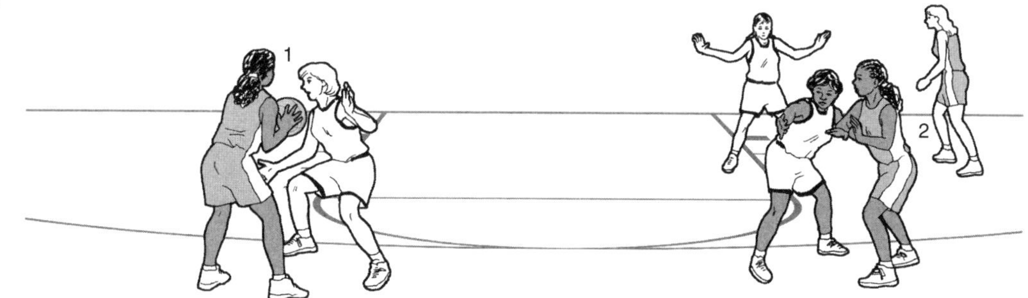

a

FLASH

1. Grite "¡Flash!" y haga flash hacia el balón.
2. Recoja el pase.
3. Haga una parada en dos tiempos, descansando primero el pie interior.
4. El compañero sobredefendido da un paso largo.

b

CORTE POR PUERTA ATRÁS

1. El compañero sobredefendido realiza un corte por puerta atrás.
2. Pivote en reverso.
3. Pase picado al cortador por puerta atrás.

c

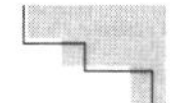

Error

El corte por puerta atrás se hace demasiado pronto.

Corrección

El corte por puerta atrás puede ser realizado oportunamente alejándose de canasta mientras el balón es atrapado por el cortador flash y luego por puerta atrás.

Ejercicio nº 1 de flash y corte

Pasar y cortar (tres contra cero)

Este ejercicio requiere tres jugadores. El jugador nº 1 comienza con el balón en el punto central del círculo de tres puntos. Los jugadores nº 2 y 3 comienzan a derecha e izquierda de aquél (línea de tiros libres prolongada), respectivamente. El jugador nº 1 pasa bien al nº 2 o al nº 3, y da uno o dos pasos en sentido contrario al balón y hacia el lado débil. El jugador nº 1 ejecuta entonces un brusco cambio de dirección y corta hacia canasta. Mientras hace esto, el jugador del lado débil le reemplaza en el punto inicial. El alero que recibió el pase debe pasar en picado al jugador nº 1 cuando corta a canasta, para luego pasar al jugador que ahora ocupa su posición. Si el balón es pasado al punto central, el jugador nº 1 se mueve a la posición abierta de alero dejada libre cuando el jugador se situó en el punto central. Continúe el ejercicio: el jugador en el punto central pasa a cualquier ala y corta hacia canasta, y el alero finta un pase al cortador antes de pasar de nuevo al punto central. Realice al menos cinco pases antes de pasar el balón a un jugador que corta desde el punto central a canasta para una bandeja. Prosiga el ejercicio hasta un total de 30 pases y bandejas sin error.

Prueba

- Pase y corte con precisión.
- Realice el ejercicio continuamente y con fluidez.
- Trate de realizar 30 pases y bandejas consecutivos sin error.

Comprobación de resultados

Menos de 20 pases y bandejas sin error = 0 puntos
20-24 pases y bandejas sin error = 1 punto
25-29 pases y bandejas sin error = 3 puntos
30 pases y bandejas sin error = 5 puntos
Puntuación total ____

Ejercicio nº 2 de flash y corte

Pase y salida de bloqueo (tres contra cero)

Este ejercicio requiere tres jugadores. Comience en las mismas posiciones del ejercicio anterior. Al pasar al jugador de cualquier ala, amague un corte a canasta antes de plantear un bloqueo fuera del balón a un defensor imaginario en el lado débil (una silla puede representar ese papel). El alero del lado débil tiene cuatro opciones al utilizar el bloqueo: el corte frontal, el corte por puerta atrás, el desmarque hacia afuera y el desvío. Si el alero del lado débil utiliza su bloqueo para cortar a canasta con el corte frontal o el corte por puerta atrás, usted debería retroceder rápidamente hacia el balón. Si el alero del lado débil sale disparado hacia el balón para recibir un posible pase para un tiro exterior en suspensión, usted debería girar a canasta abriéndose hacia el balón con un pivote en reverso sobre su pie interior (el más cercano a canasta) y zafarse así de un defensor imaginario. Si el alero del lado débil se aleja del balón, usted puede realizar un desmarque hacia afuera o girar hacia canasta, según cómo se imagine que el defensor tratará de actuar.

El alero que recibe el pase puede hacer un pase picado al jugador que corta a canasta, pasar al jugador que sale disparado, lanzar un pase cortado (un pase que pasa por encima del receptor más próximo) al jugador que se ha desmarcado o bien pasar o botar el balón hasta el punto central. El jugador que recibe el pase en un corte a canasta debería hacer una bandeja, para hacerse con el rebote en caso de un eventual fallo. Tras un desmarque hacia afuera o un desvío, el receptor puede optar por el tiro exterior o pasar de nuevo al punto central para reiniciar el pase y juego de bloqueo.

Intercambien posiciones y continúen el ejercicio. Cada jugador debe ejecutar cinco salidas de bloqueo y cinco reacciones según cómo se defienda el bloqueo.

Prueba

- Comuníquese con sus compañeros.
- Adopte la técnica adecuada para el juego con bloqueos.
- Tome la decisión correcta como reacción a lo que sus compañeros y la defensa están haciendo.

Comprobación de resultados

Concédase 1 punto por cada bloqueo correcto y por cada reacción correcta en la práctica del bloqueo.

3 o menos puntos = malo
4-5 puntos = aceptable
6-7 puntos = bueno
8-10 puntos = excelente
Puntuación total ____

Ejercicio nº 3 de flash y corte **Flash por puerta atrás (tres contra cero)**

Comience como en los dos ejercicios anteriores de flash y corte. Tras pasar al alero de la derecha o de la izquierda, amague un bloqueo antes de cortar hacia canasta. El alero del lado débil se mueve para reemplazarle en el punto central. Asuma que un defensor imaginario le está impidiendo un pase hacia su compañero del lado débil y flash hacia la esquina del lado fuerte para recibir un pase, gritando *flash*. Cuando reciba el pase en la esquina después de su flash, el jugador del punto central hace un corte por puerta atrás a canasta. Pivote en reverso sobre su pie interior y dé un pase picado al compañero que está cortando por puerta atrás. Al recibir el pase, el cortador hace una bandeja, cogiendo el rebote en caso de fallo con una jugada de fuerza.

Intercambien posiciones y continúen con el ejercicio. Cada jugador pasa y corta desde el punto central, flashes hacia el lado débil y hace pivotes en reverso para un pase picado al cortador por puerta atrás de cada lado.

Prueba

- Indique verbalmente a sus compañeros cuando va a flash hacia la esquina del lado fuerte.
- Tome la decisión correcta al reaccionar ante lo que sus compañeros y la defensa están haciendo.

Comprobación de resultados

Concédase 1 punto por cada flash y cada pivote de reverso y pase picado al cortador por puerta atrás.

13 puntos o menos = malo
14-15 puntos = aceptable
16-17 puntos = bueno
18-20 puntos = excelente
Puntuación total ____

BLOQUEO CON BOTE Y OCHO

Un bloqueo con bote se produce cuando bota hacia su compañero para entregarle el balón, mientras usted hace bloqueo sobre el defensor de su compañero. Para ejecutar esta jugada, bote hacia el interior de su compañero. Éste finta y luego corta hacia el exterior y por detrás de usted para recibir el balón. Para entregar el balón, pivote sobre su pie interior (el más cercano a canasta), situando su cuerpo en el camino del defensor de su compañero. Esté preparado para el contacto durante la entrega del balón. Mantenga una postura fuerte y equilibrada y utilice su cuerpo y las dos manos para proteger el balón. Después de recibir el balón, su compañero debería plantear la triple amenaza de lanzar, penetrar o pasar. Después de la entrega, lea la defensa y gire a canasta, salga disparado o apártese del balón hacia un área abierta.

El bloqueo con bote se usa para ejecutar un *ocho*, otra jugada básica del baloncesto, en la que al menos tres jugadores plantean bloqueos con bote para cada uno de ellos. Por ejemplo: usted comienza el ocho con un bloqueo en bote y entrega el balón a su compañero. El receptor del balón tiene varias opciones: lanzar con la protección del bloqueo, entrar a canasta o continuar el ocho botando hacia otro compañero para un bloqueo en bote y entrega (figura 7.14). El ocho prosigue hasta que alguien aprovecha una ventaja para un lanzamiento o penetración a canasta.

Con experiencia, usted y sus compañeros de equipo aprenderán a leer cómo se defiende el ocho a fin de elegir cómo reaccionar a una entrega, a una finta de entrega o a un corte por puerta atrás para crear una apertura de tiro. El ocho crea diversas oportunidades de anotar y constituye otro espléndido ejemplo de juego colectivo.

Figura 7.14 Ocho: lanzamiento, entrada u ocho

LOS DEFENSORES SE DESMARCAN Y ACUDEN

1. El botador comienza el ocho botando hacia su compañero interior, planteando un bloqueo con bote.
2. El receptor da un paso afuera antes de cortar hacia el exterior del botador para entrega.
3. El defensor del botador se desmarca (paso en retroceso) y el defensor del receptor se desliza bajo el bloqueo.
4. Los jugadores atacantes leen la defensa.
5. El botador entrega el balón al receptor.

a

LANZAMIENTO, ENTRADA U OCHO

1. El receptor lanza un tiro en suspensión, penetra a canasta o sigue con el ocho.
2. El bloqueador corta alejándose del balón.

b

Error

Mientras bota hacia su compañero para plantear el bloqueo con bote, choca con él.

Corrección

Para evitar el choque entre ambos, recuerde que el botador va hacia el interior y el receptor corta por detrás del botador hacia el exterior.

Una manera de defender el bloqueo con bote o el ocho es situarse en el camino del receptor para impedir la entrega (figura 7.15). Cuando es usted el receptor potencial y un defensor se interpone en su trayectoria, dé un paso al exterior y realice un corte por puerta atrás hacia canasta para un posible paso y bandeja.

Figura 7.15 Ocho: corte por puerta atrás

EL DEFENSOR IMPIDE LA ENTRADA

1. El botador comienza el ocho botando hacia su compañero interior, planteando un bloqueo con bote.
2. El receptor se aleja antes de cortar hacia el exterior del botador para entrega.
3. El defensor del receptor impide la entrega.
4. Los jugadores atacantes leen la defensa.
5. El receptor grita la palabra clave para el corte por puerta atrás.

a

PUERTA ATRÁS

1. El receptor corta por puerta atrás.
2. El botador da un pase por encima de la cabeza al jugador que corta por puerta atrás.

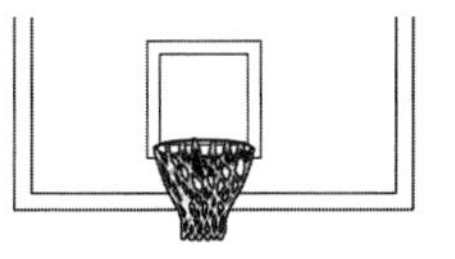

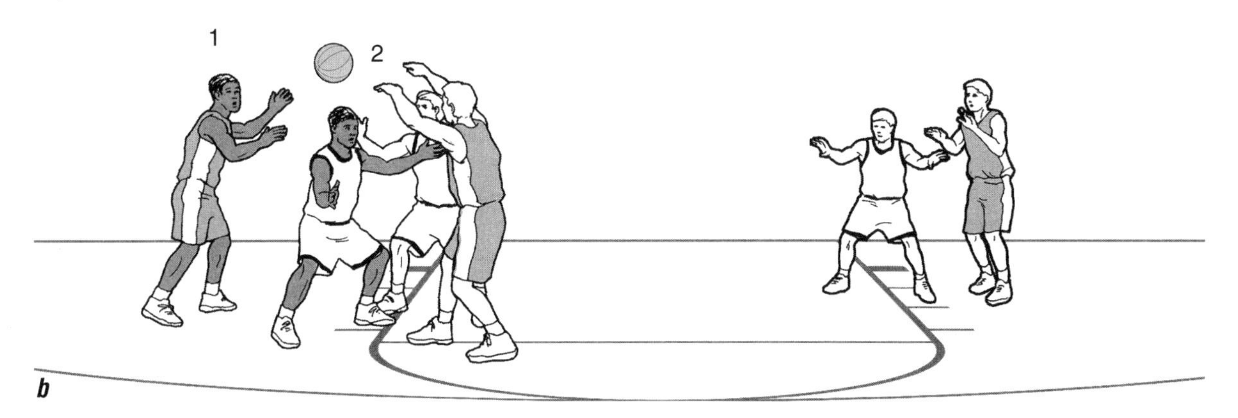

b

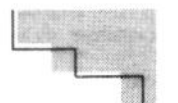

Error

Cuando se plantea un bloqueo con bote para usted, no lee la defensa. Por ejemplo: su defensor se interpone en su trayectoria y usted no consigue realizar el corte por puerta atrás.

Corrección

El éxito del ocho depende de leer y reaccionar al modo de actuar de la defensa. Aprenda a leer cómo va a ser defendido el bloqueo con bote y reaccione con una entrega, una finta de entrega, un corte por puerta atrás o un bote de retroceso para crear una apertura de tiro.

Un segundo defensa puede saltar para interponerse en la trayectoria del receptor (figura 7.16). Un salto cambiado es un cambio agresivo que se hace para sacar falta en ataque o para cambiar la dirección del jugador que recibe el balón. Para combatir un salto cambiado, realice un pequeño corte (de entre 1,5 a 3 m) hacia un área libre, después entregue el balón y busque una rápida devolución del mismo. Cuando prevea un salto cambiado, también puede amagar la entrega y entrar a canasta.

Figura 7.16 Ocho: finta de entrega y penetración

SALTO CAMBIADO DEL DEFENSOR

1. El botador comienza el ocho botando por el interior del compañero, planteando un bloqueo con bote.
2. El receptor se aleja antes de cortar hacia el exterior del botador para entrega.
3. Salto cambiado del defensor.
4. Los jugadores atacantes leen la defensa.

a

FINTA DE ENTREGA Y PENETRACIÓN

1. El botador finta la entrega y sigue botando.
2. El botador penetra a canasta entre los defensores.

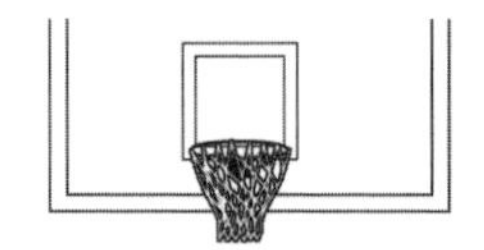

b

Error

Cuando plantea el bloqueo con bote, pierde el equilibrio.

Corrección

Espere un posible choque y mantenga el equilibrio ampliando la base y flexionando las rodillas en la entrega.

Otra forma de defender el ocho es que ambos defensores encierren al jugador que va a recibir el balón (figura 7.17). Cuando los contrarios realizan el cierre, su compañero debe dar un bote de retroceso para salir del 2 contra 1 y luego pasarle a usted, mientras hace un pequeño corte (entre 1,5 y 3 m) hacia un espacio libre. Después de recibir el pase, supere a la defensa y estará en condiciones de penetrar o pasar a un compañero para un tiro abierto.

Figura 7.17 Ocho: romper el 2 contra 1

ENCIERRO DE LOS DEFENSORES

1. El botador comienza el ocho botando por el interior de su compañero, planteando un bloqueo con bote.
2. El receptor se aleja antes de cortar hacia el exterior para entrega.
3. Los defensores encierran al receptor.
4. Los jugadores atacantes leen la defensa.

a

ROMPER EL CERCO

1. Bote de retroceso del receptor para romper el 2 contra 1.
2. El bloqueador hace un pequeño corte hacia un espacio abierto.
3. El bloqueador pide el balón.
4. Pase por encima de la cabeza al cortador o finta con bote de penetración.

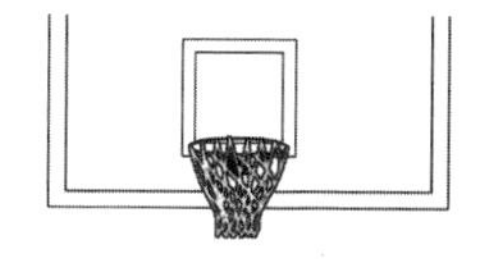

b

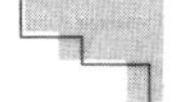

Error

Deja de botar y permite que la defensa le encierre.

Corrección

Siga botando con un bote de retroceso para salir del 2 contra 1 y crear espacio, a fin de poder pasar al cortador o romper el 2 contra 1 con un bote de penetración.

Ejercicio de ocho

Este ejercicio requiere tres jugadores. Comience como jugador nº 1, con el balón en el punto central de la línea de tiros de tres puntos. Los jugadores nº 2 y 3 comienzan en posiciones de alero derecho e izquierdo (línea de tiros libres prolongada), respectivamente.

Comience el ocho botando hacia uno de los aleros. Haga un bloqueo con el defensor del alero y bote hacia el interior. El alero corta hacia el exterior y detrás de usted para recibir el balón. El alero debe entonces convertirse en triple amenaza de lanzar, penetrar o pasar.

Después de la entrega, imagine cómo va a responder la defensa a la jugada y corra hacia canasta, salga o alejese del balón hacia un espacio libre. El receptor de la entrega tiene la opción de lanzar desde detrás del bloqueo, de entrar a canasta o de continuar el ocho botando hacia otro compañero para un bloqueo con bote y entrega.

El ocho continúa hasta que un miembro de su equipo aproveche una ventaja para un tiro o una penetración a canasta. Realice al menos cinco entregas, antes de pasar a un jugador que corte a canasta para una bandeja. Continúe el ejercicio hasta un total de 30 entregas y bandejas correctas.

Tres contra cero

Para aumentar la dificultad

- Añada un defensor.

Prueba

- Lea la defensa.
- Comuníquese con sus compañeros.
- Adopte la técnica correcta al realizar el ocho.

Comprobación de resultados

Menos de 15 entregas y bandejas correctas consecutivas = 0 puntos
15-19 entregas y bandejas correctas consecutivas = 1 punto
20-24 entregas y bandejas correctas consecutivas = 3 puntos
25-30 entregas y bandejas correctas consecutivas = 5 puntos
Puntuación total ____

Ejercicio de jugadas sin balón

Ataque en media pista contra una defensa pasiva (tres contra tres)

Este ejercicio requiere seis jugadores, tres en ataque y tres en defensa, a fin de jugar un partido en media pista de tres contra tres. Los tres defensores adoptarán una defensa pasiva (a medio gas) para permitir que los atacantes practiquen sus opciones ofensivas en situaciones de tres contra tres. Puesto que la defensa juega a medio gas, los jugadores atacantes reconocen qué tipo de defensa está siendo practicada, reaccionando con la opción ofensiva correcta, lo que les permitirá desarrollar confianza. Las opciones ofensivas son: pasar y cortar, pasar y salir del bloqueo, pasar y seguir el balón para un bloqueo y salida, flash por puerta atrás u ocho. Las opciones defensivas son: cambio, pasar, ayuda y recuperación o 2 contra 1.

El ejercicio comienza así: el equipo defensivo entrega el balón al equipo atacante en media pista. El equipo atacante logra 1 punto cada vez que anota. Si la defensa comete falta, el equipo atacante recibe el balón y comienza de nuevo. Si un jugador atacante falla un tiro y un compañero caza el rebote ofensivo, siguen jugando. La defensa logra 1 punto si consigue robar el balón o cazar un rebote y realiza un pase más allá de la línea de tiros libres o si obliga al equipo atacante a cometer alguna violación. El primer equipo que sume 5 puntos gana el partido. El bando defensor asume entonces el papel de atacante y el bando atacante, el de defensor.

Para aumentar la dificultad

- Practique contra una defensa activa (a todo gas).
- Practique el ejercicio sin botar, creando más oportunidades de practicar el pase y el corte, utilizando sobre todo el de puerta atrás y el flash por puerta atrás.

Prueba

- Lea la defensa y reaccione en consecuencia.
- Comuníquese con sus compañeros de equipo.
- Luche por los rebotes para mantener el balón vivo.

Comprobación de resultados

Este es un ejercicio competitivo. El primer equipo que logre 5 puntos gana el partido. Concédase 5 puntos si su equipo es el ganador.
Puntuación total ____

RESUMEN DEL JUEGO SIN BALÓN

Moverse de forma efectiva sin balón le convertirá en un jugador de equipo productivo. Incrementará las posibilidades de que su equipo gane el partido si puede moverse sin el balón, situándose en posición de recibir un pase.

En el paso siguiente estudiaremos la ejecución de un contraataque. Pero antes de seguir adelante, es preciso evaluar su comportamiento en los ejercicios de este paso. En cada uno de los ejercicios ofrecidos en el mismo, anote los puntos que ha obtenido y súmelos para poder evaluar el grado de su acierto general.

Ejercicio de corte por puerta atrás	
1. Dos contra cero	___ de 20
Ejercicio de pasar y continuar	
1. Dos contra cero	___ de 5
Ejercicios de bloqueo y continuación	
1. Dos contra cero	___ de 20
2. Defensa cambiante (dos contra dos)	___ de 5
Ejercicio de bloqueo y continuación	
1. Apertura y deslizamiento bajo defensa (dos contra dos)	___ de 5
Ejercicio de deslizamiento de bloqueo	
1. Defensa de ayuda y recuperación (dos contra dos)	___ de 5
Ejercicio de romper el 2 contra 1	
1. Dos contra dos	___ de 5
Ejercicios de Flash y corte	
1. Pasar y cortar (tres contra cero)	___ de 5
2. Pase y salida de bloqueo (tres contra cero)	___ de 10
3. Flash por puerta atrás (tres contra cero)	___ de 20
Ejercicio de ocho	
1. Tres contra cero	___ de 5
Ejercicio de jugadas sin balón	
1. Ataque en media pista contra una defensa pasiva (tres contra tres)	___ de 5
Total	***___ de 110***

Si ha conseguido 90 puntos o más, ¡enhorabuena! Ha dominado los fundamentos de este paso y está preparado para afrontar el octavo paso, el contraataque. Si ha conseguido menos de 90 puntos, debería invertir más tiempo en los fundamentos tratados en este capítulo. Practique de nuevo los ejercicios aquí propuestos a fin de dominar las técnicas e incrementar así su puntuación.

8.º PASO

El contraataque

El contraataque es emocionante tanto para los jugadores como para el público. El objetivo de un contraataque es avanzar el balón sobre la cancha para un tiro de alto porcentaje, bien superando a la defensa o bien privándola de la posibilidad de organizarse. El contraataque requiere una excelente condición física, un dominio de los fundamentos, trabajo colectivo y decisiones inteligentes.

El contraataque es importante por varias razones estratégicas. Primero, porque crea una forma fácil de anotar. Un equipo que debe trabajar duro para cada tiro en una lucha de equipo cinco contra cinco, defensa en media pista, tendrá problemas para vencer a un equipo que anota de forma consistente canastas en contraataques. Crear una fácil ocasión de anotar mediante ventaja numérica es el primer objetivo del contraataque. El dos contra uno y el tres contra dos, las ventajas numéricas más frecuentes, a menudo se traducen en una bandeja. El cuatro contra tres normalmente conduce a un lanzamiento en el poste alto. El cinco contra cuatro suele permitir un fácil movimiento del balón lejos del sector de la presión defensiva y un posible tiro abierto en el lado débil.

Un segundo objetivo es atacar antes de que los contrarios estén organizados para oponer una defensa colectiva o luchar por el rebote. El contraataque funciona bien contra las defensas en zona, porque los defensores no tienen tiempo de reorganizar sus puestos. La ventaja de un equipo en el contraataque sobre un equipo en media pista es combatir las defensas presionantes. Un contraataque de equipo está mejor preparado para encestar rápidamente antes de oponer la presión. Un contraataque de equipo es una respuesta más experta a la elaboración de cualquier otra jugada y generalmente suele anotar contra la presión mejor que limitarse a avanzar con el balón y pasar el medio campo, planteando una mayor amenaza al equipo presionante. Un ataque con contraataque también puede crear desequilibrios en las luchas uno contra uno.

Otro importante objetivo de efectuar un contraataque en baloncesto es motivar al equipo que lo realiza para jugar con una defensa dura y rebote. Una buena defensa y el rebote son las mejores formas de empezar el contraataque. El equipo que corre bien también suele disuadir al equipo contrario de enviar demasiados jugadores al rebote ofensivo por miedo a no disponer de jugadores suficientes que puedan defender el contraataque. Un estilo de contraataque es muy exigente y estimula al equipo a estar en óptima forma física.

El contraataque exige una forma física óptima, buenos fundamentos, trabajo colectivo y decisiones inteligentes. Pídale a un observador experto, como un entrenador, un instructor o un buen jugador que evalúe sus habilidades y capacidad de decisión en el mundo de realizar los diferentes contraataques.

CONTRAATAQUE EN TRES CALLES

El contraataque más habitual es el controlado en tres calles. En este contraataque controlado, la ejecución fundamental y una buena decisión importan más que la velocidad. El contraataque controlado tiene tres fases: comenzar el contraataque, tomar posiciones y finalizarlo con la opción anotadora correcta.

Para iniciar el contraataque debe primero lograr posesión de balón, lo que requiere una buena defensa y rebote. La defensa agresiva crea oportunidades de hacerse con el balón tras tiros fallados o bloqueados, robos, intercepciones o violaciones del contrario. Rebotear el balón rápidamente después de que un contrario anote en campo o en un tiro libre, también concede la oportunidad de iniciar un contraataque.

Tras lograr posesión, grite una palabra clave como *balón*. Inmediatamente mire hacia adelante de la cancha para pasar a un compañero desmarcado para una bandeja sin oposición. Cuando la oportunidad de un contraataque no existe, es preciso un rápido pase al base (el mejor conductor de balón y armador de juego). Tal y como se muestra en la figura 8.1, el reboteador (5) da un pase al base (1). Los jugadores 2 y 3 corren para ocupar las calles exteriores. Cuanto más rápido lance el balón, tanto mejor, siempre y cuando el pase llegue a destino. Si hay mucha congestión o está encerrado bajo la canasta rival al rebotar, dé uno o dos botes de fuerza hacia el centro y luego busque un pase largo al base. Si éste no está desmarcado, pase a otro compañero o al lado débil de la cancha.

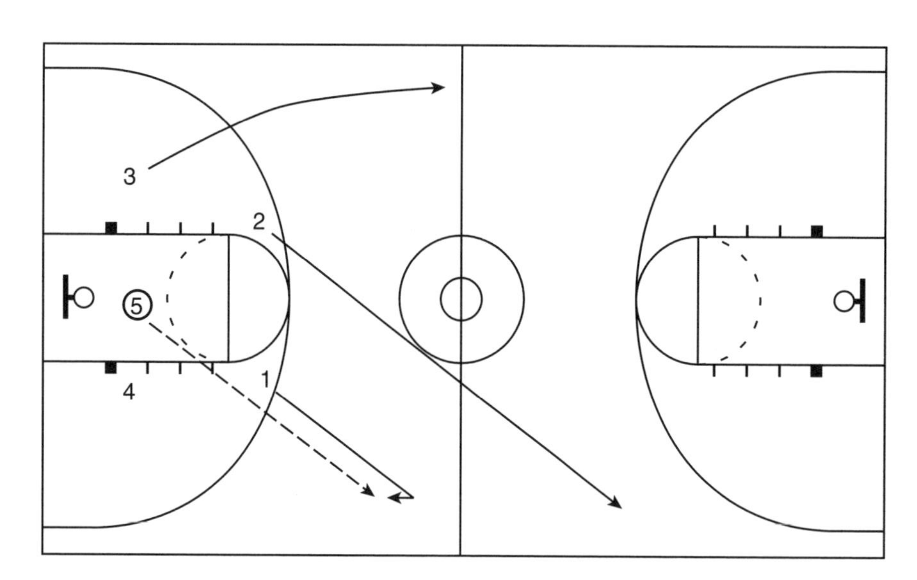

Figura 8.1 Contraataque: el reboteador pasa al base.

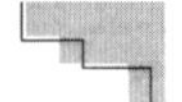

Error

Como base que recibe un pase de salida, usted bota antes de mirar hacia adelante de la cancha.

Corrección

Recoja el balón con una parada en dos tiempos, pivote hacia el centro, vea el aro y luego trate de avanzar el balón hacia adelante rápidamente con un pase o botando.

El base debe manejar el balón en medio del contraataque. Debería desmarcarse para recibir un pase de salida en el área entre el centro del círculo y media pista al lado en que rebotó el balón, pidiéndolo con una palabra clave, como *salida*. Si la defensa le impide recibir un pase en ese sector, el base debería realizar un corte por puerta atrás hacia su canasta. Como puede verse en la figura 8.2, el base (1) realiza un corte por puerta atrás al no poder recibir un pase. Cuando el reboteador se encuentra en un área congestionada o está encerrado, el pívot (5) bota hacia el centro y da un pase de salida al jugador 1 o al 3. Cuando el base no está disponible, un compañero, en especial en el lado débil, debería retroceder rápidamente hacia el balón, luego pasar al base en un corte por puerta atrás hacia la canasta o en un corte frontal hacia el balón. Si el reboteador tiene problemas y no puede dar un pase de salida, el base debería acudir hacia ese jugador para recibir un pase corto o entrega. El base debería pedir el balón y acercarse a recibir el pase, recogiendo el balón en una parada en dos tiempos, pivotar hacia el centro, localizar el aro y luego tratar de avanzar el balón rápidamente por la pista con un pase o botando el balón.

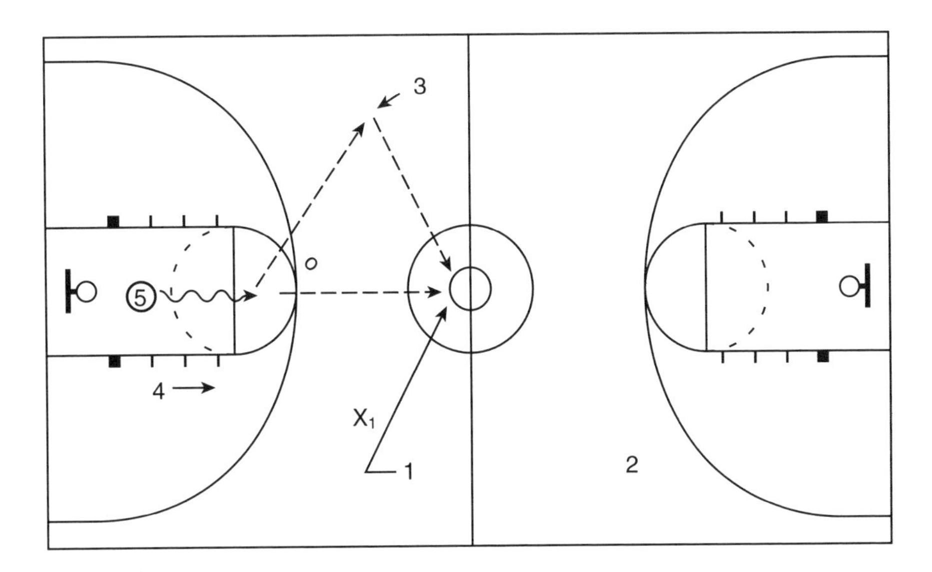

Figura 8.2 Contraataque: El base corta por puerta atrás al no poder recibir un pase.

Error

Siendo usted el base, la defensa no le permite recibir un pase.

Corrección

Cuando no puede recibir un pase, realice un corte por puerta atrás hacia su propia canasta. Indique ese corte con una palabra clave, como *ojo.* Si el reboteador tiene problemas, retroceda hasta el balón para recibir un pase corto o una entrega, gritando "¡balón!" para pedirlo.

Tras recibir el pase de salida, mire de inmediato cancha arriba por si existe la posibilidad de pasar adelante a un compañero libre para un contraataque sin oposición y bandeja o una oportunidad de anotar en un dos contra uno. Cuando es usted el base y no existe la posibilidad de un pase rápido, siga botando cancha arriba hasta media pista. Indique la jugada gritando "¡medio!". Cuando no es usted el base y no existe la posibilidad de un pase rápido, trate de pasar el balón al base en medio de la cancha.

Para ejecutar el contraataque controlado en tres calles (figura 8.3), piense en la cancha como si estuviese dividida en tres calles. Durante el contraataque, el base (nº 1) manejará el balón en la calle central, indicando esto con la palabra clave *centro*. El escolta (nº 2) será un alero y ocupará una de las calles laterales, y un alero (nº 3) actuará como tal y ocupará la otra calle lateral.

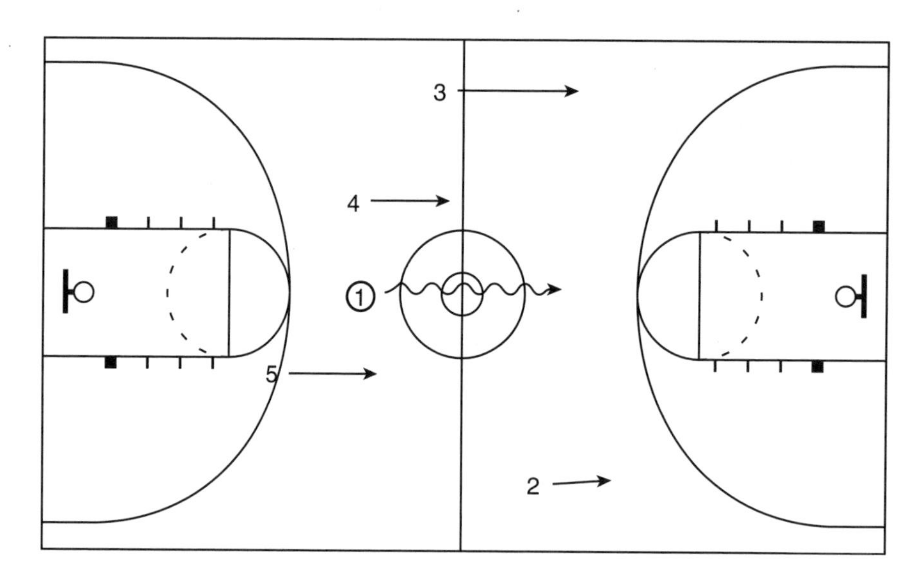

Figura 8.3 Ocupación de las calles en el contraataque.

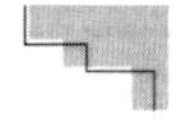

Error

Un jugador que no es el base conduce el balón hasta el centro, de lo que resulta una posible pérdida de balón con la consiguiente oportunidad de anotar perdida.

Corrección

El base debe pedir el balón y, en caso necesario, incluso arrebatárselo de las manos a un compañero.

Si dos jugadores se encuentran en la misma calle, el que esté más retrasado debe cruzar rápidamente a la otra calle lateral. Las calles deben anunciarse. El jugador que se dispone a ocupar la calle derecha debe gritar "¡derecha!" y el jugador que se dispone a ocupar la calle izquierda debe gritar "¡izquierda!". Los extremos deben permanecer vacíos, más o menos a un metro y medio de la línea lateral, y correr por delante del balón. Los demás jugadores, el ala-pívot (nº 4) y el pívot (nº 5) avanzarán a remolque. El primer remolque (normalmente, el mejor jugador en el poste alto) toma posición en torno a un metro de distancia y a la izquierda del jugador central y grita "¡remolque izquierdo!". El segundo remolque (normalmente, el mejor pasador y tirador exterior de los pívots) sigue el juego cancha arriba, cumpliendo la función de seguro defensivo.

Ejercicio nº 1 de contraataque en tres calles

Pase paralelo en calles

Este ejercicio requiere tres jugadores. Sitúense en tres calles separadas por igual a lo largo de la línea de fondo. El jugador de la calle central comienza con el balón. Este jugador bota en alto el balón en el tablero y recoge el rebote con las dos manos gritando "¡Balón!". A este rebote, el alero de la derecha corre hacia una posición de salida, pasada la línea de tiros libres prolongada, gritando "¡Salida!". El reboteador hace un pase de salida a dos manos por encima de la cabeza al alero derecho, más allá de la línea de tiros libres prolongada. El reboteador corre hacia el centro gritando "¡Centro!" y recibe un pase de pecho. El alero izquierdo esprinta hacia delante gritando "¡Izquierda!". El jugador de la calle central hace un pase de pecho al alero izquierdo, que se ha situado por delante. Continúe el ejercicio subiendo por la cancha, pasándose cada jugador y esprintando en calles paralelas indicándolas en voz alta.

Cuando el balón es recibido más allá de la línea de tiros libres en la canasta contraria, el jugador del centro da un pase picado al lado débil para un tiro lateral en suspensión. Con la línea de tiros prolongada, cada alero debería cortar en un ángulo de 45 grados a canasta. El alero que recibe el pase lanza un tiro lateral en suspensión desde 4,5/5 metros. El otro alero debería seguir el tiro, preparado para recoger el rebote en caso de fallo y anotar con una jugada de fuerza. Tras anotar, intercámbiense las calles: el jugador central pasa a ocupar la calle derecha, el de la derecha la izquierda y el de la izquierda pasa a la calle central. Continúen con el ejercicio en sentido inverso. Cada jugador debería realizar tres tiros laterales en suspensión desde cada lado de la canasta, hasta un total de seis tiros laterales en suspensión.

Prueba

- Comuníquese verbalmente con sus compañeros anunciando la calle.
- Mantenga la distancia apropiada entre calles.
- Realice pases precisos.

Comprobación de resultados

Concédase 1 punto por cada tiro lateral en suspensión anotado, hasta un máximo de 6 puntos. Una puntuación de 5 o 6 aciertos es excelente.

Puntuación total ____

Ejercicio nº 2 de contraataque en tres calles

Pasar y seguir (trenzas u ochos)

Este ejercicio requiere tres jugadores, que se sitúan del mismo modo que en el ejercicio anterior. Tras realizar un pase de salida a dos manos por encima de la cabeza a la calle derecha, el reboteador sigue el pase esprintando detrás del jugador al que ha pasado el balón, ocupando la calle derecha y gritando "¡Derecha!". El jugador de la calle izquierda esprinta entonces hacia la calle central y grita "¡Centro!". El jugador de la calle derecha hace un pase de pecho al jugador ahora en el centro, sigue el pase esprintando detrás del jugador al que ha pasado, ocupando la calle izquierda y gritando "¡Izquierda!". Continúe el ejercicio cancha arriba con cada jugador pasando y saliendo tras el jugador que ha recibido el pase, creando un modelo de ochos y ocupando la calle que anuncia en voz alta. Cuando el balón es recibido sobre la línea de tiros libres, en el área contraria, el jugador central realiza un tiro lateral en suspensión. En la línea de tiros libres prolongada, cada alero debe cortar en un ángulo de 45 grados a canasta, prosiguiendo como en el ejercicio anterior. Cada jugador debe disponer de tres lanzamientos en suspensión desde cada lado, es decir, un total de seis tiros en suspensión cada uno.

Prueba

- Comuníquese verbalmente con sus compañeros, anunciando la calle.
- Mantenga la distancia adecuada entre calles.
- Realice pases precisos.

Comprobación de resultados

Concédase 1 punto por cada tiro lateral en suspensión anotado, hasta un máximo de 6 puntos. Una puntuación de 5 ó 6 puntos es excelente.

Puntuación total ____

CONTRAATAQUE DOS CONTRA UNO

El contraataque dos contra uno es una forma veloz de subir el balón por la cancha y anotar con una bandeja. Debidamente ejecutada, el dos contra uno es un excelente ejemplo de juego de equipo y una de las jugadas más emocionantes del baloncesto. Cuando tiene posesión de balón, debería mirar inmediatamente hacia adelante, leer la situación atacante y actuar en consecuencia. Vea, por ejemplo, si el contraataque dos contra uno es una opción posible.

Cuando usted y un compañero reconocen una situación de contraataque dos contra uno, deberían inmediatamente alertarse mutuamente gritando "¡Dos contra uno!". Mueva el balón hacia adelante, pasándose una y otra vez, manteniendo la posición abierta de calle (es decir, con una separación de unos 3,50 metros o el ancho de la calle de tiros libres). Si están más separados, los pases serán más largos y podrán ser interceptados con mayor facilidad, creando un contraataque más lento. Si, por otra parte, la distancia es menor, el defensor puede ocuparse más fácilmente de ambos jugadores atacantes.

Cuando tiene el balón y se acerca al área de anotación, delante de la línea de tres puntos, debe decidir si pasar o entrar a canasta. Las buenas decisiones son el resultado de una buena lectura de la defensa. Cuando el defensor le presiona y se interpone en su línea de penetración, pase al compañero desmarcado que corta hacia canasta (figura 8.4). Dé un rápido pase cruzado de la mano interior, en el caso de un jugador bajo, y un globo a dos manos, en el caso de un compañero alto o alguien con gran capacidad de salto. Tanto el bote como el pase en globo son menos susceptibles de ser interceptados que un pase de pecho.

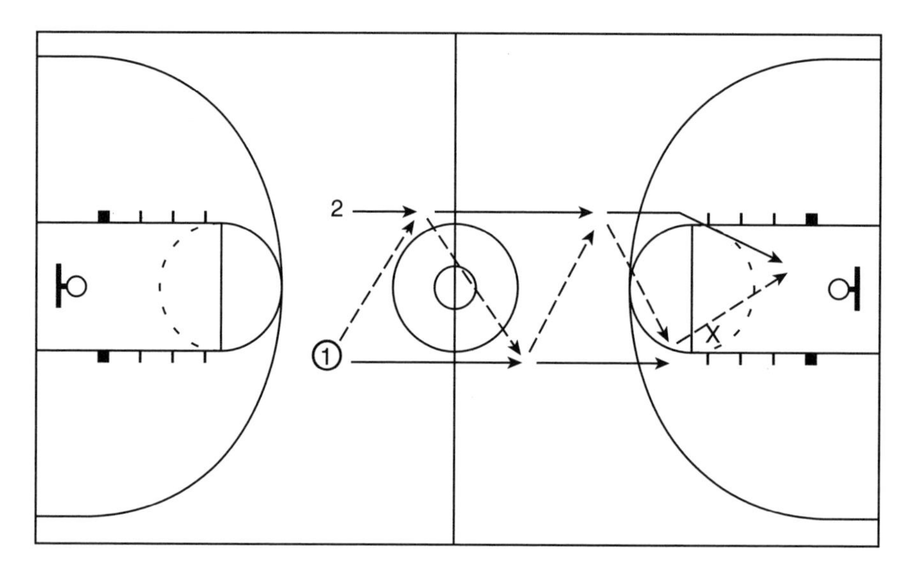

Figura 8.4 Contraataque dos contra uno: el jugador 1 ve al defensor en la línea de penetración y pasa al compañero que corta.

Error

En el área contraria, penetra más allá de la línea de tiros libres antes de pasar, lo que crea congestión y permite a un defensor ocuparse de dos contrarios o bien se traduce en una intercepción o en una falta en ataque.

Corrección

Sólo penetre pasada la línea de tiros libres para anotar si la defensa le permite una línea abierta de penetración hacia canasta.

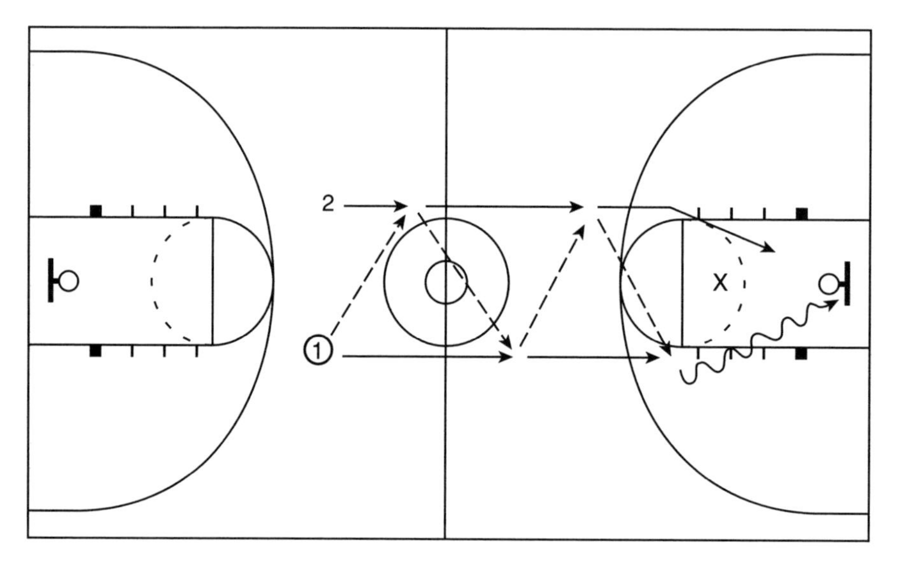

Figura 8.5 Contraataque dos contra uno. El jugador 1 ve al defensor desviarse de la línea de penetración y entra a canasta.

Cuando el defensor está fuera de la línea de penetración, entre a canasta (figura 8.5). El ajuste defensivo habitual es frenar el balón en alto un paso antes de la línea de tiros libres. En un pase al cortador, un defensor más fuerte reaccionará tratando de taponar detrás de la cabeza del lanzador. Un jugador más pequeño tratará de provocar una carga o de robar el balón. Al entrar a canasta, debe reaccionar a la defensa y encestar con una bandeja de fuerza a dos manos. Su compañero debería seguir el balón, preparado para capturar un posible rebote y anotar con una jugada de fuerza.

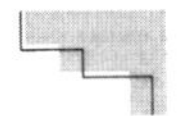

Error

Cuando llega al área de anotación, justo en la línea de tres puntos, no lee la defensa y toma una mala decisión sobre si pasar o penetrar.

Corrección

Lea la defensa cuando llega al área de anotación. Si su defensor se encuentra en la línea de penetración, pase al cortador. Si su defensor no se encuentra en su línea de penetración, entre a canasta.

Dentro del área de anotación, penetre al superar la línea de tiros libres para anotar sólo si el defensor le permite una línea abierta de entrada a canasta. Penetrar al pasar la línea de tiros libres y luego tratar de pasar crea congestión y permite a un defensor ocuparse de dos atacantes, lo que puede traducirse en una interceptación o en una falta en ataque.

Ejercicio de contraataque dos contra uno

Dos contra uno

Este ejercicio requiere tres jugadores, dos en ataque y uno en defensa. Los dos jugadores atacantes comienzan en los pasillos fuera de su zona defensiva y el defensor comienza con el balón justo dentro de la línea de tiros libres. El defensor inicia el ejercicio pasando a uno de los jugadores contrarios y luego esprintando hacia la línea de tiros libres en la zona de anotación.

Los dos jugadores atacantes gritan "¡Dos contra uno!" y avanzan con el balón, pasándoselo rápidamente uno a otro y manteniendo sus posiciones separadas en unos 3,50 m (el ancho de la calle de tiros libres). Si tiene usted el balón al llegar al área de anotación, justo en el centro del círculo de tiros de tres puntos, lea la defensa y decida si pasar o entrar a canasta. Si el defensor le presiona sobre su línea de penetración, pase al compañero que está cortando a canasta. Dé un pase rápido, picado de la mano interior en el caso de un jugador de poca estatura o un globo en el caso de un jugador alto o con gran capacidad de salto.

Cuando el defensor no está situado en su línea de penetración, entre a canasta, anotando con un mate a dos manos. El ataque no sólo debería lograr un tiro desmarcado, sino también lograr una fuerte posición de cara al rebote ofensivo.

Cuando juegue en defensa, frene el balón arriba un paso antes de la línea de tiros libres. Reaccione a un pase al cortador intentando taponar tras la cabeza del lanzador, forzar una falta o robar el balón. Cambie posiciones después de convertir un tiro o en una pérdida de balón. Jueguen hasta conseguir 5 puntos.

Prueba

- Los jugadores atacantes deben comunicarse entre sí mientras avanzan por la cancha.
- El defensor debería tratar de impedir el balón en alto.
- Los jugadores atacantes deberían reaccionar a las acciones defensivas y tomar la decisión correcta sobre si pasar o entrar a canasta.

Comprobación de resultados

El atacante se anota 1 punto cuando cualquiera de los jugadores atacantes encesta. El jugador defensivo se anota 1 punto cada vez que impide que los dos jugadores atacantes anoten. Este es un ejercicio competitivo. El primer equipo en anotar 5 puntos gana el partido. Concédase 5 puntos si su equipo es el ganador.

Puntuación total ____

CONTRAATAQUE TRES CONTRA DOS

El tres contra dos es una situación clásica de contraataque. El base debe tener el balón y debería leer la situación cuando el último contraataque del equipo entra en el área de anotación (normalmente un paso antes de la línea de tres puntos). Se requiere tomar la decisión correcta entre penetrar a canasta o pasar a un lado. El base debería penetrar pasada la línea de tiros libres, para anotar sólo si la defensa le concede una línea libre de entrada a canasta. De otro modo, siempre es preferible detenerse antes de la línea de tiros libres. Una excesiva penetración produce congestión y puede ocasionar una falta en ataque.

Los dos defensores normalmente actúan en tándem, con el defensor avanzado enfrentándose al contrario que lleva el balón por delante de la línea de tiros libres. Cuando los aleros alcanzan la línea de tiros prolongada, deberían cortar hacia canasta en un ángulo de 45 grados (figura 8.6). Al ser presionado por el primer defensor, el base debería pasar al alero desmarcado y cortar hacia la esquina del lado del balón. A su vez, el alero debería alcanzar el pase en posición de lanzar y reaccionar ante la defensa. Si el segundo defensor no se acerca, el alero debería estar en posición de recibir y lanzar un tiro en suspensión lateral, una penetración corta para un lanzamiento en suspensión en ritmo y dentro de su radio de tiro, y también de penetrar a canasta.

Como puede verse en la figura 8.6, los aleros (jugadores 2 y 3) realizan cortes de 45 grados a canasta en la línea de tiros libres prolongada. El base (1) pasa en picado al alero desmarcado (2) y luego corta hacia la esquina del balón. El jugador 4 va a remolque y luego se desplaza hacia la esquina del lado débil. El jugador 5 también va a remolque y actúa como un seguro defensivo.

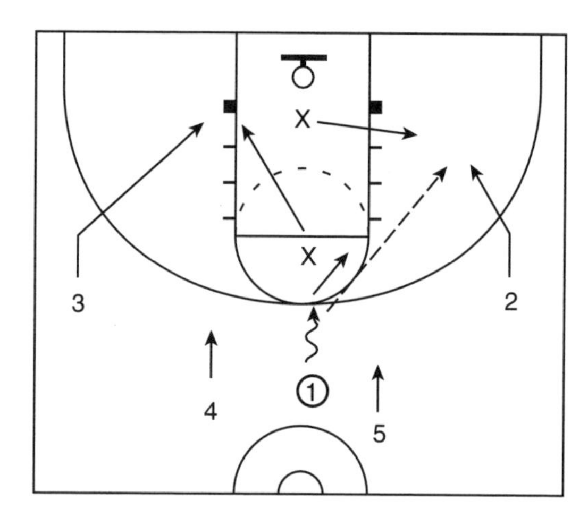

Figura 8.6 Contraataque de tres contra dos.

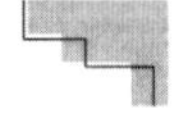

Corrección

Los aleros cortan hacia las esquinas, dificultando un tiro esquinado en suspensión antes que un fácil tiro lateral en suspensión.

Error

Los aleros deberían cortar en un ángulo de 45 grados para situarse en posición de recibir y lanzar un tiro lateral en suspensión, o bien realizar una corta penetración para un tiro en suspensión en ritmo y radio de tiro, o una entrada directa a canasta.

El ajuste defensivo normal para el jugador de atrás es gritar "¡Balón!" y cubrir el pase al alero, mientras que el primer defensor grita "¡Tienes ayuda!" y retrocede para ayudar en una penetración o tapón. Cuando esto sucede, devuelva el balón al base, el cual podrá lanzar o pasar al alero del lado débil para un tiro en suspensión. El ataque debería no sólo lograr un tiro abierto, sino también conseguir una posición ofensiva de rebote.

Ejercicio nº 1 de contraataque tres contra dos

Tres contra dos

Este ejercicio requiere cinco jugadores, tres en ataque y dos en defensa. Los jugadores defensivos empiezan en media cancha y esprintan en tándem a las posiciones defensivas justo dentro de la línea de tiros libres en el área de anotación. Los jugadores atacantes están espaciados por igual a lo largo de la línea de fondo en tres calles. El atacante de la calle central tiene el balón. Este jugador inicia el ejercicio botando alto el balón a tablero y capturando el rebote con las dos manos, al tiempo que grita "¡Balón!". Al rebote, el alero derecho corre hacia una posición de salida, pasada la posición de la línea de tiros libres prolongada y grita "¡Salida!". El reboteador hace un pase de salida sobre la cabeza a dos manos al alero derecho, más allá de la línea de tiros libres prolongada, esprinta hacia el centro gritando "¡centro!" y recibe un pase devuelto de pecho. El alero izquierdo esprinta subiendo la cancha gritando "¡Izquierda!". El jugador de la calle central realiza un pase de pecho al alero izquierdo, que ha esprintado para adelantarse. Continúe el ejercicio, con cada jugador pasando y esprintando en paralelo y anunciando sus calles respectivas.

Los jugadores defensivos deben actuar en tándem, uno por delante y otro por detrás. El primer jugador defensivo defiende al jugador con el balón gritando "¡El balón es mío!". El segundo jugador defensivo, más cercano a canasta, grita "¡El aro es mío!". En un pase al alero, el segundo defensor toma el balón y el primer defensor se retira para defender la canasta o taponar al alero del lado débil y luchar por el rebote en caso de fallo.

En la línea de tiros libres prolongada, cada alero debe cortar en un ángulo agudo de 45 grados a canasta. El jugador atacante central hace un pase picado a uno de los aleros para un tiro lateral en suspensión, desde 4,50 o 5 m, o bien hace una entrada con bandeja. El otro alero sigue al balón, preparado para capturar el rebote en caso de fallo y encestar con una jugada de fuerza. El jugador central permanece retrasado, en caso de que el alero decida no lanzar, o para equilibrio defensivo sobre un tiro. Después de anotar, cambien de calles: el jugador de la calle central pasa a ocupar la calle derecha, el de la calle derecha ocupa la de la izquierda y el jugador de la calle izquierda pasa a la calle central. Continúen el ejercicio recorriendo la cancha en sentido inverso. Jueguen a 5 puntos.

Prueba

- Los jugadores atacantes deben comunicarse entre sí mientras avanzan sobre la cancha.
- Los aleros deben cortar a canasta en un ángulo agudo de 45 grados, en la línea de tiros libres prolongada.
- Los jugadores atacantes, sobre todo el jugador central, deben leer las acciones de la defensa.

Comprobación de resultados

El atacante logra 1 punto cada vez que logra encestar. La defensa logra 1 punto cada vez que impide anotar a los tres jugadores atacantes. Este es un ejercicio competitivo. El primer equipo que consiga 5 puntos gana el partido. Concédase 5 puntos si el vencedor es su equipo.

Puntuación total ____

Ejercicio nº 2 de contraataque tres contra dos

Contraataque continuo, tres contra dos y dos contra uno

Este ejercicio requiere al menos 5 jugadores y no más de 15. Dos jugadores defensivos comienzan dispuestos en tándem, justo dentro de la línea de tiros libres en el área de anotación (figura 8.7). Tres jugadores atacantes se distribuyen regularmente a lo largo de la línea de fondo en tres calles. El jugador atacante de la calle central tiene el balón. Ese jugador inicia el ejercicio haciendo rebotar alto el balón en el tablero y capturándolo con las dos manos, al tiempo que grita "¡Balón!". En el momento del rebote, el alero derecho corre hacia una posición de salida, pasada la línea de tiros libres prolongada, y grita "¡Salida!". El reboteador realiza un pase a dos manos por encima de la cabeza al alero derecho, más allá de la línea de tiros libres prolongada. Tras el rebote y el pase de salida a dos manos, los tres jugadores atacantes avanzan hacia el área de anotación, donde tratarán de hacer canasta contra los dos defensores. Cuando el ataque encesta o la defensa logra posesión del balón por intercepción o rebote, los dos defensores y un jugador atacante inician un contraataque de dos contra uno. Los otros dos atacantes permanecen atrás para participar en el próximo contraataque de tres contra dos. Cuando los atacantes anotan o los defensores consiguen hacerse con el balón, ya sea por interceptarlo o gracias a un rebote, se inicia un contraataque a tres calles en el sentido inverso, con dos jugadores atacantes y el defensor inicial o con tres nuevos jugadores. Este ejercicio se convierte en un ejercicio continuo de contraataque alternado, tres contra dos y dos contra uno. Jueguen hasta que un bando consiga 5 puntos.

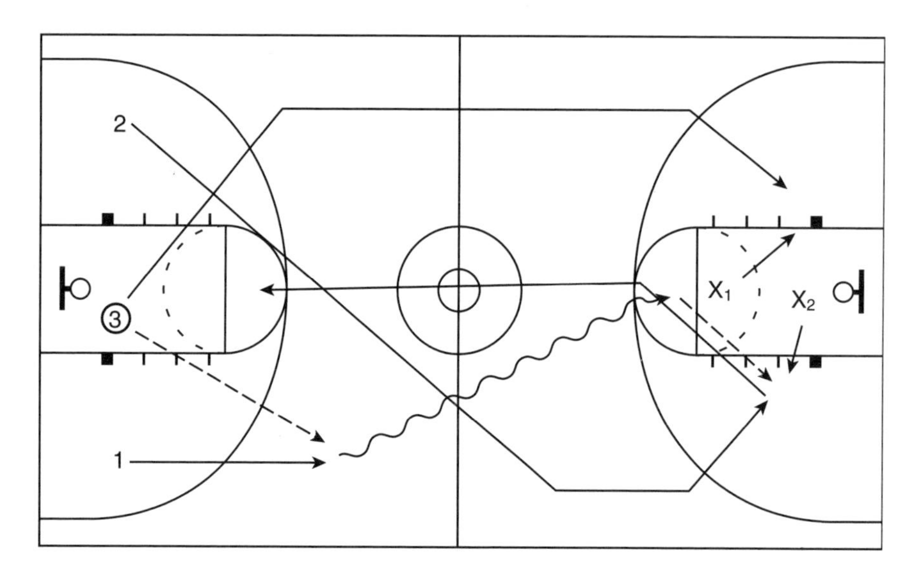

Figura 8.7 Ejercicio continuo de contraataque tres contra dos y dos contra uno.

Prueba

- Los jugadores atacantes deberían comunicarse entre sí mientras avanzan sobre la cancha.
- Los jugadores atacantes deben leer las acciones de los defensores y tomar las decisiones correctas.
- Luche con agresividad por los rebotes.

Comprobación de resultados

El atacante logra 1 punto cada vez que hace canasta. La defensa logra 1 punto cada vez que impide anotar a sus contrarios. Este es un ejercicio competitivo. El primer equipo que consiga 5 puntos gana el partido. Concédase 5 puntos si su equipo es el ganador.

Puntuación total ____

Ejercicio nº 3 de contraataque tres contra dos

Tres contra dos y un defensor a remolque

Este ejercicio requiere un mínimo de 9 jugadores y un máximo de 15. Se forman grupos de tres o más equipos con tres jugadores por equipo. El primer equipo comienza al ataque, con sus tres jugadores distribuidos regularmente a lo ancho de la línea de fondo en tres calles (figura 8.8). El jugador de la calle central tiene el balón. El segundo equipo comienza en los límites del medio campo, listo para situarse a la defensiva. El tercer equipo espera su turno.

El jugador central del primer equipo comienza el ejercicio haciendo rebotar alto el balón a tablero y recogiéndolo con las dos manos. Cuando el balón rebota, dos jugadores defensivos del segundo equipo corren y tocan con un pie el círculo central, antes de esprintar hacia atrás y adoptar posiciones defensivas en tándem, justo dentro de la línea de tiros libres en el área de anotación. Los tres jugadores atacantes avanzan por la cancha hacia el área de anotación y tratan de conseguir canasta. Después de que uno de los atacantes cruza la línea central, el tercer jugador defensivo del segundo equipo puede correr y tocar el círculo central y esprintar hacia atrás como remolque defensivo. Una vez que el primer equipo enceste o el segundo equipo consiga interceptar el balón o capturar un rebote, el primer equipo sale de la cancha y se convierte en el último equipo, que espera fuera de las líneas laterales en medio campo.

El segundo equipo, que inicialmente actuó como equipo defensivo, comienza ahora en las tres calles para iniciar un contraataque en la dirección opuesta. Dos jugadores del tercer equipo corren y tocan con un pie el círculo central y esprintan hacia atrás en defensa. El tercer jugador del tercer equipo corre y toca con un pie el círculo central, después de que un jugador del equipo atacante haya cruzado la línea central. El ejercicio se convierte en un ejercicio continuo de contraataque de tres contra dos con un defensor a remolque. El primer equipo que anote 7 puntos gana el partido.

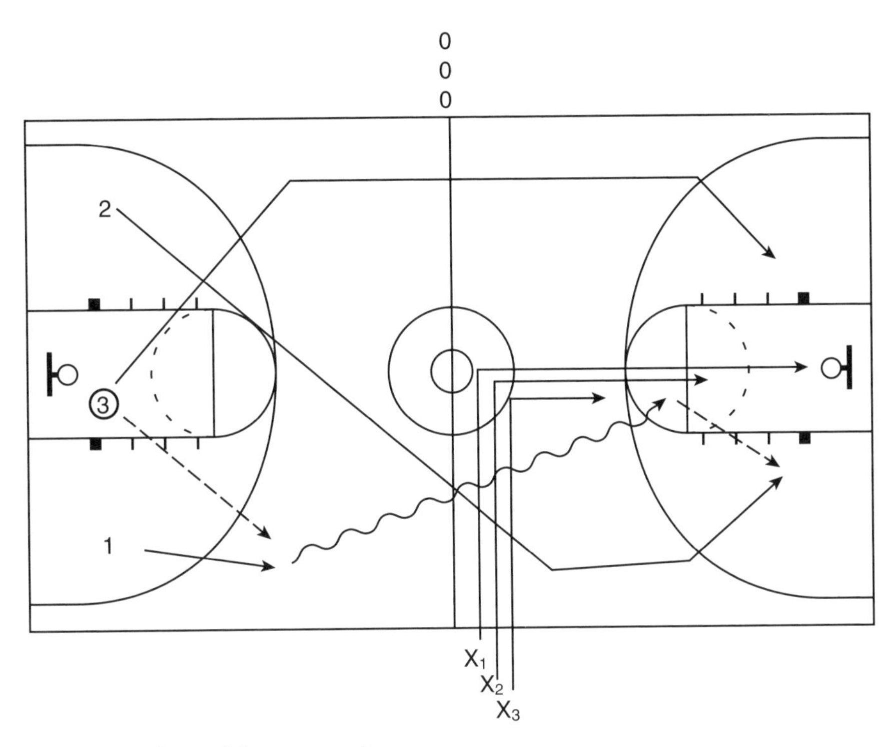

Figura 8.8 Ejercicio de tres contra dos un defensor a remolque.

Para aumentar la dificultad

- Cualquier equipo que anote puede presionar en media pista.

Prueba

- Comuníquese con los jugadores de su equipo.
- En ataque, lea y reaccione a las acciones de los defensores.
- En defensa, trabaje duro para privar al contrario de pase y penetración.

Comprobación de resultados

Cada canasta conseguida vale 1 punto. Este es un ejercicio competitivo. El primer equipo que consiga 7 puntos gana el partido. Concédase 5 puntos si su equipo es el ganador.

Puntuación total ____

CONTRAATAQUE CUATRO CONTRA TRES

El contraataque cuatro contra tres (figura 8.9) utiliza el primer remolque. Cuando la defensa retrocede con tres jugadores, el alero debe botar hacia la esquina y tratar de pasar al primer remolque que corta por la línea lateral de la zona. El alero debe mantener el bote hasta que pueda pasar al remolque o devolver el balón al jugador central. El primer remolque debería cortar hacia el rincón del lado débil y luego realizar un corte en diagonal hacia una posición de poste bajo por encima de la línea lateral, tratando de recibir un pase del alero. Tras superar a la defensa hacia el pasillo de tiros libres, el remolque debe superar a un defensor que retrocede y buscar un pase desde el lateral de la línea de fondo. El alero debe entonces pasar al remolque con un bote lateral hacia la línea de fondo.

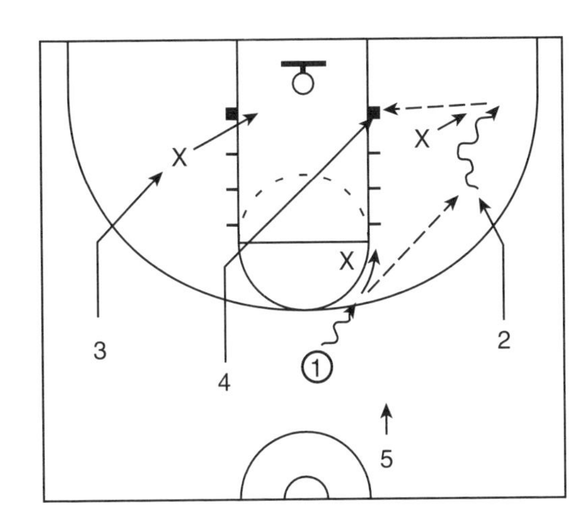

Figura 8.9 Contraataque cuatro contra tres.

Como se muestra en la figura 8.9, el base (1) da un pase picado al alero abierto (2) y luego corta hacia el codo del lado del balón. El alero (2) bota hacia el rincón, luego da un pase lateral picado al defensor a remolque. El alero 3 se prepara para recoger el rebote. El primer remolque (4) hace un corte en diagonal hacia el poste bajo, hacia el bloque (taco ancho de los tiros libres) del lado del balón. El segundo remolque (5) sigue como un seguro defensivo.

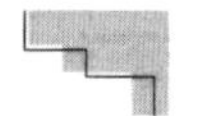

Error

El alero deja de botar, no puede pasar al remolque ni hacia atrás al base, y corre el peligro de quedar encerrado en el rincón.

Corrección

El alero debe mantener el bote hasta que pueda pasar al remolque o devolver el balón atrás al base.

Ejercicio de contraataque cuatro contra tres

Cuatro contra tres con remolque defensivo

Este ejercicio requiere entre 12 y 16 jugadores, distribuidos entre tres o cuatro equipos de cuatro jugadores cada uno. El primer equipo comienza al ataque (figura 8.10). El segundo equipo comienza en defensa. La acción es similar al ejercicio de tres contra dos y un defensor a remolque. Tres jugadores del segundo equipo corren y tocar con un pie en el círculo central antes de correr hacia atrás y adoptar posición defensiva, a medida que los jugadores atacantes del primer equipo corren hacia delante. De nuevo, cuando uno de los jugadores atacantes cruza el medio campo, el restante jugador defensivo corre y toca con un pie en el círculo central y esprinta hacia atrás como defensor a remolque. El ejercicio se convierte en un contraataque continuo cuatro contra tres con remolque defensivo. El primer equipo que anote 7 puntos gana el partido.

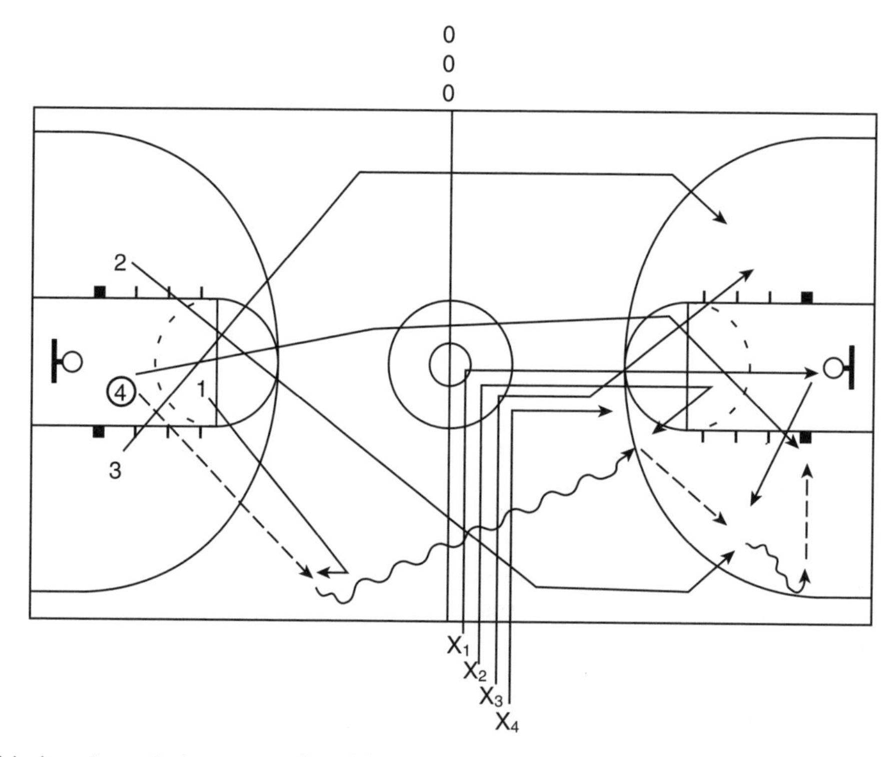

Figura 8.10 Ejercicio de cuatro contra tres con remolque defensivo.

Prueba

- Comuníquese con los jugadores de su equipo.
- En ataque, lea y reaccione a las acciones defensivas.
- En defensa, trabaje duro para impedir el paso y la penetración a canasta.

Comprobación de resultados

Cada canasta vale 1 punto. Este es un ejercicio competitivo. El primer equipo que logre 7 puntos gana el partido. Concédase 5 puntos si su equipo es el ganador.

Puntuación total ____

MOVIMIENTO DE CONTRAATAQUE

En el movimiento de contraataque, el segundo remolque recibe un pase y mueve el balón desde el lado del balón hacia el lado débil. Cuando la defensa tiene cuatro o cinco jugadores atrás y el alero no puede pasar al primer remolque en el poste, cada uno de los demás jugadores debería situarse dentro del área de tiro para una inversión del balón al lado débil (figura 8.11). El base debería situarse por encima del codo del balón, mientras que el segundo remolque se sitúa por encima del codo del lado débil. Entretanto, el alero del lado débil debería mantener espacio en la imaginaria línea de tiros libres prolongada. Tras recibir un pase en movimiento, las opciones de cada jugador del perímetro son, por este orden, pasar interior al jugador del poste alto moviéndose a través de la zona, pasar el balón al lado débil y lanzar un tiro exterior. Durante el movimiento del balón, el jugador del poste bajo debe desplazarse a cada pase a través de la zona hacia el pasillo del lado débil.

El segundo remolque tiene un papel importante durante el movimiento. Si el defensa le impide el primer pase, el base debería cortar hacia el rincón del lado débil o bien empujar hacia el rincón del balón para recibir un pase del alero. Tras recibir el pase, las opciones del segundo remolque son pasar al alero del lado débil, un pase interior o un lanzamiento.

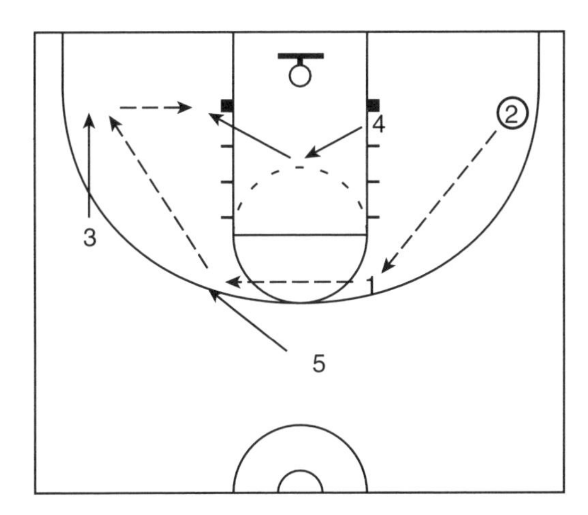

Figura 8.11 Movimiento de contraataque: el jugador del poste alto (4) se mueve de bloque a bloque mientras el balón es pasado a jugadores situados en el perímetro.

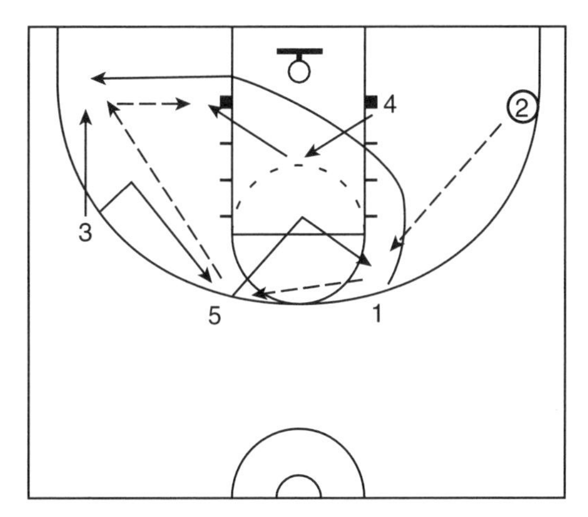

Figura 8.12 Movimiento de contraataque: la defensa priva el pase del primer movimiento, de modo que el base (1) corta a través o empuja y el segundo remolque (5) sale disparado hacia el lado del balón.

Error

En el movimiento del balón, los jugadores del perímetro primero tratan de tirar, antes que mirar primero adentro y en segundo lugar al lado débil.

Corrección

Las opciones de los jugadores en el movimiento son, por este orden, mirar a un pase interior, mirar al lado débil y continuar el movimiento del balón y, por último, tratar de lanzar.

Cuando un movimiento del balón hacia el lado débil no produce un tiro interior o exterior, el equipo puede optar por un juego de pases atacantes, o el base puede pedir el balón y correr para organizar el juego.

Ejercicio nº 1 de contraataque completo

Opciones de contraataque (cinco contra cero)

Este ejercicio requiere entre 5 y 15 jugadores, agrupados en uno o más equipos de 5 jugadores. Cada equipo realizará el contraataque utilizando una opción de anotar diferente en cada ocasión. Entre las opciones de anotar se cuentan:

- pasar al alero del lado fuerte para un tiro lateral en suspensión.
- pasar al alero del lado débil para un tiro lateral en suspensión.
- pasar al alero del lado fuerte, quien entonces pasa al primer remolque en el pasillo del lado fuerte para una jugada en el poste bajo.
- pasar al alero del lado fuerte, quien entonces vuelve a pasar al base en el rincón del lado fuerte para un tiro en suspensión.
- pasar al alero del lado fuerte. El base corta entonces hacia el rincón del lado débil, o empuja hacia el lateral del balón, y el alero del lado fuerte pasa entonces al segundo remolque, el cual corre hacia el codo del balón para un tiro en suspensión.
- pasar al alero del lado fuerte. El base corta hacia el rincón del lado débil o empuja hacia el lateral del balón, y el alero del lado fuerte pasa entonces al segundo remolque, saliendo rápido hacia el rincón del balón, el cual pasa un interior al primer remolque para una jugada en el poste bajo.
- pasar al alero del lado fuerte. El base corta hacia el rincón del lado débil o empuja hacia el lateral del balón, y el alero del lado fuerte pasa entonces al segundo remolque, apareciendo hacia el rincón del balón, el cual pasa hacia el alero del lado débil. El alero del lado débil realiza un tiro en suspensión o pasa un interior al primer remolque, el cual se mueve a través de la zona a cada pase desde el pasillo del lado fuerte al pasillo del lado débil.

Este ejercicio comienza con el equipo del contraataque en posición defensiva en el extremo defensivo. Uno de los pívots hace rebotar el balón en el tablero, recoge el rebote y hace un pase de salida al base. El equipo ejecutará entonces la opción de encestar elegida. Repita dos veces cada opción de anotar.

Prueba

- Adopte la técnica correcta para ejecutar la opción anotadora elegida.
- Comuníquese con sus compañeros de equipo durante el contraataque.

Comprobación de resultados

Cada carrera por la cancha puede traducirse en 2 puntos, 1 punto por ejecutar correctamente la opción anotadora en el contraataque y 1 punto por realizar el tiro al final de cada opción anotadora. Si está jugando más de un equipo, el ejercicio debe hacerse competitivo. El primer equipo que anote 14 puntos gana. Si sólo está jugando un equipo, trate de obtener 12 puntos de 14 posibles. Si está jugando un partido contra otro equipo, concédase 5 puntos si su equipo es el ganador. Si está jugando sólo con un equipo, concédase 5 puntos si obtiene 12 puntos de 14 posibles, 3 puntos si obtiene entre 10 y 11 puntos y 0 puntos si no consigue más de 9 puntos.

Puntuación total ____

Ejercicio nº 2 de contraataque completo

Cinco contra uno con el base obstaculizado

Este ejercicio requiere entre 5 y 15 jugadores, agrupados en uno o más equipos de cinco jugadores cada uno. Elija un jugador de uno de los equipos para que asuma la defensa sobre el jugador de la calle central (el base). Sólo el base puede anotar. El base puede practicar moviéndose sin el balón (cortando hacia el rincón del lado débil o empujando hacia el lateral del lado del balón), mientras está siendo privado de recibir un pase devuelto en el rincón del balón. Los otros jugadores defensivos practican opciones cuando el base se vea privado del balón, como salir rápidos hacia el balón.

Cada equipo atacante correría en un movimiento de contraataque, tratando de recibir el balón dentro del primer remolque. El equipo atacante moverá el balón. Cada jugador del perímetro trata de pasar interior al base, quien trata de desmarcarse moviéndose a través de la zona a cada pase desde el pasillo del lado fuerte hacia el pasillo del lado débil. Tras recibir un pase, el base intentará anotar con una jugada en el poste bajo. Juegue hasta 5 puntos.

Para aumentar la dificultad

- Convierta el ejercicio en un ejercicio de contraataque de cinco contra dos, utilizando dos defensores. Los dos defensores pueden centrarse en el base y el primer remolque en los dos aleros o en otros dos atacantes cualesquiera. Sólo los jugadores defendidos pueden anotar.

Prueba

- Cada jugador del perímetro tratará primero de pasar interior al base.
- El equipo atacante hace circular el balón en torno al perímetro hasta que el base se desmarque.

Comprobación de resultados

El equipo de contraataque obtiene 1 punto por cada lanzamiento convertido por el base. Este es un ejercicio competitivo. El primer equipo que consiga 5 puntos gana el partido. Concédase 5 puntos si su equipo es el ganador.

Puntuación total ____

Ejercicio nº 3 de contraataque completo

Cinco contra cinco (dos + uno + dos)

Este ejercicio se usa para que un equipo practique el contraataque y reaccione ante las diversas opciones defensivas. El ejercicio requiere 10 jugadores, 5 en ataque y 5 en defensa. Mientras el equipo atacante corre en un contraataque, el equipo defensivo elegirá las opciones defensivas correspondientes.

Divida la cancha en tres áreas iguales: área I (inicial), área II (secundaria) y área III (de anotación) (figura 8.13). La defensa se extiende en una alineación dos-uno-dos con dos defensores en el área I, un defensor en el área II y dos defensores en el área III. El ejercicio comienza con un entrenador, instructor o jugador adicional que intencionadamente falla un tiro. Los jugadores del equipo de contraataque comienzan en posiciones defensivas, bloquean a sus dos contrarios y rebotean el balón. Los defensores del área I pueden buscar el rebote, cazarlo, robar el balón del reboteador, retroceder para privar de una calle de pase al favorito o a otro receptor potencial, o interceptar el pase de salida.

Una vez que el equipo del contraataque avanza el balón al área II, el área secundaria, el único defensor del área II puede: presionar al receptor e impedirle el pase de salida, permitir el pase de salida y abrir al jugador atacante que recibe el balón con intención de arrancar una carga, presionar al botador o retrasar el contraataque, permitir que el botador se vaya o tratar de robar el balón manoteándolo por detrás.

Cuando el equipo del contraataque sitúa el balón en el área III, el área de anotación, los dos defensores del área III pueden: encerrar al jugador con el balón, oponer una defensa en tándem dentro de la línea de tiros libres, presionar al tirador o luchar por el rebote en un posible tiro fallido.

El equipo atacante obtiene 1 punto cada vez que anota. Si la defensa comete falta, el equipo atacante tiene la posesión de balón y comienza de nuevo. Si un jugador atacante falla un tiro y un compañero coge el rebote ofensivo, el juego continúa. La defensa logra 1 punto si consigue robar el balón o coger el rebote, o si obliga al equipo atacante a cometer una violación. Juegue hasta 5 puntos y luego intercambien papeles.

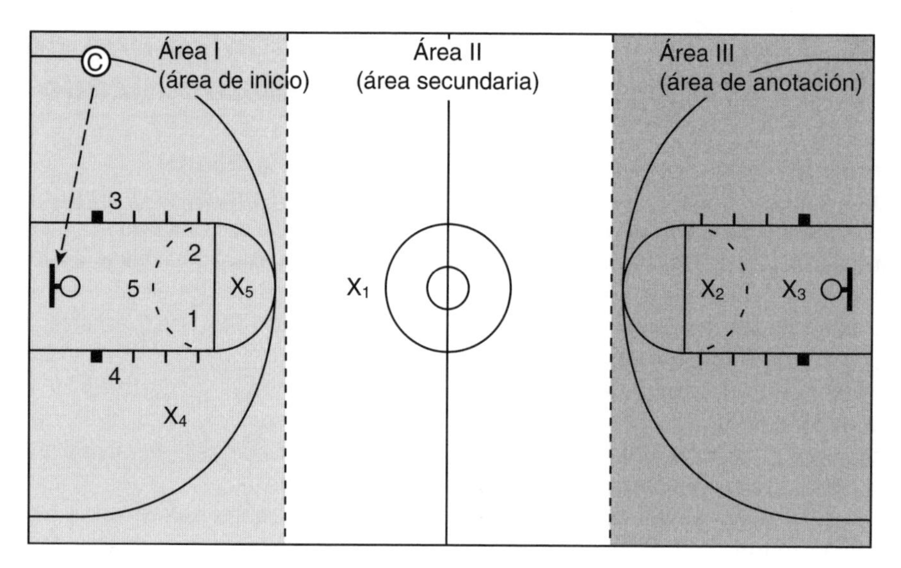

Figura 8.13 Ejercicio de contraataque cinco contra cinco (dos+uno+dos).

Prueba

- En ataque, lea las acciones de la defensa y reaccione en consecuencia.
- En defensa, elija la mejor opción y comuníquese con sus compañeros de equipo.

Comprobación de resultados

Este es un ejercicio competitivo. Trate de ganar más partidos que el equipo contrario, jugando cada partido a 5 puntos. Concédase 5 puntos si su equipo gana mayor número de partidos.

Puntuación total ____

Ejercicio nº 4 de contraataque completo

Cinco contra cinco

En este ejercicio el equipo atacante practica correr en un contraataque y el equipo defensivo defenderse contra el contraataque Este ejercicio requiere 10 jugadores formando dos equipos de 5 jugadores cada uno. Un equipo juega en ataque y el otro en defensa.

Para defenderse del contraataque, el equipo defensivo debería hacer que el jugador más próximo al reboteador presione el pase de salida. También debería tener un defensor interceptando el pase al favorito o a otro potencial receptor. Los otros defensores deberían retirarse rápidamente al área de anotación, esprintando hacia el lado del balón, gritando por orden sus misiones individuales. El primer jugador que retrocede se ocupa del jugador atacante más peligroso, normalmente el más próximo a canasta. El segundo jugador que retrocede se ocupa del segundo atacante más peligroso, normalmente el jugador con el balón. El tercer jugador que retrocede se ocupa del tercer jugador más peligroso, normalmente el mejor lanzador del equipo (otra opción es que el defensa central se ocupe). Una vez que dos jugadores defensivos hayan retrocedido del atacante central, un base defensivo puede presionar al jugador atacante que reciba el balón, con intención de que el botador retrase el contraataque.

El equipo atacante logra 1 punto cada vez que anota. Si la defensa comete falta, el atacante tiene posesión de balón y comienza de nuevo. Si un jugador atacante falla un tiro y un compañero logra el rebote ofensivo, el juego continúa. La defensa logra 1 punto si consigue robar el balón o capturar el rebote, o si fuerza al atacante a cometer una violación. Juegue hasta 5 puntos y luego intercambien papeles.

Prueba

- En defensa, presione al reboteador y el pase de salida.
- Comunique su función defensiva.
- En ataque, lea la defensa y reaccione con la mejor opción.

Comprobación de resultados

Este es un ejercicio competitivo. Trate de ganar más partidos que su oponente, jugando cada partido a 5 puntos. Concédase 5 puntos si su equipo es el que gana más partidos.

Puntuación total ___

RESUMEN DEL CONTRAATAQUE

Un contraataque rápido bien ejecutado es una jugada emocionante para ver y participar. Puede inclinar el ritmo del partido a su favor si usted y sus compañeros consiguen realizarlo eficazmente.

En el paso siguiente examinaremos en detalle el ataque colectivo. Pero antes de afrontar el noveno paso, conviene analizar la forma en que ha realizado los ejercicios de éste último. En cada uno de los ejercicios aquí propuestos, anote los puntos obtenidos, súmelos y podrá evaluar su éxito global.

Ejercicios de contraataque en tres calles	
1. Pase paralelo en calles	___ de 6
2. Pasar y seguir (trenzas u ochos)	___ de 6
Ejercicio de contraataque dos contra uno	
1. Dos contra uno	___ de 5
Ejercicios de contraataque tres contra dos	
1. Tres contra dos	___ de 5
2. Contraataque continuo, tres contra dos y dos contra uno	___ de 5
3. Tres contra dos y un defensor a remolque	___ de 5
Ejercicio de contraataque cuatro contra tres	
1. Cuatro contra tres con remolque defensivo	___ de 5
Ejercicios de contraataque completo	
1. Opciones de contraataque (cinco contra cero)	___ de 5
2. Cinco contra uno con el base obstaculizado	___ de 5
3. Cinco contra cinco (dos+uno+dos)	___ de 5
4. Cinco contra cinco	___ de 5
Total	***___ de 57***

Si ha conseguido 45 puntos o más, ¡enhorabuena! Eso significa que ha dominado los fundamentos de este paso y está preparado para afrontar el noveno paso, el ataque colectivo. Si ha conseguido menos de 45 puntos, puede que necesite invertir más tiempo en los fundamentos aquí cubiertos. Practique de nuevo los ejercicios para dominar las técnicas e incrementar su puntuación.

El ataque colectivo

En su mejor versión, el baloncesto es un deporte de equipo, practicado por cinco jugadores que mueven el balón o se mueven sin él, y que toman decisiones rápidas e inteligentes, sobre todo en lo que concierne a la selección de tiro. El equipo atacante depende de la correcta ejecución de los fundamentos, entre ellos mover el balón y moverse sin él. También depende de un juego colectivo no egoísta.

Pídale a un observador experto, como un entrenador, un instructor o un buen jugador, que evalúe subjetivamente su capacidad para ejecutar las acciones básicas y sus decisiones en el pase del balón.

ATAQUE HOMBRE A HOMBRE (JUEGO DE PASES)

El juego de pases, o movimiento ofensivo, es uno de los ataques hombre a hombre más populares del baloncesto. En el juego de pases, los jugadores se guían más por principios que por un conjunto estricto de funciones asignadas. Cada jugador debe aprender a ejecutar el juego de pases, porque es la esencia del juego colectivo, además de un ataque utilizado por muchos equipos.

El juego de pases puede iniciarse a partir de diversas formaciones o disposiciones ofensivas, como el 3-2, el 2-3, el 1-3-1, el 2-1-2 y el 1-4. La formación 3-2 (figura 9.1), también llamada formación extendida, es la formación más básica para aprender el juego de ataque colectivo. Supone tres jugadores en el perímetro y dos jugadores en la línea de fondo. El base (jugador 1 en la figura 9.1) se sitúa en el centro y por delante de la línea de tres puntos. Los aleros (jugadores 2 y 3) se sitúan en la imaginaria línea de tiros libres prolongada en cada extremo. Las posiciones en la línea de fondo (jugadores 4 y 5) se encuentran a medio camino entre cada rincón y la canasta.

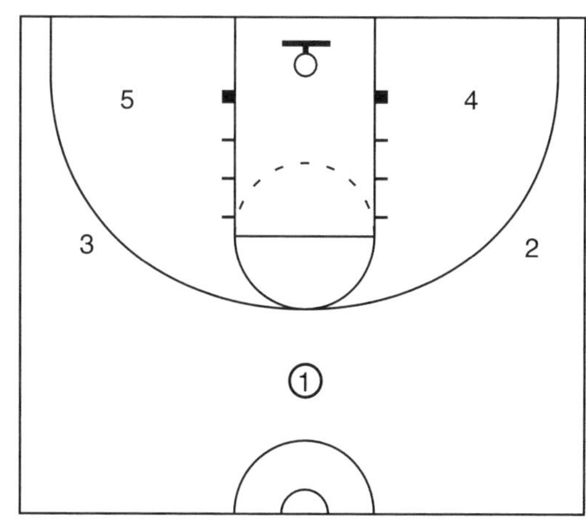

Figura 9.1 Formación 3-2 o extendida.

Error

Los jugadores de su equipo tienden a apelotonarse en torno al balón o demasiado cerca de la canasta.

Corrección

Mantenga espacio y equilibrio en la formación abierta, extendida entre 4,5 y 6 m. Mantenga el centro abierto. Cuando corta a canasta y no recibe un pase, siga adelante y localice un punto lateral donde haya menos jugadores.

La formación 3-2 estimula la versatilidad frente a someter a los jugadores a funciones restringidas, como las que caracterizan al pívot, el ala-pivot, el alero, el escolta o el base. Concede a cada jugador la oportunidad de manejar el balón, cortar, hacer bloqueos y moverse por el exterior y el interior. La formación 3-2 aporta una estructura inicial y un espacio que permite a los jugadores ejecutar movimientos básicos entre dos y tres jugadores o entre los cinco jugadores, como un ocho de cinco o un ataque de cinco jugadores pasar y continuar.

Al ejecutar el juego de pases, tenga presentes los siguientes principios básicos de un buen juego colectivo:

Hablar. La comunicación entre los jugadores es la clave de todos los aspectos del ataque colectivo. El juego de pases no es una jugada de ataque, y los jugadores no tienen un papel específico previamente asignado. Por consiguiente, una continua comunicación entre los jugadores resulta especialmente importante al poner en práctica el juego de pases.

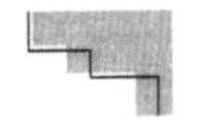

Error

Usted y sus compañeros no tienen claro qué está haciendo cada cual.

Corrección

¡Hable! El juego de pase no es una jugada de ataque predeterminada, en la que cada jugador tiene una función específica. La comunicación es esencial en el juego de pase, de modo que utilice palabras clave para emprender las acciones básicas del ataque colectivo.

Ver el aro o canasta. Si tiene la canasta a la vista, tiene a la vista toda la cancha. Cuando tenga el balón, mantenga la canasta a la vista y mire si hay compañeros que cortan a canasta, o están situados en el poste alto o disponiendo bloqueos. Cuando no tenga el balón, también debe tener a la vista el aro y el jugador con el balón.

Mantener espacio suficiente y distribución equilibrada. Comience en formación abierta con los jugadores separados entre 4,5 y 6 metros. Distribúyanse antes de la línea de tres puntos y extendidos por las alas, cerca de la línea de fondo y a media distancia entre los rincones y la canasta.

Cortar por puerta atrás ante una presión intensa. Al ser estrechamente defendido por un contrario que le impide recibir un pase, haga un corte por puerta atrás hacia canasta. Cuando los cortes por puerta atrás se usan con demasiada frecuencia, el juego de pase resulta un buen ataque para superar a las defensas presionantes.

Flash entre el pasador y el receptor muy defendido. Cuando un defensor impide a su compañero recibir el pase y usted es el siguiente jugador más próximo al receptor, flash automático hacia un área libre entre el pasador y el receptor muy defendido. Un flash hacia el balón alivia la presión defensiva sobre sus compañeros, dándole al pasador otra salida. Un flash puede no sólo impedir una posible pérdida de balón, sino también crear una oportunidad de anotar si el receptor muy defendido lo combina con un oportuno corte por puerta atrás.

Mantener el centro libre. Cuando corta a canasta y no recibe el pase, debería continuar y situarse en un punto abierto en el lado de la cancha con menos jugadores. Esto mantendrá el centro libre y el espacio equilibrado. No permanezca en el área del poste más de un segundo.

Moverse rápidamente a un lugar vacío. Cuando es usted el siguiente jugador de un compañero que corta, ocupe rápidamente el lugar dejado libre por éste. Es de especial importancia reemplazar al jugador que ha cortado desde el punto central de la línea de tres puntos. Para reemplazar a este jugador, corte más allá de la línea de tres puntos, creando un mejor ángulo para recibir un pase en circulación desde un ala, y enviar el balón al lado débil. Esto obligará a la defensa a cubrir mayor espacio de pista, lo que a su vez se traduce en posibilidades de cortar, entrar a canasta o situarse en el poste alto.

Conocer sus opciones en el ala. Cuando se encuentra en un lateral, sus opciones son recibir y lanzar a ritmo y dentro de su radio de tiro o bien continuar el corte. Cuando reciba el balón fuera de su radio de tiro, trate de pasar por el interior a un compañero que corta o a otro situado en el poste alto. En el lateral, sostenga el balón durante uno o dos segundos para dar a los cortadores o jugadores en el poste más tiempo para desmarcarse. Si no consigue pasar a un compañero desmarcado que corte o en el poste alto, trate de penetrar y pasar o de equilibrar la pista botando rápidamente hacia el punto central. Trate de pasar a un jugador en la línea de fondo, sólo si ese compañero está libre para un lanzamiento de recepción y tiro en suspensión, en ritmo y dentro de su radio de tiro, o de realizar un pase fácil a un jugador que corta al interior o en el poste alto. Puede mover el balón más rápidamente si lo hace de lado a lado y lo mantiene fuera de la línea de fondo.

Conocer sus opciones en el centro de la línea de tres puntos. Cuando se encuentre en el centro de la línea de tres puntos, sus opciones, por este orden, son: inversión del balón rápidamente al lado débil, buscar un pase interior a un jugador en el poste bajo, penetrar y pasar o fintar un pase al lado débil y realizar un pase repentino al alero del lado del que ha recibido el pase.

Conocer sus opciones en la posición de la línea de fondo. Cuando se encuentre en la línea de fondo, trate de engañar a su defensor con un corte falso y plante un bloqueo de espaldas para un alero. En la línea de fondo, debería estar especialmente alerta para hacer flash hacia el balón cuando un alero no pueda recibir el pase. Reciba un pase en la línea de fondo sólo cuando esté en posición de recibir y lanzar, dentro de su ritmo y radio de tiro, o cuando pueda realizar un pase fácil a un jugador que corta por el interior o esté situado en el poste bajo. El balón puede moverse más rápidamente si se mantiene fuera de la línea de fondo.

Conocer sus opciones en el poste bajo. Cuando reciba el balón en el poste bajo, lea la defensa y trate de anotar antes de pasar a un jugador del perímetro. Cuando no reciba un pase en el poste bajo, trate de disponer un bloqueo de espaldas para un jugador del perímetro. Tras plantar el bloqueo, salga disparado para recibir un pase en el perímetro para un posible tiro en suspensión dentro de su ritmo y radio de tiro.

Mantener el equilibrio reboteador y defensivo. A un tiro interior, los jugadores deberían saltar al rebote, mientras el base y otro jugador exterior deberían regresar para contribuir al equilibrio defensivo. Cuando lance un tiro exterior a la zona, debe retroceder para ayudar en el equilibrio defensivo. En el momento en que el jugador en el punto central penetre a canasta, los jugadores de las alas deben retroceder para ayudar en defensa.

Un miembro de su equipo, normalmente el base, indica el comienzo del juego de pase con una sencilla fórmula verbal, como "juego de pase" o "movimiento", o con una indicación de la mano, como realizar un círculo con un dedo hacia arriba. La mejor manera de comenzar es pasar el balón al alero y luego trabajar juntos, utilizando acciones básicas del juego de pases. Tras recibir un pase en el ala, debería convertirse en una triple amenaza de pasar, lanzar o penetrar a canasta. En la penetración, trate de anotar o de pasar (draw-and-kick) interior o exterior a un compañero abierto.

Cuando el balón está en el centro, el alero más próximo debe iniciar un movimiento cortando a canasta, para crear un espacio libre para un jugador de la línea de fondo, quien cortará al alero para un pase del centro (figura 9.2). Cuando usted se encuentra en el centro y no puede pasar al alero, inice un movimiento botando hacia el lateral y utilizando un bloqueo o acción de ocho (figura 9.3).

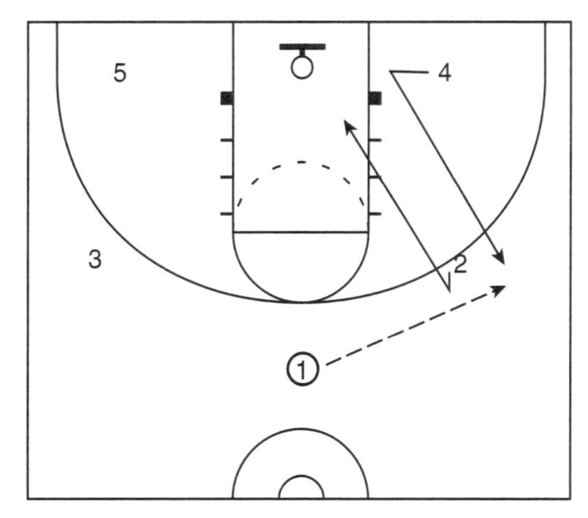

Figura 9.2 Comienzo del juego de pases: el alero 2 corta hacia canasta y crea una apertura para el jugador número 4.

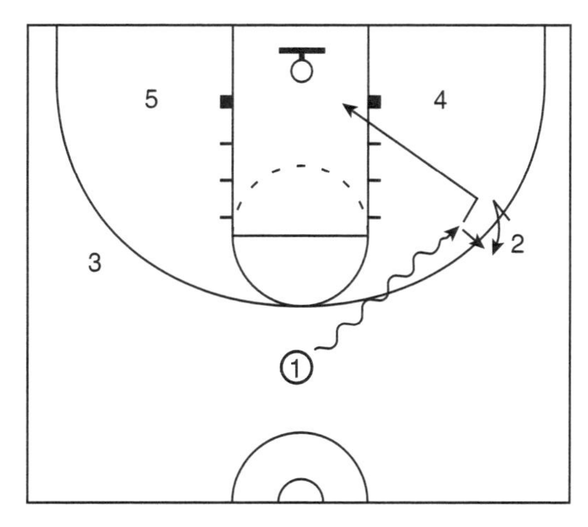

Figura 9.3 Comienzo del juego de pases: el jugador en el centro (1) dispone un bloqueo en bote para el alero 2 y luego corta a canasta.

Error

Usted y sus compañeros tienen problemas para verse unos a otros al desmarcarse en un corte, en un bloqueo o en el poste bajo.

Corrección

Los jugadores con el balón deberían ver el aro y toda la cancha. Si se ve el aro, puede ver cuándo están abiertos sus compañeros. Si corta a canasta y no recibe un pase, siga adelante y localice un punto lateral donde haya menos jugadores.

Algunas de las acciones básicas empleadas en el juego de pases son: el corte por puerta atrás, el flash, el pasar y seguir, el bloqueo con bote u ocho, el bloqueo bajo, el bloqueo ciego, el rizo en el codo, el bloqueo cruzado, el bloqueo directo y continuación, y la penetración y pase.

Corte por puerta atrás

Debería optar automáticamente por el corte por puerta atrás cada vez que está siendo intensamente defendido y no puede recibir un pase. También debería optar por el corte por puerta atrás cuando su defensor le pierda de vista, en una momentánea pérdida del control visual. Utilice una palabra clave como *trampa* para indicarle al pasador que piensa realizar el corte por puerta atrás. La palabra en cuestión indica que continuará con el corte por puerta atrás a canasta una vez iniciado. Cuando se encuentre en un lateral, supere a su defensor dando un paso por encima de la línea de tiros libres prolongada (figura 9.4) o, cuando esté en el centro, dando un paso más allá de la línea de tiros libres (figura 9.5). Tras recibir el pase, decida si debe lanzar, entrar a canasta para una bandeja o penetrar y pasar.

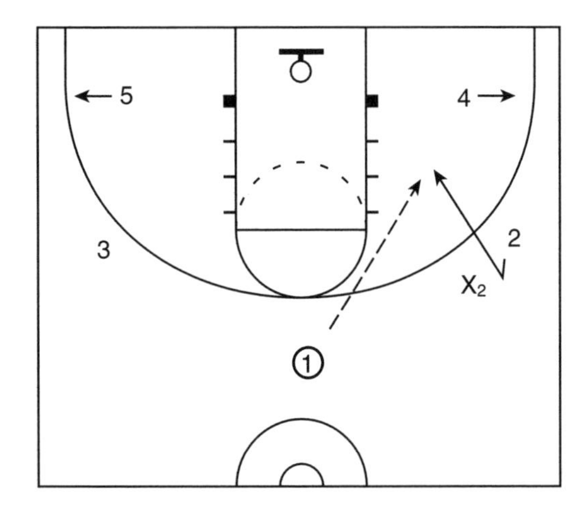

Figura 9.4 Corte por puerta atrás: El jugador 2, que no puede recibir el pase, corta por puerta atrás.

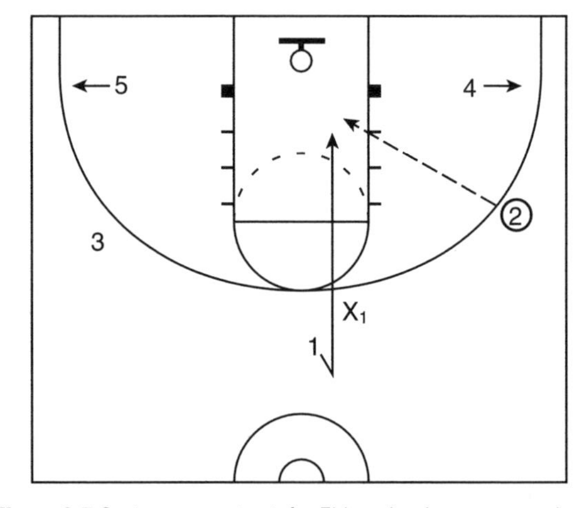

Figura 9.5 Corte por puerta atrás: El jugador 1, que no puede recibir el pase en el centro de la línea de tres puntos, corta por puerta atrás.

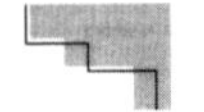

Error

Su equipo tiene problemas para mover el balón desde el lado de éste al lado débil, de lo que resulta que sus pases de circulación son fácilmente interceptados.

Corrección

Cuando está reemplazando al base desde el lado débil, corte por encima del círculo para recibir un pase y circular el balón. Un corte superficial concede a su defensor un buen ángulo para interceptar un pase. Si corta en profundidad y su defensor le persigue, corte por puerta atrás.

Flash

Siempre que vea que un compañero no puede recibir el pase y es usted el siguiente jugador, debería automáticamente hacer un flash hacia un espacio libre entre el pasador y el receptor muy defendido. Correr hacia el balón alivia la presión defensiva sobre sus compañeros, dándole al pasador otra salida. Un flash no sólo puede impedir una posible pérdida de balón, sino que, combinado con un oportuno corte por puerta atrás del receptor muy defendido, también puede crear una buena oportunidad de anotar. Indique su corte en flash con la palabra clave *flash*. Mientras recibe el pase, vea si puede pasar a su compañero muy defendido cortando por puerta atrás hacia canasta. Si su compañero sigue cubierto en el corte por puerta atrás, giro frontal para convertirse en triple amenaza de posible tiro, entrada a canasta o pase.

Realice un flash profundo cuando su compañero no pueda recibir el pase en el perímetro (figura 9.6). También puede hacer flash hacia el poste alto cuando su compañero esté siendo defendido en el poste bajo (figura 9.7), o puede hacer flash hacia el poste bajo si su compañero está siendo muy defendido en el poste alto (figura 9.8).

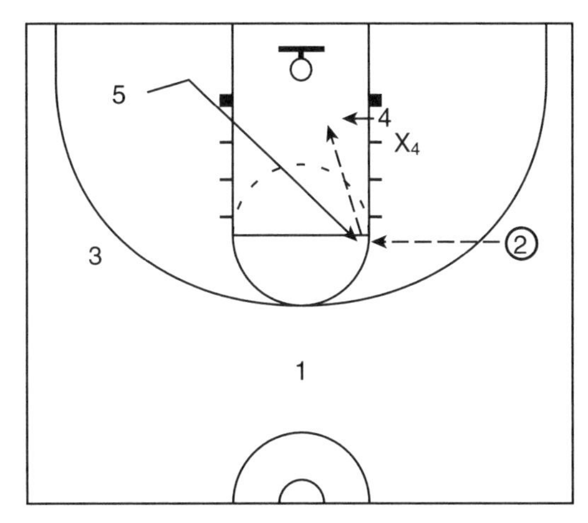

Figura 9.7 Flash: El jugador 5 ve que su compañero en el poste bajo 4 no puede recibir un pase. Hace un flash profundo, recibe un pase del jugador 2 y pasa al 4, que corta a canasta.

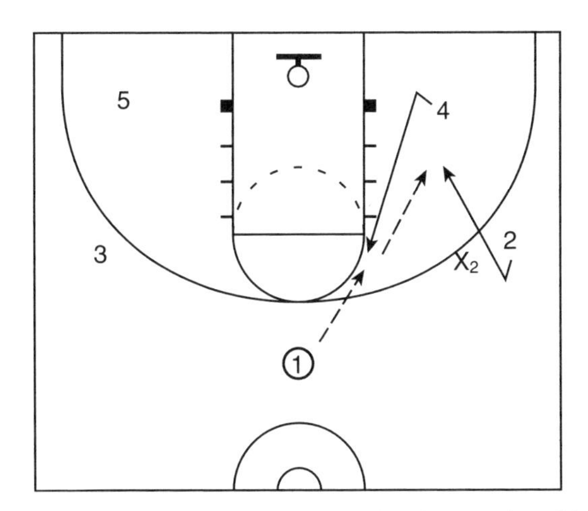

Figura 9.6 Flash: el jugador 4 ve que el alero 2 no puede recibir, hace flash en profundidad, recibe un pase del jugador 1 y pasa al 2, que está cortando por puerta atrás.

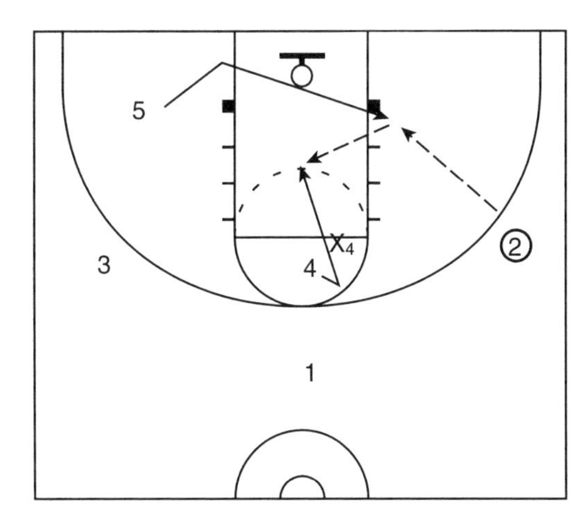

Figura 9.8 Flash: El jugador 5 ve que el jugador en el poste alto 4 no puede recibir un pase, corre hacia el poste bajo, recibe un pase del jugador 2 y pasa al 4, que corta por puerta atrás.

Error

La presión defensiva impide que usted y sus compañeros se desmarquen para recibir el pase.

Corrección

Cuando su defensor le presiona intensamente e impide que reciba un pase, haga un corte por puerta atrás a canasta. Cuando vea que un defensor impide a su compañero recibir un pase, debería automáticamente hacer flash.

Pasar y seguir

Pasar y seguir (figura 9.9) es la jugada más básica del baloncesto. Dar (pasar) el balón a su compañero e irse (cortar) hacia canasta, tratando de recibir un pase devuelto para una bandeja. Lea y supere a su defensor con una finta oportuna antes del corte. Amague un paso o dos alejándose del balón (como si no estuviese implicado en la jugada). Luego, cuando su defensor se desplace siguiéndole, cambie bruscamente de dirección y realice un corte frontal a canasta. Otra forma de fintar es dar un paso o dos hacia el balón, como si fuese a disponer un bloqueo, o recibir el balón de manos del compañero que lo tiene. Cuando su defensor le siga, cambie de dirección bruscamente y realice un corte por puerta atrás (consulte las figuras 7.3 y 7.4 de las páginas 148 y 149). La figura 9.9 muestra el modelo ofensivo de cinco jugadores de un pasar y seguir.

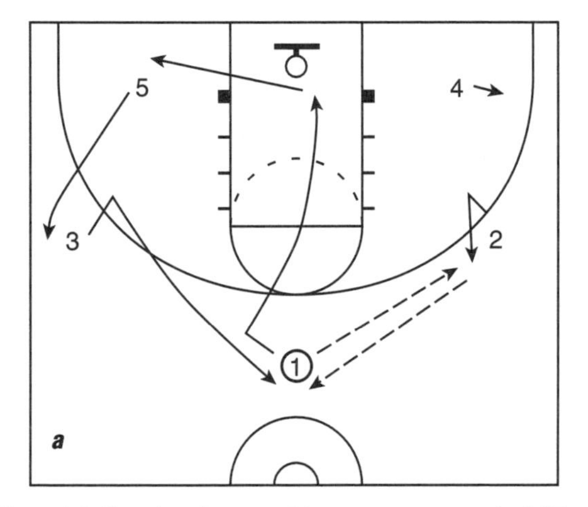

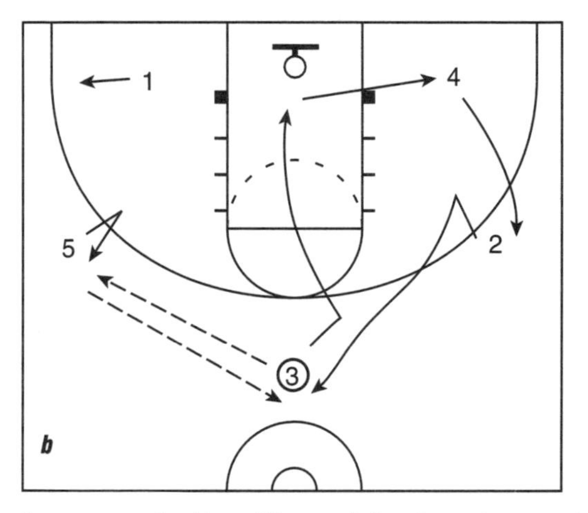

Figura 9.9 Cinco jugadores participan en pasar y seguir: ***(a)*** Para comenzar el pasar y seguir, el base (1) pasa al alero 2 y corta a canasta. El alero del lado débil (3) sustituye rápidamente al base en el centro y recibe el pase del 2. ***(b)*** El jugador 3 pasa al alero opuesto 5 y corta hacia canasta. El alero del lado débil (2) sustituye rápidamente al base y recibe el pase del 5.

Ejercicio nº 1 de pasar y seguir

Cinco contra cero, sin bote

Este ejercicio requiere cinco jugadores. Sitúense en formación 3-2 con tres jugadores en el perímetro y dos en la línea de fondo. Esta es la formación más básica y conviene aprenderla para el juego de ataque. Realice el ataque pasar y seguir contra una defensa imaginaria. El ataque no puede botar el balón, salvo en una penetración a canasta.

Un miembro del equipo, normalmente el base, indica el comienzo del ataque con una sencilla orden verbal, como "pasar y cortar" o "pasar y seguir". Cuando el balón se encuentra en el punto central, el alero más próximo debe iniciar el movimiento de corte para crear un área libre. Luego, un jugador de la línea de fondo puede cortar hacia el lateral para un pase desde el centro. Pase el balón a su compañero y corte a canasta, esperando a recibirlo de nuevo para una bandeja.

Utilice su imaginación, fintas y el momento oportuno para cortar. Haga primero un amago, dando un paso o dos en dirección opuesta al balón o en dirección a él, antes de cambiar bruscamente de dirección y cortar hacia canasta. Después de recibir un pase en el lateral, conviértase en triple amenaza. Mientras corta hacia canasta, el alero del lado débil le reemplaza en el centro y el pívot del rincón débil reemplaza al alero del lado débil.

Tras recibir el pase, el alero puede realizar un pase picado a un jugador que corte hacia canasta, pasar al compañero que ahora está situado en el centro o cortar a canasta. Si pasa el balón hacia el centro, el cortador se mueve hacia la posición abierta del rincón que ha sido dejada libre.

Continúen con el ejercicio con el jugador del centro pasando a cualquier alero, cortando a canasta, y que el alero haga una finta de pasar al cortador, antes de devolver el balón al centro. Realice al menos cinco pases antes de pasar al cortador o entrar a canasta. En una penetración desde el lateral, trate de anotar con la penetración y pase. ¡Utilice de nuevo su imaginación! En ocasiones, asuma que se está produciendo presión defensiva y resuélvala mediante un corte por puerta atrás o un flash por puerta atrás. Prosigan el ejercicio hasta efectuar un total de 30 pases y bandejas sin error.

Prueba

- Comuníquese verbalmente con sus compañeros mediante palabras clave.
- Cuando se encuentre en posesión del balón, plantee la triple amenaza de pasar, penetrar o lanzar.
- Imagine que existe defensa y utilice fintas para desmarcarse o ayudar a desmarcarse a un compañero.
- Pase al menos cinco veces antes de penetrar a canasta.

Comprobación de resultados

Menos de 15 pases consecutivos y bandejas sin error = 0 puntos
15-19 pases consecutivos y bandejas sin error = 1 punto
20-24 pases consecutivos y bandejas sin error = 3 puntos
25-30 pases consecutivos y bandejas sin error = 5 puntos
Puntuación total ____

Ejercicio nº 2 de pasar y seguir

Cinco contra dos, sin bote

Este ejercicio requiere 10 jugadores, divididos en dos equipos de cinco jugadores cada uno. Un equipo actúa al ataque y el otro en defensa. Elija dos jugadores del equipo defensivo para practicar la defensa sobre dos jugadores elegidos del equipo atacante. Sólo pueden anotar los jugadores defendidos. Este ejercicio concede a los dos jugadores atacantes práctica para moverse sin el balón, como cortes por puerta atrás, y a todos los jugadores práctica sobre el corte en flash por puerta atrás.

Recurra automáticamente al corte por puerta atrás en el momento en que un defensor le presione intensamente e impida la recepción de un pase. Utilice una palabra clave establecida, como *trampa,* para indicarle al pasador que va a realizar un corte por puerta atrás. Un corte flash por puerta atrás también resulta efectivo contra un defensor que impide a un compañero recibir el balón, cuando es usted el siguiente jugador más próximo. Haga flash hacia un espacio libre entre el pasador y el receptor muy defendido. Mientras hace flash, indique su corte con la palabra clave *flash.* Recoja el balón y busque a su compañero sobredefendido, quien debería cortar por puerta atrás a canasta.

El equipo atacante no puede botar el balón. Sin embargo, si el balón bota en el suelo en un tiro fallado o desviado, no contará como bote. El equipo atacante logra 1 punto con cada enceste. El equipo defensivo logra 1 punto por cada robo de balón o rebote capturado. Cambie de ataque a defensa después de cada canasta o cuando la defensa logre posesión de balón. Rote con nuevos jugadores defensivos después de cada canasta convertida o cuando la defensa capture el balón. Jueguen a 3 puntos.

Prueba

- Comuníquese verbalmente con sus compañeros mediante palabras clave.
- Lea los defensores y utilice fintas para desmarcarse o permitir que se desmarque un compañero.
- Sólo los jugadores defendidos pueden anotar.

Comprobación de resultados

Este es un ejercicio competitivo. El primer equipo que consiga 3 puntos gana el partido. Concédase 5 puntos si su equipo es el ganador.
Puntuación total ____

Ejercicio nº 3 de pasar y seguir

Cinco contra cinco, sin bote

Este ejercicio requiere 10 jugadores, divididos en dos equipos de 5 jugadores cada uno. Un equipo juega al ataque y el otro en defensa.

El equipo atacante no puede botar el balón. Sin embargo, si el balón bota en el suelo en un tiro fallado o desviado, ese bote no contará como tal. Este ejercicio concede práctica a los atacantes para moverse sin el balón y utilizar el pasar y seguir, el corte por puerta atrás y el flash por puerta atrás. Cuando el equipo defensivo se le instruye para presionar el balón e impedir todos los pases, el ejercicio resulta también muy exigente para el juego colectivo en defensa.

El equipo atacante logra 1 punto cada vez que hace canasta. Si la defensa comete falta, el ataque recibe el balón y comienza de nuevo. Si un jugador atacante falla un tiro y un compañero logra el rebote, el juego continúa. La defensa logra 1 punto si consigue robar el balón o capturar un rebote, o si fuerza una violación del equipo contrario. Jueguen hasta 5 puntos. Los equipos intercambian entonces su papel respectivo.

Prueba

- El equipo de ataque no puede botar el balón.
- Comuníquese verbalmente con sus compañeros.
- Lea a los defensores y adopte la jugada correcta para moverse.

Comprobación de resultados

Este es un ejercicio competitivo. El primer equipo que consiga 5 puntos gana el partido. Concédase 5 puntos si su equipo es el ganador.

Puntuación total ____

Bloqueo con bote u ocho

Un bloqueo con bote se plantea botando hacia un compañero y haciendo bloqueo sobre el defensor mientras se entrega el balón a un compañero (consulte la figura 7.14 en la página 170). En un bloqueo con bote, la reacción defensiva suele consistir en que el defensor del bloqueador presta ayuda defensiva o intercambia su función.

Antes de recibir la entrega del balón, lea la posición defensiva. Cuando su defensor trate de impedir la entrega interponiéndose en su camino, realice un corte a canasta por puerta atrás. Después de recibir el balón en un bloqueo con bote, lea la defensa. Si los defensores no intercambian sus posiciones y su defensor reacciona lentamente al bloqueo, gire hacia el rincón y penetre a canasta. Si su defensor se desliza detrás del bloqueo, trate de realizar un lanzamiento exterior. Si el defensor de su compañero cambia de lugar y pasa a defenderle a usted mientras recibe la entrega para un tiro exterior, dé al menos dos botes fuera del bloqueo y devuelva el balón al bloqueador, bien girando a canasta o bien haciendo una continuación exterior.

Una forma de defender el bloqueo con bote es que el defensor del bloqueador salte para situarse en la trayectoria del receptor, con intención de provocar una falta de ataque o de cambiar la dirección del jugador que recibe el balón. Para combatir el salto de cambio tras la entrega, realice un pequeño corte (entre 1,5 y 3 metros) a un espacio libre y espere un rápido pase de devolución. Si prevee un salto de cambio, finte la entrega y penetre a canasta.

Otra manera de defender el bloqueo con bote es que ambos defensores encierren al jugador que recibe el balón en la entrega. Si los defensores le encierran, bote de retroceso para superar la defensa y luego pase a su compañero, con un pequeño corte (entre 1,5 y 3 m) a un espacio libre. La defensa quedará entonces desigual, y el jugador con el balón puede penetrar o pasar a un compañero abierto para un tiro.

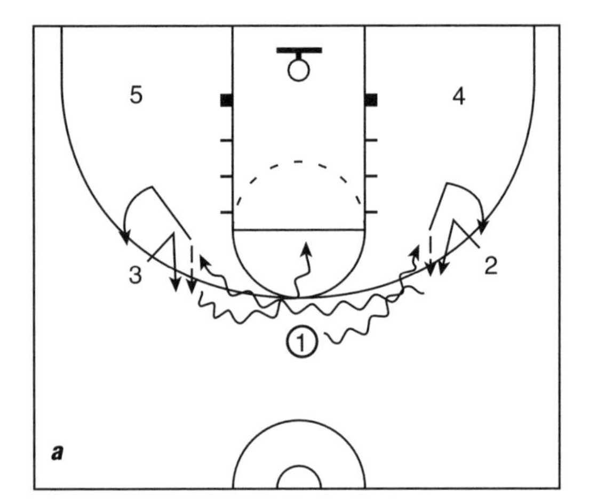

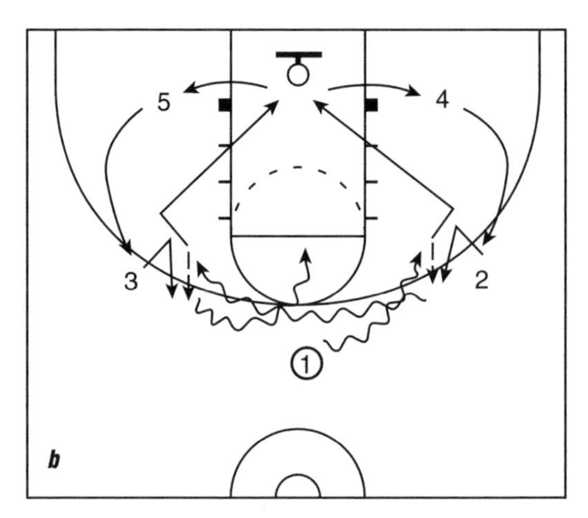

Figura 9.10 Bloqueo con bote: (a) ocho de tres jugadores; (b) ocho de cinco jugadores.

El bloqueo con bote se utiliza para ejecutar un ocho, una jugada básica del baloncesto. Un ocho (figura 9.10) implica al menos tres jugadores que disponen bloqueos con bote para cada uno. Comienza con un bloqueo en bote y entrega al compañero. Después de recibir la entrega, lance desde detrás del bloqueo, penetre a canasta o continúe el ocho botando hacia otro compañero para otro bloqueo con bote y entrega. El ocho continúa hasta que usted o un compañero aprovecha la apertura para un lanzamiento o penetración a canasta.

Ejercicio nº 1 de ochos — *Cinco contra cero*

Este ejercicio requiere cinco jugadores. Sitúense en formación 3-2 abierta, o formación extendida, con tres jugadores en el perímetro y dos en la línea de fondo. Realicen un ataque de ocho contra una defensa imaginaria.

Un miembro del equipo, normalmente el base, indica el comienzo del ocho con una orden verbal sencilla, como "ocho" o "figura". El base inicia el ocho botando hacia el interior de uno de los aleros. El alero debe crear una apertura fintando y luego cortando al exterior del botador para una entrega. El base entrega el balón y corta hacia canasta, esperando recibir un pase para una bandeja.

Utilice la imaginación y el amago, y elija el momento oportuno antes de romper. Cuando el base corta hacia canasta, el alero del lado débil lo reemplaza y el alero del rincón reemplaza al alero del lado débil. Tras recibir la entrega, el alero debe plantear una triple amenaza y puede pasar en picado al cortador, lanzar, penetrar o seguir con el ocho, botando hacia el interior del jugador que ahora ocupa el centro. Si se continúa el ocho, el cortador se mueve hacia la posición abierta de la esquina.

Prosigan el ocho, realizando al menos cinco entregas antes de pasar a un jugador que corta o penetra a canasta. En una penetración o tras recibir un pase después de un corte, trate de anotar con una penetración y tirar. Utilice su imaginación para incorporar al ocho diversas opciones defensivas. Puede asumir que su defensor está tratando de interponerse en su camino para impedir la entrega y ejecutar un corte por puerta atrás antes de la entrega. Después de la entrega, puede asumir que el defensa está saltando en un cambio o un 2 contra 1, de modo que haga un pequeño corte (entre 1,5 y 3 metros) hacia un área libre, busque una rápida devolución y entre a canasta. Continúe el ejercicio hasta un total de 30 entregas y bandejas sin error.

Prueba

- Realice al menos cinco entregas antes de entrar a canasta.
- Comuníquese verbalmente con sus compañeros.
- Imagine diversas tácticas defensivas y haga fintas y movimientos para superarlas.

Comprobación de resultados

Menos de 15 entregas consecutivas y bandejas sin error = 0 puntos
15-19 entregas consecutivas y bandejas sin error = 1 punto
20-24 entregas consecutivas y bandejas sin error = 3 puntos
25-30 entregas consecutivas y bandejas sin error = 5 puntos
Puntuación total ____

Ejercicio nº 2 de ochos — *Cinco contra cinco*

Este ejercicio requiere 10 jugadores, divididos en dos equipos de cinco jugadores cada uno. Un equipo juega en ataque y el otro en defensa.

Este ejercicio sirve para que los atacantes practiquen la ejecución de los ochos contra diversas estrategias defensivas. Practiquen diferentes opciones defensivas contra los ochos, como apertura y deslizamiento, presión sobre el balón e impedir todos los pases, salto y cambio, y 2 contra 1.

El equipo atacante logra 1 punto cada vez que anota. Si la defensa comete falta, el equipo atacante recibe el balón y comienza de nuevo. Si un jugador atacante falla un tiro y un compañero gana el rebote ofensivo, el juego continúa. La defensa obtiene 1 punto si se hace con el balón mediante robo o rebote, o si consigue que el equipo atacante cometa una violación. Jueguen a 5 puntos. Los equipos intercambian entonces los papeles.

Prueba

- Comuníquese verbalmente con sus compañeros durante los ochos.
- Lea a los defensores y reaccione según vayan a responder al ocho.
- Tenga a la vista el aro y los jugadores.

Comprobación de resultados

Este es un ejercicio competitivo. El primer equipo que consiga 5 puntos gana el partido. Concédase 5 puntos si su equipo es el ganador.

Puntuación total ____

Bloqueo bajo

El bloqueo dispuesto por un jugador hacia abajo se llama bloqueo bajo. Al disponer un bloqueo bajo para un compañero, crea una oportunidad de anotar. Su compañero puede cortar su bloqueo bajo para abrirse y recibir un pase para tiro o penetración. Si su defensor se cambia a su compañero que corta, usted se encontrará en el lado del balón del defensor al que ha hecho bloqueo, momentáneamente libre. Dando unos pasos hacia canasta antes de disponer el bloqueo, podrá obtener un mejor ángulo sobre el defensor. Necesita que el defensor vaya bajo el bloqueo. Al disponer el bloqueo bajo, comuníquese con su compañero con una palabra clave acordada, como *abajo*.

Utilice una de las cuatro opciones básicas para salir de un bloqueo, según cómo sea defendida: salida exterior, rizo, puerta atrás y desvío (véanse figuras 7.5 a 7.9, en las páginas 151 a 157). Tenga paciencia. Espere hasta que el bloqueo esté dispuesto para evitar un movimiento ilegal, y lea cómo piensa responder la defensa. Antes de utilizar el bloqueo, planee lentamente su movimiento. Fije un buen ángulo para cortar el bloqueo, moviéndose primero lentamente en la dirección en que juega su defensor y luego cortando bruscamente fuera del bloqueo, en dirección opuesta. Corte el bloqueo con la suficiente amplitud, de manera que un defensor no pueda defenderle a usted y, al mismo tiempo, al bloqueador. Esto crea espacio para un pase al bloqueador, si hay algún cambio defensivo.

Cuando usa correctamente un bloqueo, el defensor del bloqueador normalmente aportará ayuda defensiva o cambiará. Si sale hacia el exterior, el bloqueador estará libre para continuar hacia canasta y recibir un pase para un tiro interior. Si corta hacia canasta, el bloqueador quedará libre para una salida exterior y recibir un pase para un tiro exterior (figura 9.11).

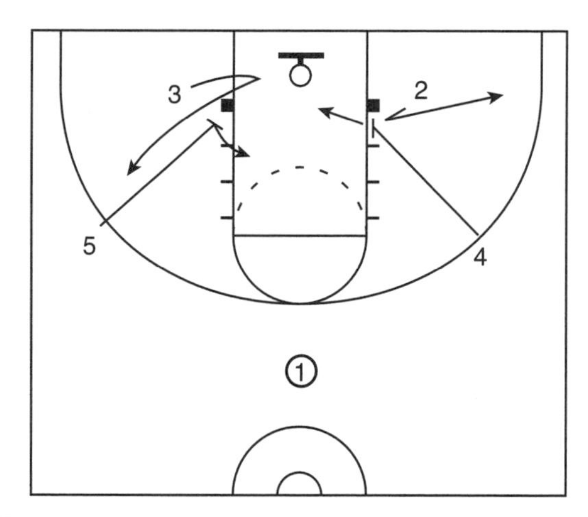

Figura 9.11 Bloqueo bajo, opciones salida exterior y desvío. Los jugadores 5 y 4 plantean bloqueos bajos para los jugadores 3 y 2. El cortador (3) hace una salida exterior y el bloqueador (5) gira. El cortador 2 se aparta y el bloqueador (4) corta a canasta.

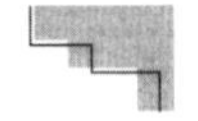

Error

Usted y sus compañeros suelen cometer faltas por plantear bloqueos ilegales.

Corrección

Sea paciente. Al disponer un bloqueo, haga una parada en salto para no moverse cuando su compañero utiliza el bloqueo. Cuando está formándose un bloqueo para usted, espere hasta que esté dispuesto. Puede llegar tarde para cortar o botar, pero nunca debe llegar antes. Esperar que el bloqueo esté formado impide cometer una acción ilegal moviendo el bloqueo y le concede tiempo para leer la defensa.

Bloqueo ciego

Cuando hace un bloqueo detrás del defensor de un compañero, se le llama *bloqueo ciego* o bloqueo alto (figura 9.12). Al plantear un bloqueo ciego para un compañero, crea una oportunidad de anotar para ese compañero o para usted. Su compañero puede cortar por detrás del bloqueo para abrirse a un pase, y posible bandeja o penetración. Si su defensor se cambia por el cortador, debe encontrarse en el lado del balón del defensor de su compañero, libre para hacer una salida exterior hacia el balón, para recibir un pase para un tiro en suspensión. Dé algunos pasos hacia canasta para conseguir un mejor ángulo sobre el defensor al que va a hacer bloqueo, comunicándose con su compañero gritando una palabra clave, como *arriba*.

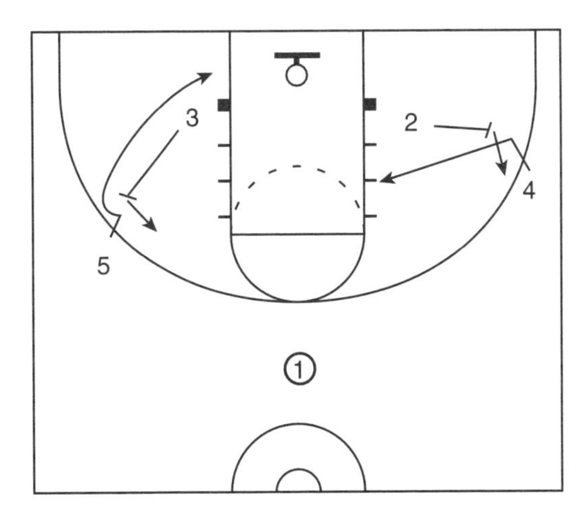

Figura 9.12 Bloqueo ciego o alto. Los jugadores 2 y 3 disponen bloqueos ciegos para los jugadores 4 y 5. El cortador 5 corta por puerta atrás y el bloqueador hace salida exterior. El cortador 4 hace un corte frontal y el bloqueador 2 hace salida exterior.

Asegúrese de que forma un bloqueo reglamentario. Con un bloqueo ciego, no le está permitido acercarse a más de un paso normal a un contrario estático, si ese contrario no es consciente de su bloqueo. Tampoco puede estar tan cerca como para que un contrario en movimiento no pueda evitar el contacto sin cambiar de dirección o detenerse. La velocidad de su contrario determina cuál será la posición de su bloqueo. Esta posición variará y puede estar entre uno y dos pasos de distancia.

Al igual que en el bloqueo bajo, espere hasta que el bloqueo ciego quede formado antes de cortar, a fin de impedir que se produzca un bloqueo ilegal, y también para leer la defensa. Planee lentamente su jugada para lograr un buen ángulo antes de realizar un corte brusco en dirección opuesta. Si corta hacia canasta con un corte frontal o por puerta atrás, el bloqueador quedará libre para hacer una salida exterior y recibir un pase para un tiro exterior. Si finta un corte a canasta y se abre hacia fuera, o si finta recibir un pase para un tiro exterior, el bloqueador debería cortar a canasta. Las cuatro opciones básicas para cortar un bloqueo ciego, según cómo sea ésta defendida, son el corte frontal, el corte por puerta atrás, la salida exterior y el desvío.

Rizo en el codo

Cuando plantea un bloqueo horizontal para un compañero situado en el codo, éste debería tratar de hacer un rizo por su bloqueo bajo. En un rizo en el codo (figura 9.13), su defensor normalmente aportará ayuda defensiva o se cambiará. Esto le deja momentáneamente libre para una salida exterior y recibir un pase para un tiro exterior. El rizo en el codo se emplea mejor cuando un jugador bajo plantea un bloqueo bajo en el codo para un jugador más alto. El jugador más alto puede hacer un rizo hacia canasta, y el bajo puede hacer la salida exterior para un tiro en suspensión de recibir y lanzar. Para disponer el bloqueo para un rizo en el codo, dé unos pasos hacia canasta para obtener un mejor ángulo sobre el defensor. Indique a su compañero el rizo sobre su bloqueo gritando la palabra *rizo*.

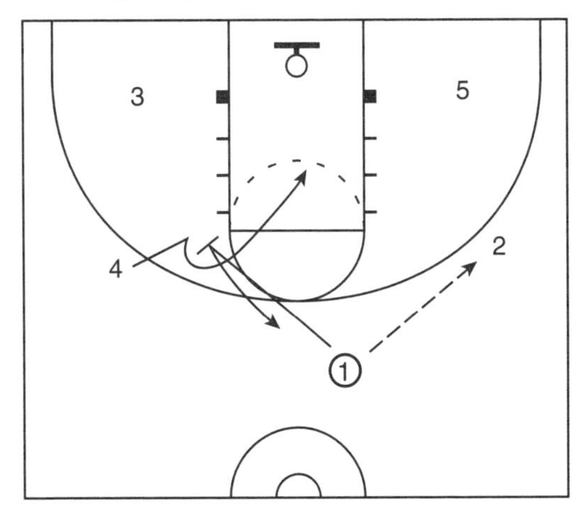

Figura 9.13 Rizo en el codo. El jugador 1 dispone un bloqueo en el codo para el jugador 4. El 4 corta y el bloqueador 1 hace salida exterior

Bloqueo cruzado

Un bloqueo cruzado (figura 9.14) se forma a través de la zona para un compañero que se encuentra en el bloque opuesto. En un bloqueo cruzado, el defensor del bloqueador normalmente reacciona proporcionando ayuda defensiva o cambiando.

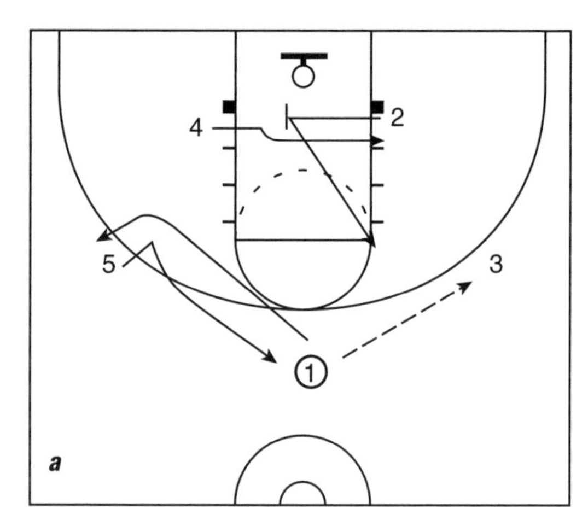

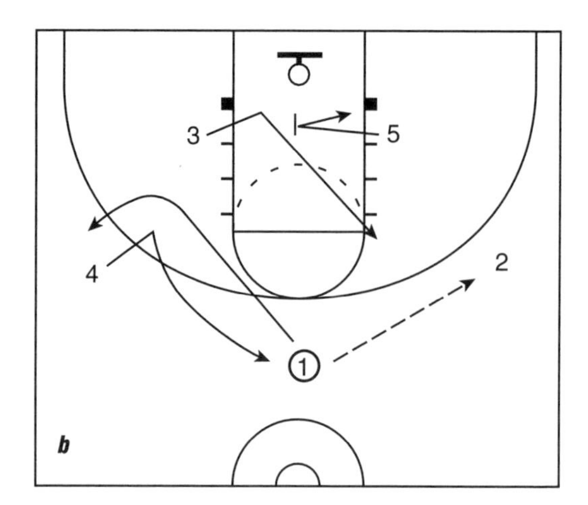

Figura 9.14 Bloqueo cruzado: (a) El jugador 2 plantea un bloqueo cruzado para el jugador 4. El jugador 4 corta hacia el bloque y el bloqueador 2 sale arriba de la zona. (b) El jugador 5 plantea un bloqueo cruzada para el jugador 3. El jugador 3 corta hacia arriba y el bloqueador 5 se vuelve hacia el bloque.

Al plantear un bloqueo cruzado, debe leer la posición defensiva y cortar por delante o detrás del bloqueo. Si su compañero corta hacia el bloque por delante o detrás, usted debería hacer salida exterior hacia el área del codo y recibir así un pase para un tiro exterior. Si su compañero va hacia el codo para recibir un pase para un lanzamiento exterior, usted debería volverse hacia el codo del lado del balón.

Bloqueo directo y continuación

El bloqueo directo y continuación (figura 9.15), otra jugada básica, recibe su nombre de la acción. Forma un bloqueo para su compañero, quien bota para un lanzamiento exterior o una penetración. Si su defensor se pasa a su compañero, usted quedará momentáneamente dentro del defensor al que ha hecho bloqueo, y libre para volverse hacia canasta, a fin de recibir un pase devuelto del botador para una bandeja. El bloqueo directo ofrece cuatro opciones, según cómo sea defendida: bloqueo y continuación, bloqueo y salida, bloqueo y desvío, y romper el 2 contra 1 (véanse figuras 7.9 a 7.12, a partir de la página 158). La figura 9.15 muestra la opción básica cuando los defensores se cambian.

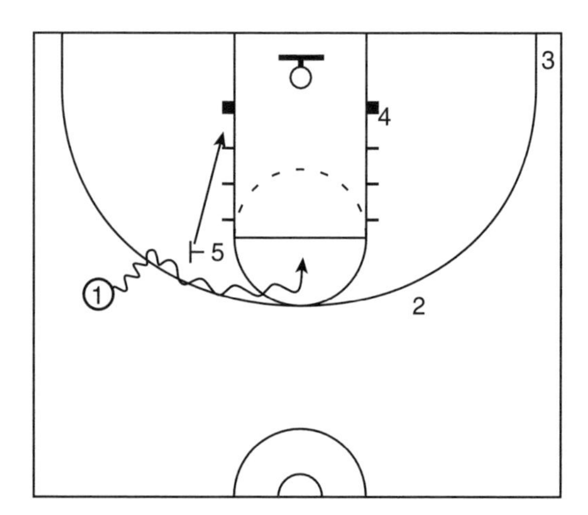

Figura 9.15 Bloqueo directo y continuación. El jugador 5 forma un bloqueo para el jugador 1 y se marcha a canasta.

Penetración y pase

Cuando penetra dejando atrás a un defensor, y el defensor de su compañero deja a éste para dar ayuda defensiva sobre usted, se crea un pasillo en el que su compañero puede recibir un pase. La jugada recibe así el nombre de: penetración y pase. Esté siempre alerta ante una oportunidad de penetrar para anotar o crear un tiro desmarcado para un compañero cuyo defensor es atraído hacia usted. Tenga presente también una apertura o agujero entre dos defensores, para penetrar con uno o dos botes y atraer los defensores hacia usted.

El uso efectivo de penetración y pase depende de juzgar correctamente cuándo y dónde penetrar. Pero también depende de que los jugadores sin balón se muevan hacia puntos libres. Porque el juego de pases depende sobre todo de mover el balón, ya que el bote excesivo resulta contraproducente. Penetración y pase se aplica mejor desde el lateral tras una circulación de balón desde el lado fuerte al lado débil. Entre las opciones de penetración se cuentan la penetración a canasta, el tiro en suspensión superando al defensor, la penetración y pase interior (figura 9.16), y la penetración y pase exterior (figura 9.17).

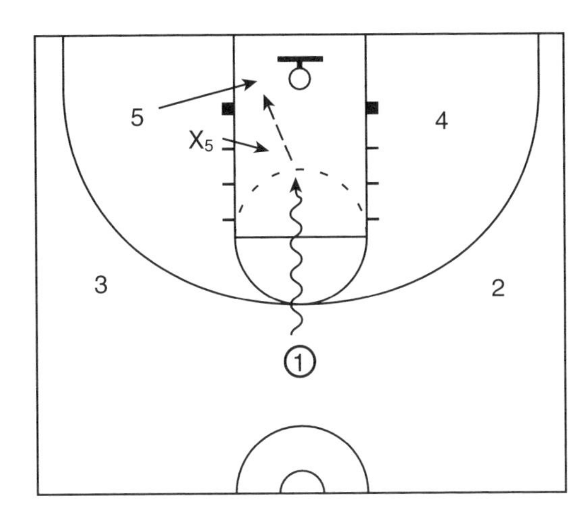

Figura 9.16 Penetración y pase interior. El jugador 1 penetra, atrayendo al defensor del jugador 5, y pasa al jugador 5, que corta hacia canasta.

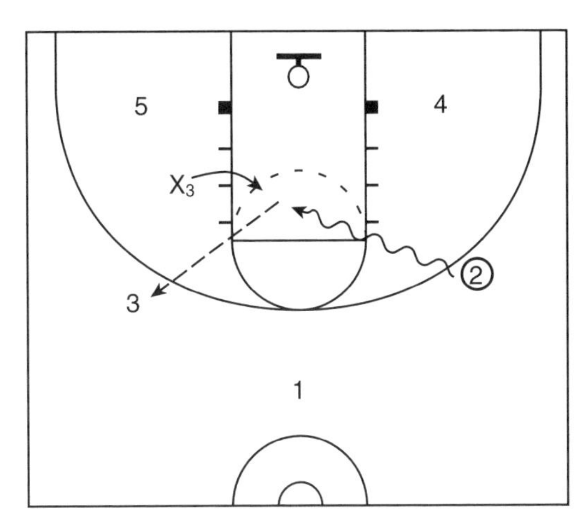

Figura 9.17 Penetración y pase exterior. El jugador 2 penetra, atrayendo al defensor del jugador 3, y pasa al jugador 3, que se ha desviado hacia el exterior.

Error

Usted y sus compañeros abusan del bote sin un plan. Ni el balón ni los jugadores se mueven lo suficiente como para romper la defensa.

Corrección

El juego de pase es más efectivo cuando el balón y los jugadores se mueven activamente. Demasiado bote es contraproducente. Pase el balón al lado débil antes de optar por penetrar y pasar.

Ejercicio nº 1 de juego de pases — *Cinco contra cero*

Este ejercicio requiere cinco jugadores. Sitúense en formación abierta 3-2, o formación extendida, con tres jugadores en el perímetro y dos en la línea de fondo. Realicen un juego de pases ofensivo contra una defensa imaginaria.

Un jugador, por lo general el base, indica el comienzo del ejercicio con una simple orden verbal, como "juego de pase" o "movimiento", o con una señal de la mano, por ejemplo, dibujar un círculo con un dedo. El base pasa el balón al alero, y los demás jugadores trabajan juntos utilizando acciones básicas del juego de pase. Tras recibir el pase, el alero debe plantear una triple amenaza. En una penetración, el alero trata de anotar o penetrar y pasar. Cuando el balón se encuentra en el centro, el alero más cercano debe iniciar el movimiento, cortando para crear un área abierta para que un jugador de la línea de fondo corte hacia un lateral para recibir un pase del base. Cuando el base no puede pasar al alero, debe iniciar el movimiento botando hacia un lateral y haciendo un bloqueo en bote o un ocho.

Utilice su imaginación para mezclar las diversas opciones atacantes, como el corte por puerta atrás, el flash por puerta atrás, el pasar y seguir, el ocho, el bloqueo bajo, el bloqueo ciego, el bloqueo cruzado, el rizo en el codo, el bloqueo directo, y penetración y pase. Trabajar sobre las opciones básicas para usar un bloqueo: salida, rizo, corte por puerta atrás y desvío. Practiquen la comunicación utilizando palabras clave previamente acordadas, como *flash, abajo, arriba, cruzada, bloqueo* y *ocho.* Continúen hasta realizar un total de 30 pases sin error.

Prueba

- Comuníquese con sus compañeros utilizando palabras clave.
- Utilice diferentes opciones ofensivas, incluido el corte por puerta atrás, el pasar y seguir, el ocho, el bloqueo bajo y el bloqueo cruzado.

Comprobación de resultados

Menos de 15 pases consecutivos sin error = 0 puntos
15-19 pases consecutivos sin error = 1 punto
20-24 pases consecutivos sin error = 3 puntos
25-30 pases consecutivos sin error = 5 puntos
Puntuación total ____

Ejercicio nº 2 de juego de pases

Cinco contra dos

Este ejercicio requiere 10 jugadores divididos en dos equipos de 5 jugadores cada uno. Un equipo juega en ataque y el otro en defensa. Dos jugadores del equipo defensivo defenderán a dos jugadores del equipo atacante. Sólo los jugadores defendidos pueden anotar.

Este ejercicio se centra en dos jugadores atacantes mientras practican diversas opciones del juego de pases y las opciones básicas de usar un bloqueo. De nuevo, practique la comunicación entre compañeros con palabras clave previamente acordadas. Los dos defensores pueden practicar la presión sobre el balón, cierre de pases en el lado fuerte, ayuda en el lado débil, lucha contra el deslizamiento de bloqueos, cambio en salto o 2 contra 1. Cambien de ataque a defensa después de una canasta o cuando la defensa consiga posesión de balón. Los jugadores defensivos deben rotar después de cada canasta o posesión de balón de la defensa. El ataque logra 1 punto por cada canasta convertida por uno de los jugadores defendidos. La defensa logra 1 punto por cada robo de balón o rebote defensivo capturado. Jueguen a 5 puntos.

Prueba

- Comuníquese con sus compañeros de equipo utilizando palabras clave.
- En ataque, use diversas opciones en el juego de pases y métodos para cortar un bloqueo.
- En defensa, trabaje en la presión al balón, impedir el pase en el lado fuerte, ayudas en el lado débil y superar bloqueos.

Comprobación de resultados

El equipo atacante logra 1 punto por cada lanzamiento convertido por uno de los jugadores defendidos. El equipo defensivo logra 1 punto por cada robo de balón o rebote defensivo capturado. Este es un ejercicio competitivo. El primer equipo que anote 3 puntos gana el partido. Concédase 5 puntos si su equipo es el ganador.
Puntuación total ____

Ejercicio nº 3 de juego de pases

Cinco contra cinco

Este ejercicio requiere dos equipos de cinco jugadores cada uno. Un equipo juega en ataque y el otro en defensa.

El equipo atacante practica la ejecución de diversas opciones de juego de pases, con opciones básicas para cortar un bloqueo, y comunicándose mediante palabras clave previamente acordadas. La defensa practica la presión sobre el balón, impedir el pase en el lado fuerte, ayudas en el lado débil y luchar contra los bloqueos con deslizamiento, salto, cambio o 2 contra 1.

El equipo atacante logra 1 punto cada vez que anota. Si la defensa comete falta, el ataque recibe el balón y comienza de nuevo. Si un jugador atacante falla un tiro y un compañero captura el rebote ofensivo, el juego continúa. La defensa logra 1 punto si consigue robar el balón o captura el rebote, o si fuerza al equipo atacante a cometer una violación. Jueguen a 5 puntos. Los equipos intercambian luego sus papeles respectivos.

Prueba

- En ataque, lea la defensa y adopte la opción correcta para crear una buena oportunidad de anotar.
- En defensa, utilice las diversas opciones para combatir los bloqueos y presión sobre el balón.
- Comuníquese con sus compañeros utilizando palabras clave.

Comprobación de resultados

Este es un ejercicio competitivo. El primer equipo que anote 5 puntos gana. Concédase 5 puntos si su equipo es el ganador.
Puntuación total ____

ATAQUE EN ZONA

En las defensas en zona, cada defensor tiene asignada un área de la cancha en lugar de un atacante contrario. Cuando se atacan las defensas en zona, debe entender el tipo de zona contra la que está jugando. Diferentes zonas emplean diferentes estrategias, desde recogerse dentro para presionar sobre los tiros exteriores, defender intensamente las calles de pase o encerrar el balón. Las defensas en zona se designan según la alineación de los jugadores desde la línea de tres puntos hasta la canasta, y entre ellas se cuentan la zona 2-1-2, la 2-3, la 1-2-2, la 3-2, y la 1-3-1.

Varios dispositivos habituales de ataque se emplean contra las zonas. Un método de atacar la zona es utilizar una alineación de sobrecarga. Atacar una zona que tiene un frente equilibrado (dos jugadores) con un frente desigual (de un jugador), y viceversa. Esto permite entrar en los espacios o resquicios de la zona, las áreas entre jugadores defensivos, allí donde los defensores pueden estar indecisos o tardar en recuperarse. Otros ataques estándar contra la zona incluyen enviar un cortador o cortadores a sectores libres en el lado débil e interior, así como sobrecargar la zona.

Los principios básicos para atacar zonas son más importantes que los relativos a una defensa estándar de la zona:

- Contraataque. Atacar la zona antes de que los defensores se sitúen en sus respectivas posiciones defensivas.
- Adoptar un buen espaciamiento entre jugadores. Estirar la zona. Los tiradores de tres puntos deben esparcirse más allá de la línea de tres puntos.
- Mover el balón. El balón puede moverse más rápido de lo que puede modificarse la zona. Pase el balón al lado débil. Mueva el balón hacia dentro y luego hacia fuera.
- Invertir el balón. Pase el balón para hacer que la defensa se mueva en otra dirección, luego invertir rápidamente el balón hacia el lado opuesto.
- Plantear la triple amenaza. Alinéese con la canasta y conviértase en una amenaza de anotar. Utilice fintas de tiro y de pase.
- Dividir la zona. Los jugadores exteriores deben moverse entre los agujeros o resquicios de la zona (entre defensores) y dentro del radio de tiro.
- Penetrar y pasar. Penetre entre defensores para atraer al defensor de un compañero y crear una calle de pase a su compañero.
- Cortar. Envíen un cortador o cortadores al lado débil o al interior, detrás de la defensa. Es muy difícil para la defensa tener un contacto visual con el balón y un jugador atacante que corta desde atrás.
- Ser paciente y hacer una buena selección de tiro. Cuando es usted paciente, la defensa puede fatigarse y cometer errores.
- Atacar los tableros ofensivos. Aunque los mejores reboteadores pueden estar situados en el interior de la zona, tienen muchas dificultades para bloquear a reboteadores atacantes cuanto éstos son agresivos.

Ejercicio de ataque a la zona

La concha penetrar y pasar

Éste es un buen ejercicio ofensivo para establecer una posición de triple amenaza y poder penetrar y pasar. Divida ocho jugadores en dos equipos de cuatro jugadores cada uno (un equipo atacante y un equipo defensor). El equipo atacante comienza con dos bases en el centro del círculo y dos pívots en las alas. Cualquier jugador atacante con el balón puede realizar una penetración con bote. Cuando el defensor más próximo al balón se mueve para ayudar a impedir la penetración, el jugador atacante con el balón pasa al compañero que el defensor de ayuda haya dejado. El jugador atacante que recibe el pase debe ser una triple amenaza de lanzar, pasar o penetrar.

El equipo atacante logra 1 punto por cada canasta que convierte. Si la defensa comete falta, el ataque recibe el balón y comienza de nuevo. Si un jugador atacante falla un tiro y un compañero captura el rebote ofensivo, el juego continúa. La defensa logra 1 punto cada vez que roba el balón o captura un rebote defensivo, o cuando fuerza al ataque a cometer una violación. Jueguen a 5 puntos. Los equipos cambian entonces sus respectivos papeles.

Prueba

- El jugador atacante que recibe el pase debe constituirse en triple amenaza.
- El jugador atacante con el balón debe estar atento a cualquier compañero que quede abierto cuando un defensor se mueve para ayudar en la penetración.

Comprobación de resultados

Este es un ejercicio competitivo. El primer equipo que anote 5 puntos gana el partido. Concédase 5 puntos si su equipo es el ganador.

Puntuación total ____

RESUMEN DEL ATAQUE COLECTIVO

Una vez dominados los fundamentos individuales, está usted listo para aplicarlos al servicio del equipo. El baloncesto es un deporte colectivo por excelencia, y un ataque colectivo bien ejecutado conducirá a una mayor producción de puntos y a un mejor rendimiento de equipo.

En el paso siguiente examinaremos con mayor detalle la defensa colectiva. Antes de afrontar, sin embargo, el décimo paso, debe examinar cómo ha ejecutado los ejercicios propuestos en este paso. En cada uno de los ejercicios anote la puntuación obtenida y súmelas para poder evaluar su grado de acierto global.

Ejercicios de pasar y seguir	
1. Cinco contra cero, sin bote	___ de 5
2. Cinco contra dos, sin bote	___ de 5
3. Cinco contra cinco, sin bote	___ de 5
Ejercicios de ochos	
1. Cinco contra cero	___ de 5
2. Cinco contra cinco	___ de 5
Ejercicios de juego de pases	
1. Cinco contra cero	___ de 5
2. Cinco contra dos	___ de 5
3. Cinco contra cinco	___ de 5
Ejercicio de ataque a la zona	
1. La concha penetrar y pasar	___ de 5
Total	___ ***de 45***

Si ha obtenido 35 puntos o más, ¡enhorabuena! Eso significa que ha dominado los fundamentos de este paso y que está preparado para afrontar el siguiente y último, la defensa colectiva. Si ha obtenido menos de 35 puntos, debería invertir más tiempo en perfeccionar los fundamentos cubiertos en este paso. Practique de nuevo los ejercicios para desarrollar la maestría de las técnicas e incrementar su puntuación.

10.º
PASO

La defensa colectiva

Se gana con defensa. Más aún que habilidad, la defensa requiere actitud e inteligencia. Los mejores jugadores defensivos juegan con el corazón, entregándose al máximo cada segundo que pasan en la cancha. La defensa es, sobre todo, actitud, pero el deseo de jugar en defensa está limitado por la forma física. A medida que la fatiga se apodera de uno, se pierden facultades para demostrar la habilidad, lo que conduce a una derrota más dolorosa en el deseo de competir. También tiene que estar dispuesto a plantear una defensa ganadora. Los entrenadores buscan jugadores capaces de tomar buenas decisiones, que permanecen en su posición, evitan hacer faltas, ayudan a sus compañeros y eligen sabiamente sus oportunidades para cargas, robos de balón y tapones.

Una buena defensa inhibe al contrario, limitando sus tiros solos. Una buena defensa de equipo no sólo reduce las oportunidades de anotar de un oponente, sino que también las crea para su equipo. Una agresiva presión defensiva conduce a robos de balón, intercepciones y tiros fallados, que crean oportunidades de anotar. Más a menudo que al contrario, los robos e intercepciones conducen a tiros de alto porcentaje al final de contraataques.

Oponer una dura defensa rara vez reporta la aclamación pública que merece una defensa eficiente, pero la mayoría de los entrenadores aprecian y reconocen el valor de los buenos defensores y de una dura defensa de equipo. Puede usted hacer que su equipo sea mejor convirtiéndose en un gran defensor, incluso si su habilidad defensiva no se ha desarrollado. Las cualidades defensivas pueden desarrollarse con menos tiempo, pero requieren un duro trabajo.

Los equipos con menor capacidad ofensiva que el promedio sólo pueden tener éxito trabajando muy duro en una inteligente defensa de equipo. La defensa es más consistente que el ataque porque se basa en el deseo y el esfuerzo, mientras que el ataque se basa en un alto grado de habilidad. El balón puede que en determinado partido no le entre, pero con el esfuerzo suficiente, un partido nunca está defensivamente perdido.

Enfatizar en la defensa no sólo le ayuda a convertirse en un mejor jugador, sino que también contribuye al éxito de su equipo. El entusiasmo, la inteligencia y el máximo esfuerzo defensivo pueden ser contagiosos, y pueden promover un mayor esfuerzo defensivo por parte de todos y un mayor espíritu de equipo. Es cierto el viejo proverbio del baloncesto: la defensa gana los campeonatos.

FACTORES DE LA DEFENSA EN CAMPEONATO

Los atributos habituales de los grandes defensores pueden dividirse en factores emocionales, mentales y físicos.

Los factores emocionales básicos son deseo y agresividad. El **deseo** de oponer una gran defensa es lo más importante. El ataque suele ser divertido. La defensa, aunque es un trabajo duro, también puede ser divertida, pues impides lo que tu oponente está tratando de hacer. Deseo en defensa significa aportar el máximo esfuerzo y concentración en cada jugada. Defender con intensidad significa desplegar un gran esfuerzo, como correr a toda velocidad en la transición de ataque a defensa, mantener una postura defensiva con las manos elevadas todo el tiempo, tratar de arrancar una falta en ataque luchando por balones divididos, bloqueando los rebotes defensivos y comunicándose con sus compañeros por medio de palabras defensivas clave.

La defensa es una batalla. Al jugar en ataque, tiene la ventaja de saber cuál será su jugada siguiente. Al jugar en defensa, la tendencia es reaccionar a las jugadas del atacante. Ese es un enfoque negativo. Debe adoptar el enfoque positivo de **ser agresivo en defensa,** es decir, forzando al contrario a reaccionar. Ser un defensor agresivo significa que su actitud es dominar a su contrario de todas las formas. No permita las jugadas que su contrario quiere realizar. Tome usted la iniciativa. La defensa agresiva obliga a su oponente a reaccionar a lo que usted está haciendo. Por ejemplo: un defensor agresivo presiona al jugador que bota, lucha sobre los bloqueos, presiona al lanzador, impide el pase y busca interceptar balones, pelea por los balones perdidos y rebota en los tiros fallados.

Cualidades mentales como disciplina, dureza, conocimiento, anticipación, concentración, atención y criterio son importantes también para oponer una buena defensa. Un gran deseo es el comienzo, pero debe **disciplinarse a sí mismo,** para atenerse a su objetivo de convertirse en un gran jugador defensivo. La dura tarea de desarrollar una superior forma física, practicar cualidades defensivas y oponer una dura defensa en competición requiere una continua autodisciplina. La defensa no puede ser intermitente. Debe oponerse con dureza todo el tiempo. Esto requiere disciplina, y los duros defensores se comprometen a adquirirla.

Las exigencias físicas de una defensa agresiva pueden agotar hasta al atleta mejor preparado. La incomodidad progresiva de los movimientos defensivos, además del dolor físico de luchar contra bloqueos, cargas, pelear por balones perdidos y batallar por los rebotes puede resultar agotadora. Los defensores tenaces superan esta incomodidad y sufrimiento físico. Se levantan del suelo cada vez que caen. Su **tenacidad mental** puede inspirar a otros compañeros y seguidores.

Una defensa eficiente requiere **analizar a su contrario** y al ataque del equipo rival. Prepárese para estudiar informes y sondeos, vídeos, además de observar a sus oponentes durante las primeras fases del partido. Juzgue la rapidez y fuerza de sus contrarios. ¿Cuáles son las tendencias atacantes del oponente? ¿Tiene su contrario tendencia a lanzar o a penetrar? ¿Cuáles son las jugadas atacantes de su contrario y cuál es su dirección preferida? Desde un punto de vista de equipo, ¿su oposición le vencería en contraataques o en ataques estáticos? ¿Qué jugadas opondrá el equipo contrario contra el suyo y qué jugadas planteará cuando necesite una canasta clave? ¿Quiénes son sus tiradores exteriores, penetradores y jugadores en el poste alto? Estudie tanto a sus oponentes individuales como al equipo en conjunto. Entérese de qué es lo que mejor hacen sus rivales y trabaje para impedirlo.

Anticipación significa conocer las tendencias y adaptarse a cada situación para lograr ventaja. Jugar al ataque le concede la ventaja de saber exactamente cuál será su jugada siguiente, pero al jugar en defensa debe reaccionar a la jugada del atacante, a menos que recurra a la anticipación. Si conoce de antemano las tendencias de su oponente, puede actuar en consecuencia y prever su próxima jugada. En defensa no debería adivinar, pero puede hacer una jugada calculada basándose en un estudio inteligente de su oponente individual y del equipo contrario.

Concentrarse significa centrarse por completo en su tarea y no distraerse. Las distracciones potenciales pueden ser la inoportuna charla de su oponente, la agitación del público, una llamada de atención del árbitro y sus propios pensamientos negativos. Cuando reconoce que está distraído o que está pensando negativamente, interrumpa la distracción diciéndose una palabra clave como **¡basta!** Luego sustituya la distracción por una declaración positiva. Concéntrese en su tarea defensiva en lugar de permitirse estar distraído.

La **atención** supone mantenerse en un estado receptivo y dispuesto a reaccionar al instante, en todo momento. Cuando defiende al jugador con el balón, debe estar listo para defender el tiro, penetración o pase de su oponente, y mantenerse alerta ante las posibles bloqueos, buscar una intercepción, luchar por un balón perdido o rebotar un lanzamiento fallado.

Criterio es la capacidad de resumir la situación del partido y decidir la acción apropiada. Hay numerosas situaciones defensivas que requieren un buen criterio. Un ejemplo es decidir si debe presionarse el balón en el perímetro o retroceder para impedir un pase interior. Las decisiones sobre la opción defensiva implicarán comparar su capacidad con la de su oponente, teniendo en cuenta el ritmo del partido, el marcador y el tiempo restante. Un buen criterio defensivo es particularmente importante hacia el final de los partidos reñidos.

Los factores físicos como la forma física, la rapidez y equilibrio también desempeñan un papel. Un alto nivel de **forma física** es un requisito imprescindible para poder plantear una buena defensa. A lo largo de un partido, su deseo de competir será proporcional a su nivel de forma física. La forma de juego defensiva se desarrolla mediante programas físicos específicos y, todavía más, realizando un gran esfuerzo tanto en los entrenamientos como en los partidos. Dominar a un oponente requiere fuerza, resistencia muscular y resistencia circulatorio-respiratoria. Trabaje para mejorar la fuerza de todo su cuerpo de forma que pueda resistir el contacto corporal al defender a un jugador en el poste bajo. También debe mejorar la resistencia muscular de sus piernas. No es sólo la rapidez con que pueda moverse, sino que pueda moverse rápidamente durante todo el partido.

Rapidez se refiere a la velocidad de movimientos al ejecutar una oración, no sólo a la velocidad en carrera. Poder mover rápidamente los pies es la cualidad física más importante para un jugador defensivo, y debe desarrollar esa cualidad. Poder cambiar de dirección lateralmente también es muy importante. Aunque es difícil realizar grandes progresos en cuanto a la rapidez, hay tres factores que pueden ayudar. Primero, puede mejorar la velocidad mediante ejercicios de juego de pies y saltando a la comba. Segundo, puede ser mentalmente rápido empleando la inteligencia para anticiparse a los movimientos ofensivos de su contrario, y así moverse con mayor rapidez al lugar correcto en el momento oportuno. Conocer a su oponente y anticiparse puede compensar una mediocre rapidez física. Tercero, es esencial **que tenga equilibrio y controle su cuerpo**. La rapidez sin equilibrio puede ser inútil. Dado que la rapidez defensiva implica la capacidad de comenzar a correr, pararse y cambiar de dirección, también es importante que tenga control sobre su cuerpo. La rapidez controlada, o la rapidez con equilibrio, es lo que necesita al jugar en defensa.

DEFENDER AL JUGADOR CON EL BALÓN

El aspecto vital de oponer una gran defensa es presionar al botador. Presionar al base atacante y al mejor conductor de balón a lo largo del partido impide que su oponente pueda concentrarse en realizar ataques cómodos.

Donde quiera que tome usted al botador (pista entera, media pista, línea de tres puntos, etc.) debe quedar determinado por la estrategia de equipo. Cuando está defendiendo a un contrario con el balón, mantenga una posición entre el conductor del balón y la canasta. Trate de ceder terreno a regañadientes. Siempre que sea posible, obligue a su oponente a frenar el bote. Entonces puede aplicar mayor presión, con ambas manos arriba, contra un tiro o un pase. Hay cuatro situaciones básicas que determinarán cómo la estrategia defensiva de su equipo fija la posición que debe usted adoptar: rodear al botador, obligar al botador a situarse en un lateral, encajonar al botador hacia el centro y obligar al botador a utilizar su mano mala.

La idea básica de **girar al botador** es dominar a su contrario aplicando la máxima presión sobre el balón. Trabaje para establecer una posición defensiva de medio cuerpo adelantado en la dirección en que el botador pretende tomar. A esta posición se le llama **pecho sobre el balón**. El objetivo es prevenir otro bote en la misma dirección y obligar al botador a realizar un bote en reverso. Con buena anticipación, incluso puede arrancar una falta en ataque. Si el botador intenta un cambio frontal de dirección, usted debería poder robar el balón con un rápido manotazo arriba de su mano más próxima. En el bote de reverso del botador, cambie rápidamente de dirección y muévase de nuevo para adoptar la posición de pecho sobre el balón, al menos de medio cuerpo adelantado en la dirección que quiere ir el botador. Continúe obligando al botador a girar en reverso.

La línea lateral puede servir de ayuda defensiva. Al ser empujado **hacia la línea lateral**, el botador sólo puede pasar en una dirección. Trabaje para lograr una posición de medio cuerpo hacia el interior de la cancha, con su pie interior (el más cercano al centro) adelantado y el pie exterior retrasado. Obligue al botador a situarse en la línea lateral, luego impida un bote en reverso hacia el centro. Al botar hacia el centro, el botador tiene más opciones de pasar a cualquier lado o ensayar un tiro de alto porcentaje.

Al tomar una posición defensiva de medio cuerpo hacia el exterior de la cancha, puede **encauzar al botador hacia el centro**. Esta estrategia moverá al botador hacia su compañero defensor del balón. A su vez, su compañero puede utilizar una de las varias tácticas de equipo, como un cambio, finta de cambio, 2 contra 1 o robo de balón. Si su equipo cuenta con un taponador de tiro, puede beneficiarse de encauzar al botador en la dirección del taponador. El peligro de canalizar al botador hacia el centro radica en la posibilidad de que lo supere y entre en la zona para lanzar un tiro de alto porcentaje o realizar un pase a cualquier lado.

Pocos botadores pueden penetrar con la mano mala con la misma efectividad que con la buena. Al presionar sobre la mano buena, **fuerza a su contrario a botar con la mano mala**. Una fuerte presión sobre el botador, tomando una posición de medio cuerpo hacia el lado de la mano buena del botador, con su pie delantero fuera y el pie trasero alineado con el centro del cuerpo del botador.

LA DEFENSA SOBRE JUGADORES SIN BALÓN

Situarse al margen del balón forma parte importante de la defensa colectiva. Para entender mejor la disposición defensiva de equipo, piense en cómo está dividida la cancha, de canasta a canasta, en un lado fuerte (también llamado lado del balón) y uno débil (también llamado lado de ayuda). El lado fuerte se refiere al lado de la cancha en que se encuentra el balón y el lado débil se refiere al lado de la cancha en que no se encuentra el balón.

Jugar una buena defensa supone defender a su contrario, el balón y la canasta. Para conseguirlo, debe usted moverse continuamente de una función defensiva a otra. La expresión **ayuda y recuperación** significa adoptar una buena posición defensiva al margen del balón, para ayudar a impedir un pase o el bote del jugador con el balón y luego recuperarse y pasar a su propio oponente.

Cuando se encuentra jugando sin el balón, debería tomar una posición alejada de su oponente y hacia el balón, pero que le permita ver a ambos. A esto se llama el **principio balón-usted-contrario**. Usted quiere formar un triángulo imaginario entre usted, el balón y su contrario.

Cuanto más cerca se encuentre su contrario del balón, más cerca debe situarse de su contrario. Cuanto más lejos se encuentre el balón de su contrario, más lejos debe jugar de su contrario para ayudar al compañero que defiende al conductor del balón.

Cuando se encuentra lejos del balón, en el lado fuerte, debería trabajar para evitar un pase de penetración a un receptor, en el lateral y dentro de la línea de tiros libres prolongada (figura 10.1). Para impedir un pase al lateral, primero adopte una posición balón-usted-contrario. Presione a su oponente con una postura ceñida, pie adelantado y mano arriba en la línea de pase. Mantenga a la vista tanto el balón como su contrario, con la cabeza erguida y mirando por encima del hombro de su brazo delantero. Esté listo para interceptar un pase con la palma de la mano delantera, con el pulgar hacia abajo. Su brazo trasero debe estar flexionado y pegado al cuerpo. Tocar con la mano trasera a su oponente puede ayudarle a organizar su movimiento. Esté listo para moverse, manteniendo una base amplia y las rodillas flexionadas. Reaccione a los movimientos de su contrario mediante pasos cortos y rápidos. Al moverse, mantenga los pies cerca del suelo y separados, al menos, a la distancia de los hombros. No cruce sus pies ni brinque. Mantenga la cabeza erguida y firme, con la espalda recta para no perder el equilibrio. Esté alerta para interceptar un pase exterior de su contrario. En un pase por puerta atrás, ábrase hacia el balón en el pase y golpéelo hacia fuera. Desmárquese hacia el balón pivotando sobre su pie interior, al tiempo que retrocede con su pie delantero hacia el balón.

Figura 10.1 Posición defensiva

OBSTRUCCIÓN EN EL LADO FUERTE

1. Distancia de contacto con el contrario.
2. Postura ceñida.
3. Posición balón-usted-jugador.
4. Mano y pie delanteros en la calle de pase; mano exterior dispuesta a golpear el balón.
5. Base amplia, rodillas extendidas.
6. Pasos cortos y rápidos, con los pies separados a la distancia de los hombros (no cruce los pies).
7. Listo para desmarcarse hacia el balón y golpearlo en el pase por puerta atrás.

AYUDA EN EL LADO DÉBIL

1. Desvíese del contrario.
2. Postura abierta.
3. Posición balón-usted-jugador.
4. Mano interior dirigida hacia el contrario; mano exterior dirigida hacia el balón.
5. Base amplia, rodillas extendidas.
6. Pasos cortos y rápidos, con los pies separados a la distancia de los hombros (no cruce los pies).
7. Listo para ayudar al compañero en el pase por puerta atrás; grite a su compañero: "¡tienes ayuda!".

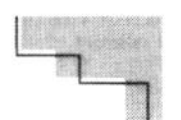

Error

No puede impedir el pase después de que el alero finta un paso a canasta y recorta hacia el balón.

Corrección

Aprenda a ignorar el primer paso del alero hacia canasta y entienda que contará con ayuda defensiva de los defensores del lado débil en un pase por puerta atrás.

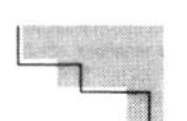

Error

Al defender en el lado débil, está demasiado pegado a su contrario y no en posición de dar ayuda en una penetración o pase interior.

Corrección

En el lado débil, aléjese de su contrario y forme un triángulo imaginario entre usted, su contrario y el balón. Colóquese en posición abierta, para ver tanto al balón como a su contrario. Comunique a su compañero que defiende el balón, que está en posición de ayudarle gritando "¡Tienes ayuda!".

Cuando se encuentra en el lado débil, aléjese de su oponente y forme un triángulo imaginario entre usted, su contrario y el balón. Colóquese en posición abierta para poder ver tanto al balón como a su contrario, sin tener que girar la cabeza. Apunte con una mano al balón y con la otra a su oponente. Esté listo para ayudar en una penetración o pase interior por parte del jugador con el balón. Comuníquese con el compañero que defiende al balón para informarle de que puede ayudarle, gritando: "¡Tienes ayuda!".

Defender al base en el lado fuerte cuando un alero tiene el balón

Cuando defiende al base en el lado del balón, mientras éste se encuentra en poder del alero, puede elegir dos opciones, dependiendo de la estrategia defensiva de su equipo. Una opción es impedir una vuelta del balón al base en el lado del balón, presionando intensamente al base con una postura cerrada, pie adelantado y mano arriba sobre la línea de pase. Como se muestra en la figura 10.2a, el jugador defensivo X1 toma una posición cerrada para impedir el reverso del balón del alero (3) al base (1) en el lado del balón.

La otra opción es adoptar una posición de ayuda y recuperación para colaborar en una penetración al centro del alero y disuadir de que pase al poste alto. Como puede verse en la figura 10.2b, el jugador defensivo X1 adopta una postura abierta, alejándose del base (1) para ayudar al compañero X3 en la penetración al centro del alero (3). El jugador X1 se recupera entonces y pasa a defender al base en el lado del balón.

Mantenga una postura abierta al menos a un paso de una línea imaginaria entre su contrario y la canasta, en posición balón-usted-contrario. Necesita formar un triángulo imaginario entre usted, su contrario y el balón. Sitúe su mano interior en la línea de pase entre el balón y el poste alto, y dirija la otra mano hacia su contrario. Comuníquese con el compañero que defiende al balón para informarle de que está en posición de ayudarle, gritando: "¡Tienes ayuda!". Esté alerta a impedir que el base en el lado del balón reciba un pase en un posible corte a canasta frontal o por puerta atrás.

Defender al base en el lado débil cuando otro base tiene el balón

Sitúese en postura abierta, al menos a un paso de una línea imaginaria entre su contrario y la canasta, en posición balón-usted-contrario que le permita ver tanto al balón como al oponente sin volver la cabeza. Dirija una mano hacia el balón y la otra hacia su contrario. Colóquese en posición de ayuda y recuperación, y comunique al que defiende el balón que está en posición de ayudarle, gritándole "¡Tienes ayuda!".

Como puede verse en la figura 10.3, el jugador defensivo X2 adopta una posición abierta, alejándose del base del lado débil (2) para impedir el corte frontal del 2, dar ayuda en una penetración hacia el centro del jugador 1 y recuperarse en un pase al 2.

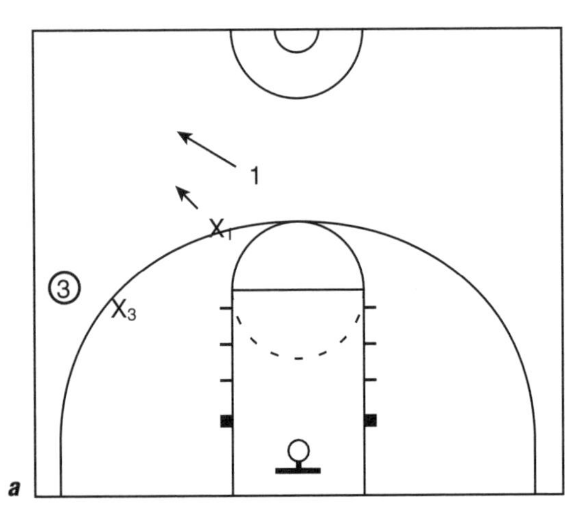

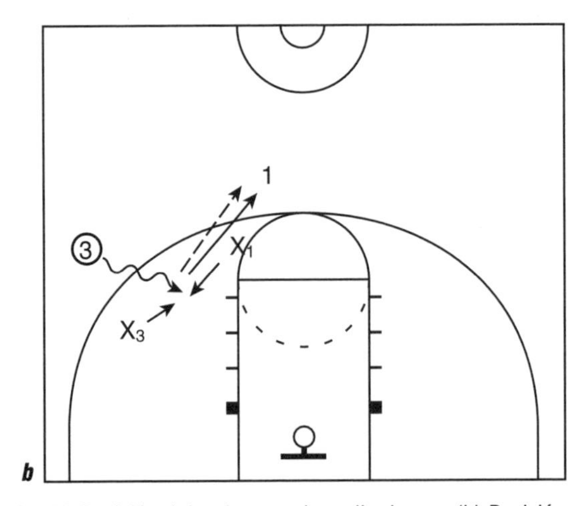

Figura 10.2 Defender al base en el lado fuerte cuando el alero tiene el balón. (a) Posición defensiva para impedir el pase. (b) Posición defensiva de ayuda y recuperación.

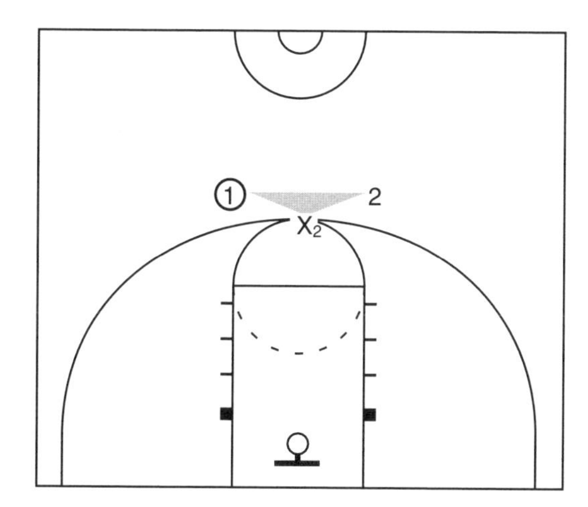

Figura 10.3 Defender al base en el lado débil cuando otro base tiene el balón.

Defender al alero en el lado débil cuando el base tiene el balón

Desvíese de su oponente y adopte la posición balón-usted-contrario. Sitúese en postura abierta con al menos un pie en la zona para ver tanto el balón como su contrario sin tener que volver la cabeza. Dirija una mano hacia el balón y la otra hacia su contrario. Comuníquese con el compañero que defiende al balón, informándole de que está en posición de ayudarle, gritando "¡Tienes ayuda!".

Como puede verse en la figura 10.4, el jugador defensivo X4 adopta una posición abierta, alejándose del alero del lado débil (4) para impedir un corte flash de éste, dar ayuda en la penetración al centro o un pase interior del jugador 1, y recuperarse para un pase al 4.

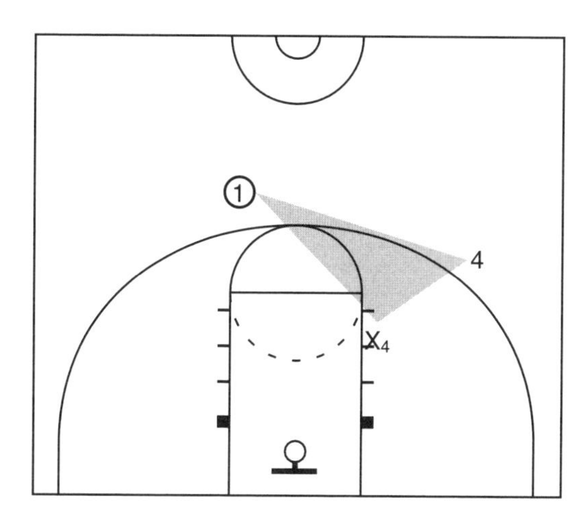

Figura 10.4 Defender al alero del lado débil cuando el base tiene el balón.

Defender al base en el lado débil cuando el alero tiene el balón

Desvíese de su contrario en posición balón-usted-contrario. Sitúese en posición abierta, a un paso del lado débil de la canasta, de forma que pueda ver tanto al balón como a su oponente sin tener que volver la cabeza. Dirija una mano hacia el balón y la otra hacia su contrario. Comuníquese con el compañero que defiende el balón para decirle que está en posición de ayudarle, gritándole "¡Tienes ayuda!". Manténgase alerta para impedir que el base, en el lado débil, reciba un pase en un posible corte a canasta.

Como puede verse en la figura 10.5, el jugador defensivo X2 adopta una postura abierta, alejándose del base del lado débil (2) para impedir que éste corte hacia canasta, dar ayuda en una penetración al centro del jugador 3 y recuperarse para un pase al 2.

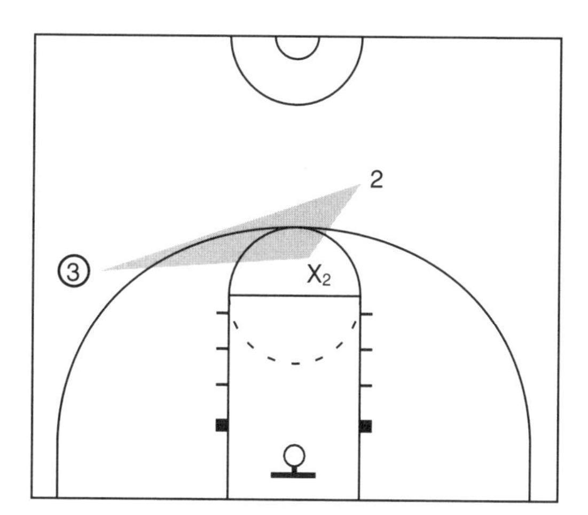

Figura 10.5 Defender al base en el lado débil cuando el alero tiene el balón.

Defender al alero en el lado débil cuando el otro alero tiene el balón

Aléjese de su contrario en posición balón-usted-jugador. Adopte una postura abierta, a un paso del lado débil de la canasta, de forma que pueda ver tanto al balón como a su oponente sin tener que volver la cabeza. Dirija una mano hacia el balón y la otra hacia su contrario. Comuníquese con el compañero que defiende el balón, para informar de que está en condiciones de ayudarle, gritándole "¡Tienes ayuda!". Esté alerta para impedir que el alero del lado débil reciba un pase en un posible corte flash hacia el codo del lado fuerte o un corte al poste bajo.

Como puede verse en la figura 10.6, el jugador defensivo X4 adopta una postura abierta, alejándose del alero del lado débil (4), para impedir que éste haga flash hacia el codo del lado fuerte o corte hacia el poste bajo y ayudar en una penetración a la línea de fondo o corte por puerta atrás del jugador 3, y recuperarse para un pase sobre el 4.

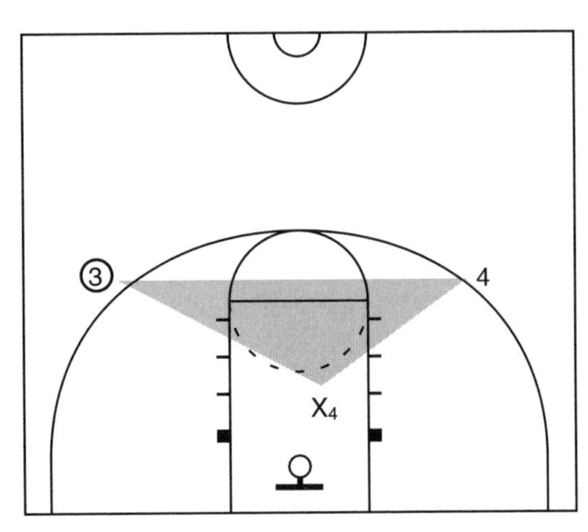

Figura 10.6 Defender al alero en el lado débil cuando el otro alero tiene el balón.

Ejercicio nº 1 de defensa sin balón

Obstrucción de alero

Un buen defensor puede presionar e impedir una penetración por el lado fuerte. El ejercicio de obstrucción de alero permite practicar la obstrucción de un pase interior en la línea de tiros libres prolongada. Este ejercicio requiere tres jugadores, dos en ataque y uno en defensa. El jugador atacante 1 comienza con el balón en el centro de la línea de tres puntos. El jugador atacante 2 juega en el lado del balón, comenzando en la línea de tiros libres prolongada. Usted comienza como jugador defensivo y adopta una posición defensiva de obstrucción sobre el jugador 2.

Para impedir un pase al lado del balón, adopte primero una posición balón-usted-jugador. Presione a su contrario con una postura cerrada, con el pie delantero y la mano arriba en la línea de pase. Mantenga a la vista el balón y su oponente con la cabeza erguida y mirando por encima del hombro de su brazo delantero. Esté listo para interceptar un pase con la palma de la mano extendida y el pulgar hacia abajo. El jugador 2, el alero del lado fuerte, trata de desmarcarse, moviéndose a un paso del área por encima de la línea de faltas ampliada, la línea de zona, la línea de fondo y la línea lateral. Reaccione a los movimientos del jugador 2 con pasos cortos y rápidos, los pies separados al menos a la distancia de los hombros y manteniéndose alerta para interceptar un pase exterior a su contrario. En un pase por puerta atrás, ábrase hacia el balón y échelo fuera pivotando sobre su pie interior, retirando su pie delantero, retrocediendo hacia el balón.

Cuando el alero atacante recibe el balón, el ejercicio se convierte en un ejercicio de uno contra uno. Continúe el ejercicio hasta que el alero anote o usted logre posesión del balón gracias a un robo, captura de rebote o intercepción. Jueguen durante 30 segundos, antes de intercambiar posiciones. Usted y su oponente deben jugar defensa de obstrucción al alero tres veces cada uno.

Prueba

- Mantenga la cabeza erguida para ver el balón y su contrario.
- Lea y reaccione a los movimientos del jugador atacante.
- Dé pasos cortos y rápidos.

Comprobación de resultados

Concédase 1 punto cada vez que impida que el alero anote. Este es un ejercicio competitivo, de modo que debe tratar de anotar más puntos que sus contrarios. Concédase 5 puntos si vence a sus oponentes.

Puntuación total ____

Ejercicio nº 2 de defensa sin balón

Ayuda en el lado débil y recuperación

En este ejercicio practicará la apertura hacia el lado débil, ayudando en la penetración por el lado fuerte y luego, cuando el balón haya pasado, recuperándose hacia el jugador que está defendiendo. El ejercicio requiere tres jugadores, dos atacantes y un defensor. El jugador atacante 1 comienza con el balón en la línea de tiros libres prolongada. El jugador atacante 2 comienza como alero en el lado débil, en la línea de tiros libres prolongada. Usted adopta una posición defensiva en el lado débil sobre el jugador 2, el alero en el lado débil.

Desde el lado débil, aléjese de su contrario en posición balón-usted-jugador, formando un triángulo imaginario entre usted, su oponente y el balón. Sitúese en postura abierta, a un paso del lado débil de la canasta. Colóquese de forma tal que pueda ver tanto el balón como el contrario sin tener que volver la cabeza. Apunte con una mano al balón y con la otra a su oponente. Comuníquese con su compañero imaginario que defiende el balón, gritándole "¡Tienes ayuda!".

El jugador 1 penetra sobre un alero imaginario en el lado del balón hacia canasta. Ayude a este imaginario defensor del alero moviéndose hacia el lado del balón, para impedir la penetración o forzar una falta en ataque. Al moverse, el jugador 1 pasa al jugador 2, el alero del lado débil, que hace flash hacia el codo del lado débil. En el pase, recupérese rápidamente, pero bajo control, sobre el jugador 2. Cuando el jugador 2 recibe el balón en el codo del lado débil, el jugador 1 sale de la cancha y el ejercicio se convierte en una lucha uno contra uno entre usted y el jugador 2.

Continúe hasta que el alero anota o usted logra posesión de balón con un rebote, un robo o una intercepción. Intercambien posiciones y continúen el ejercicio. Cada jugador debe practicar tres veces la ayuda en el lado débil y recuperación.

Prueba

- Adopte posición balón-usted-jugador.
- Emplee claves verbales para informar a su compañero imaginario que está en condiciones de prestarle ayuda.
- Trate de extraer una carga cuando el jugador atacante con el balón penetra a canasta.

Comprobación de resultados

Concédase 1 punto cada vez que impide que el alero del lado débil anote. Este es un ejercicio competitivo, de modo que debe tratar de anotar más puntos que sus oponentes. Concédase 5 puntos si anota más que sus contrarios.
Puntuación total ____

DEFENDIENDO EL POSTE BAJO

Trate siempre de impedir que su contrario reciba un pase en buena posición en el poste bajo. Adopte una postura ceñida con su cuerpo en la posición defensiva de tres cuartos, entre el balón y su oponente. Cuando el balón está más allá de la línea imaginaria de tiros libres prolongada, impida que su contrario en el poste bajo reciba desde la línea de tres puntos. Cuando el balón está más acá de la imaginaria línea de tiros libres prolongada pase el balón a un jugador en el rincón o en dirección inversa, desde el rincón al lateral, muévase rápidamente desde un lateral del poste bajo al otro (figura 10.7). Una posición defensiva de obstrucción puede mantenerse dando un paso frente al jugador del poste bajo, cuando intercambian los papeles. Adopte un rápido juego de pies. Dé pri-

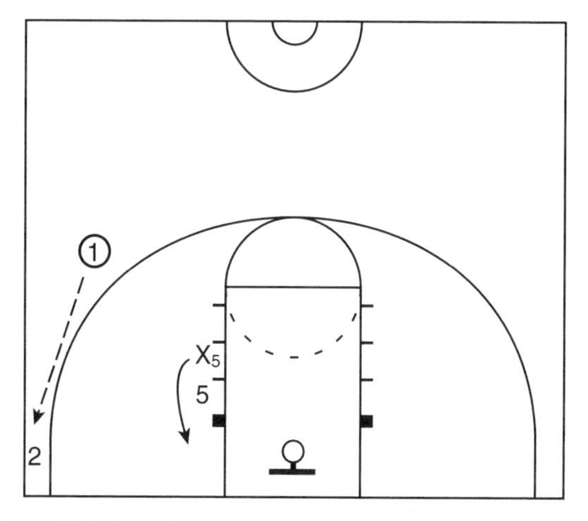

Figura 10.7 Posición defensiva en el poste bajo: cambio de lado.

mero un paso con su pie interior (el más próximo al oponente) y luego con el pie exterior.

Como puede verse en la figura 10.7, cuando el balón es pasado del alero 1 al jugador del rincón 2, el defensor X5 cambia rápidamente desde el lateral de la zona a la línea de fondo, situándose frente al jugador 5 en el poste bajo.

Error

Cuando el balón es pasado del alero al rincón, o viceversa, no es capaz de interceptar un pase en el poste bajo.

Corrección

Cuando el balón es pasado, cambie de lado pero mantenga una posición de obstrucción situándose frente al jugador del poste bajo, con un rápido movimiento en dos tiempos.

Ejercicio de defensa del poste bajo

Obstrucción en el poste bajo

Siempre debe tratar de impedir que su contrario reciba un pase en una buena posición en el poste bajo, y este ejercicio le da práctica. El ejercicio requiere cuatro jugadores. Usted comenzará en defensa y los otros tres jugadores en ataque.

El jugador atacante 1 comienza con el balón más allá de la línea de tiros libres prolongada. El jugador atacante 2 se sitúa en una posición por debajo de la línea de tiros libres prolongada, en el rincón. El jugador atacante 3 toma posición en el poste bajo, por encima del pasillo y fuera de la zona. Como jugador defensivo, adopte una posición de impedir el pase al jugador 3 en el poste bajo. Adopte una postura ceñida con el cuerpo en posición de tres cuartos entre el balón y su contrario. Los jugadores 1 y 2 tratan de pasar el balón interior al poste bajo, mientras que usted trata de impedir ese pase. Los jugadores 1 y 2 deben pasarse el balón uno al otro, y el jugador 3 debe lograr una buena posición en el poste bajo, cerrándolo a usted.

Cuando el balón está más allá de la imaginaria línea de tiros libres prolongada, cierre al poste bajo desde el lateral de la zona. Cuando el balón está más abajo de la línea de tiros libres prolongada, cierre al poste bajo desde la línea de fondo. Cuando el jugador 1, más allá de la línea de tiros libres prolongada, pasa el balón al jugador 2 en el rincón, debajo la línea de tiros libres prolongada, o cuando el jugador 2 pasa al jugador 1, muévase rápidamente desde un lateral del poste bajo al otro. Mantenga su posición defensiva de obstrucción situándose frente al jugador del poste bajo, cuando cambia de lado.

Se requiere un rápido juego de pies. Sitúese primero con su pie interior y luego con el exterior. Cuando el jugador 3 recibe el balón en el poste bajo, el ejercicio se convierte en un uno contra uno hasta que el poste bajo anota o usted logra posesión de balón, con un robo, un rebote o una intercepción. Que cada jugador practique este ejercicio de obstrucción defensiva en el poste bajo tres veces y luego intercambien papeles.

Prueba

- Adopte una postura ceñida con su cuerpo en posición defensiva de tres cuartos entre el balón y su oponente.
- Mantenga una posición defensiva correcta de obstrucción.
- Es preciso un rápido juego de pies.

Comprobación de resultados

Concédase 1 punto cada vez que impide anotar al jugador del poste bajo. Este es un ejercicio competitivo, de modo que debe tratar de lograr más puntos que sus contrarios. Concédase 5 puntos si logra vencer a sus oponentes.

Puntuación total ____

DEFENDER AL CORTADOR

Cuando el contrario que está usted defendiendo en el perímetro pasa el balón, debe alejarse del contrario en dirección al pase. A eso se le llama *saltar al balón*. Saltar al balón le permite situarse para defender un corte pasar y seguir de su oponente y también dar ayuda sobre el balón.

Debe moverse en el pase para situarse en posición balón-usted-jugador. Si espera que su contrario corte antes de que usted se mueva, será vencido. El pasar y cortar es la jugada atacante básica del baloncesto. Tan vieja como este deporte.

Para jugar defensa sin el balón, debe estar en posición de ver tanto el balón como su contrario. Para defender a un cortador, sitúese separado de éste y hacia el balón. No permita que el cortador se mueva entre usted y el balón. Adopte una fuerte postura defensiva, listo para resistir cualquier contacto que pueda producirse mientras impide que el cortador se sitúe entre usted y el balón.

Cuando el cortador se acerca a la zona, sitúese en posición de chocar con el cortador (figura 10.8). Utilice la técnica de chocar y soltar. Choque al cortador con la parte interior de su cuerpo y suéltese a una posición entre el cortador y el balón. Si su oponente realiza un corte por puerta atrás a canasta, mantenga una postura ceñida mientras se mueve con su contrario en el corte y luego ábrase hacia el balón, en el momento de producirse el pase. Utilice su mano delantera para despejar cualquier pase.

Como puede verse en la figura 10.8, cuando el jugador atacante 1 pasa al jugador 2, el defensor X1 rápidamente salta hacia el balón y utiliza la técnica de choque y separación, manteniéndose entre el balón y el jugador 1 sobre el corte del jugador. Impida el pase en un corte a canasta. Mantenga una postura ceñida mientras se mueve con su contrario en el corte, luego desmárquese hacia el balón en el momento del pase.

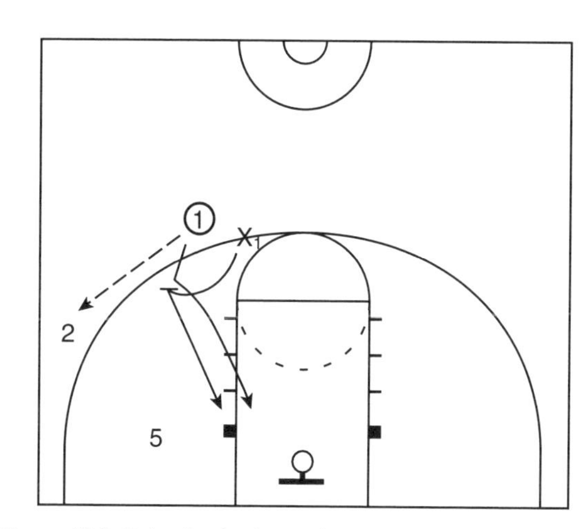

Figura 10.8 Defendiendo al cortador.

Error
En un corte, permite que el cortador se sitúe entre usted y el balón.
Corrección
Cambie a una postura ceñida y sitúe su pie y mano delanteros en la calle de pase. Obligue al cortador a situarse detrás de usted.

DEFENSA DEL CORTE EN FLASH

Un corte en flash es una jugada rápida de un contrario del lado débil hacia el balón. Muchos ataques recurren al corte en flash desde el lado débil hacia el área del poste alto. Como defensor del lado débil, debe situarse en postura abierta y en condiciones de ver tanto al balón como al contrario. Cuando un oponente hace un flash hacia el área del poste alto, esté atento para moverse y frenar el flash (figura 10.9). Cambie a postura ceñida con su pie y mano delanteros en la calle de pase. Adopte una postura fuerte y equilibrada, listo para resistir cualquier contacto que pudiera producirse al frenar el corte en flash. Utilice su mano delantera para despejar cualquier pase.

Cuando su contrario hace flash al poste alto y luego un corte a canasta por puerta atrás, usted debe primero adoptar una postura ceñida para impedir el flash al poste alto. En el corte a canasta por puerta atrás, mantenga una postura ceñida mientras se mueve con su contrario en el corte. Ábrase hacia el balón en el momento de producirse el pase.

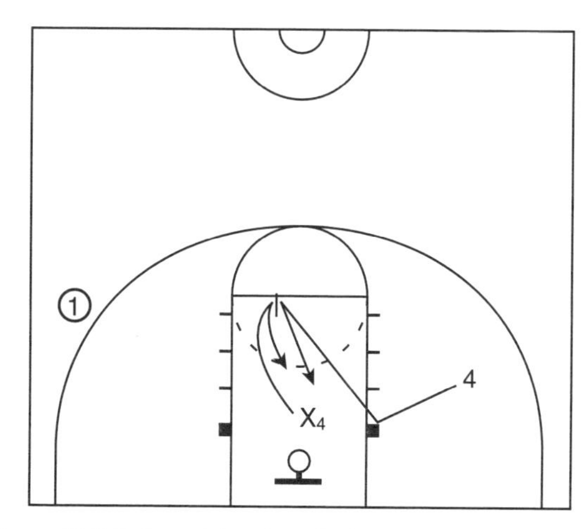

Figura 10.9 Defensa del corte en flash.

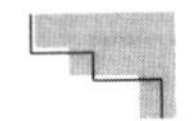

Error

Su contrario hace flash al poste alto y luego le supera en un corte a canasta por puerta atrás.

Corrección

Primero adopte una postura ceñida para impedir el flash al poste alto. Mantenga esa postura ceñida mientras se mueve con su oponente en el corte por puerta atrás. Luego ábrase hacia el balón en el momento de producirse el pase.

Ejercicio nº 1 de defensa del flash

Impedir el flash y el corte por puerta atrás

Este ejercicio le da práctica para impedir tanto el corte en flash como el corte por puerta atrás. El ejercicio requiere tres jugadores, dos en ataque y uno en defensa. El jugador atacante 1 comienza con dos balones en la línea de tiros libres prolongada. El jugador atacante 2 es un alero que comienza en el lado débil en la línea de tiros libres prolongada. Como jugador defensivo, tome posición defensiva sobre el jugador 2. Adopte una postura abierta y dirija una mano hacia el balón y la otra hacia su oponente. Comuníquese con un compañero imaginario que defiende el balón, para informarle de que está en condiciones de ayudarle, gritándole "¡Tienes ayuda!".

El jugador 2 comienza el ejercicio cortando hacia canasta con algunos pasos y luego hace flash hacia el codo del lado del balón. Reaccione para frenar el flash, cambiando a postura ceñida, superando al alero del lado débil hacia el codo con su pie delantero y la mano elevada en la calle de pase para impedir un pase. Su postura debe ser fuerte y estar listo para resistir cualquier contacto que pueda producirse al frenar al jugador 2 en su flash. Utilice su mano delantera para despejar un pase.

El jugador 1 trata de pasar el primer balón al jugador 2 en el codo del lado fuerte. Reaccione a un pase en el corte en flash desviando el balón. Una vez que impide el flash, el jugador 2 corta a canasta por puerta atrás. El jugador 1 trata luego de pasar el segundo balón al jugador 2 cuando éste corta por puerta atrás. Reaccione al pase en el corte por puerta atrás, abriéndose en el momento de producirse el pase y luego desviando el balón. Intercambie posiciones y continúe el ejercicio hasta que cada jugador haya asumido tres veces la defensa de los cortes en flash y por puerta atrás.

Prueba

- Comience en postura abierta, y luego reaccione al flash con una postura ceñida.
- Comuníquese verbalmente con el compañero imaginario que defiende el balón.
- Esté listo para resistir el contacto cuando frena el corte en flash.

Comprobación de resultados

Menos de tres obstrucciones = 0 puntos
Tres o cuatro obstrucciones = 1 punto
Cinco o seis obstrucciones = 5 puntos
Puntuación total ____

Ejercicio nº 2 de defensa del flash

Seis aspectos defensivos

Este ejercicio añade práctica a frenar la penetración, bloqueo, rebote, realizar un pase exterior y convertir la defensa en ataque. Practicará seis aspectos defensivos: impedir al alero, impedir al poste bajo, posición de ayuda en el lado débil, impedir el flash, impedir la penetración, además de bloqueo, rebote, salida y transformación ofensiva.

Este ejercicio requiere tres jugadores, uno en defensa y dos en ataque. Comience jugando en defensa sobre el jugador 2, el alero del lado fuerte, y situándose en la línea de tiros libres prolongada. El jugador atacante 1 comienza con el balón en el punto central de la línea de tres puntos y da órdenes.

El ejercicio comienza cuando el jugador 1 grita "¡Impedir!". A esta orden, el jugador 2 trata de desmarcarse en el lateral y usted debe impedir el pase.

El jugador 1 grita entonces "¡Poste bajo!" y bota por encima de la línea de tiros libres prolongada hacia abajo, mientras el jugador 2 se abre hacia el poste bajo en el lado fuerte. Impida un pase al poste bajo moviéndose de la línea lateral de la zona hacia la línea de fondo en el lado del poste bajo, cuando el balón se bota desde más allá de la línea de tiros libres prolongada.

El jugador 1 grita entonces "¡Fuera!". A esta orden, el jugador 2 se aleja del balón hacia el lado débil. Muévase hacia el lado débil en ayuda y recuperación, sólo a un paso del lado débil de canasta. Manténgase en postura abierta, dirigiendo una mano al balón y la otra a su contrario, y diga su expresión clave para informar al compañero imaginario sobre el balón que está en condiciones de ayudarle.

El jugador 1 grita entonces "¡Flash!" y el jugador 2 corta unos pasos hacia canasta, antes de hacer flash hacia el codo del lado fuerte. Reaccione para frenar el flash, cerrando su postura y superando al jugador 2 en el codo del balón, con su pie delantero y la mano elevada en la línea de pase para impedir un pase.

El jugador 1 grita entonces "¡Fuera!" y el jugador 2 se mueve del centro de la línea de tres puntos para recibir un pase. Permita el pase al jugador 2, pero entonces impida la penetración a canasta en el uno contra uno. Bloquee el tiro y luego busque el rebote. En caso de tiro fallado, capture el rebote y haga un pase de salida al jugador 1 en el lateral. En caso de tiro convertido, recoja el balón de la red, salga de los límites y realice un pase de salida. Corra luego hacia la línea de tiros libres para recibir un pase devuelto. Intercambie posiciones y continúe el ejercicio, de forma que cada jugador ocupe la función defensiva.

Prueba

- Ejecute la reacción defensiva correcta a cada una de las jugadas de ataque.
- En el lanzamiento, bloquee y actúe con agresividad en la lucha por el rebote.

Comprobación de resultados

Concédase 1 punto por cada reacción defensiva correcta a las seis jugadas de ataque.

Menos de 4 reacciones correctas = 0 puntos
4 reacciones correctas = 1 punto
5 reacciones correctas = 3 puntos
6 reacciones correctas = 5 puntos
Puntuación total ____

DEFENSA CONTRA UN BLOQUEO

Para defender bloqueos, usted y sus compañeros deben comunicarse y ayudarse unos a otros. El defensor del contrario que está plantando un bloqueo, debe alertar al defensor que va a sufrirla indicando la dirección del bloqueo con las palabras *bloqueo derecho* o *bloqueo izquierdo*. El defensor del bloqueador también debe comunicar cómo va a defenderse dicho bloqueo.

Hay cuatro jugadores directamente implicados en un bloqueo, dos en ataque (el bloqueador y el cortador) y sus dos defensores. Para ayudar en nuestra explicación de cómo se defiende un bloqueo, nos referiremos al receptor siempre como el primer jugador. Si el defensor del receptor va sobre el bloqueo, se dice que va sobre o simplemente segundo. Si el defensor del cortador va bajo el bloqueo, se dice que va debajo o tercero. Si el defensor del cortador va bajo el bloqueador y su defensor, se dice que va cuarto.

Hay cuatro métodos básicos de defenderse contra un bloqueo: frenar al receptor, desmarcarse y pasar, cambio y exprimir.

Frenar al receptor. Cuando su contrario dispone un bloqueo sobre un compañero que defiende a un buen tirador dentro de su radio de tiro, usted debería ayudar a su compañero a permanecer con el cortador. Anuncie el bloqueo y muestre interponiéndose en el camino del cortador (figura 10.10). Esta acción retrasará la salida

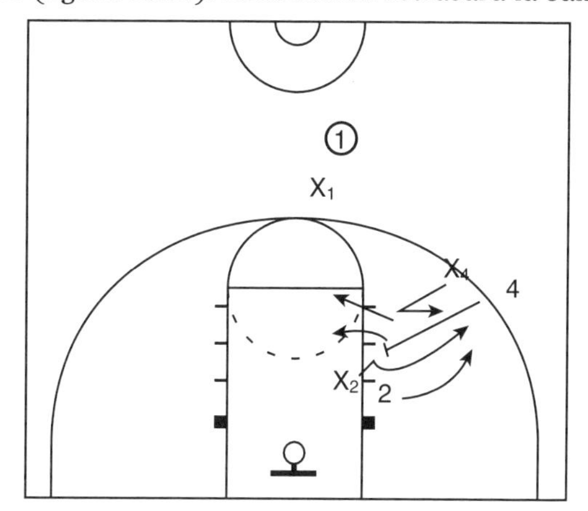

Figura 10.10 Mostrar y arrastrar el cuerpo del cortador.

o forzará al cortador a girar en redondo y le dará tiempo a su compañero a seguir al cortador (ir segundo). Cuando usted aparece, mantenga una mano sobre el bloqueador de modo que pueda permanecer con él si finta el bloqeo o se desliza a canasta. Cuando es usted el jugador defensivo sobre el que va a hacerse al bloqueo, arrastre el cuerpo del cortador situándose directamente detrás y siguiendo al cortador. Trabaje para superar el bloqueo, situando primero un pie sobre el bloqueo y luego el resto de su cuerpo.

Como puede verse en la figura 10.10, el jugador 4 dispone un bloqueo para el jugador 2. El defensor X4 se muestra situándose en el camino del jugador 2, dándole a su compañero X2 tiempo para arrastrar el cuerpo del cortador (ir segundo).

Error

Su compañero trata de arrastrar al cortador pero es superado en un corte rápido.

Corrección

Sitúese en el camino del cortador a fin de retrasar el corte u obligar al cortador a girar en redondo, lo que dará tiempo a su compañero para arrastrar el cuerpo del contrario. Cuando es usted el jugador defensivo sobre el que se está haciendo bloqueo, sitúese directamente detrás del cuerpo del cortador y sígalo. Trabaje para superar el bloqueo, colocando primero un pie y luego el resto de su cuerpo.

Desmarcarse y pasar. Cuando su contrario plantea un bloqueo sobre un compañero que defiende a un jugador de penetración rápida, o cuando está fuera del radio de tiro de su oponente, debería ayudar a su compañero a deslizarse a canasta entre usted y el bloqueador (ir tercero). Anuncie el bloqueo y grite "¡Abierto y paso!". Retroceda (abierto) para hacer espacio para que su compañero pueda moverse entre usted y el bloqueador para que pueda alcanzar al cortador.

Como puede verse en la figura 10.11, el jugador 4 plantea un bloqueo para el jugador 2. El defensor X4 retrocede (abriéndose), haciendo espacio para que su compañero X2 pueda situarse bajo bloqueo o deslizarse a través (ir tercero).

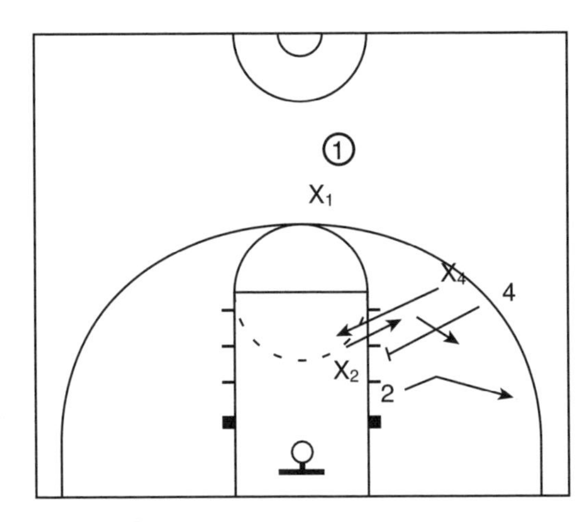

Figura 10.11 Desmarcarse y pasar.

Error

Su compañero no es consciente de que va a sufrir un bloqueo de su oponente.

Corrección

Cuando su contrario se mueve para disponer un bloqueo sobre su compañero, anuncie el bloqueo y su dirección.

Cambio. Cuando usted y su compañero son de la misma talla y capacidad defensiva, deberían cambiar de contrarios. Si su estatura y capacidad defensiva difieren, el cambio de posiciones debería ser la última opción, ya que permite al ataque explotar la mala correlación. Si se cambia, anuncie primero el bloqueo con "¡Cambio!". Al cambiarse, sitúese agresivamente en posición de impedir un pase al cortador (cambio e impedimento). El bloqueador rodará hacia canasta o saldrá exterior para un tiro exterior. Cuando es usted el jugador que sufre el bloqueo y escucha la palabra *cambio*, actúe para obtener una posición defensiva en el lado del balón del bloqueador.

Como puede verse en la figura 10.12, el jugador 4 dispone un bloqueo para el jugador 2. El defen-

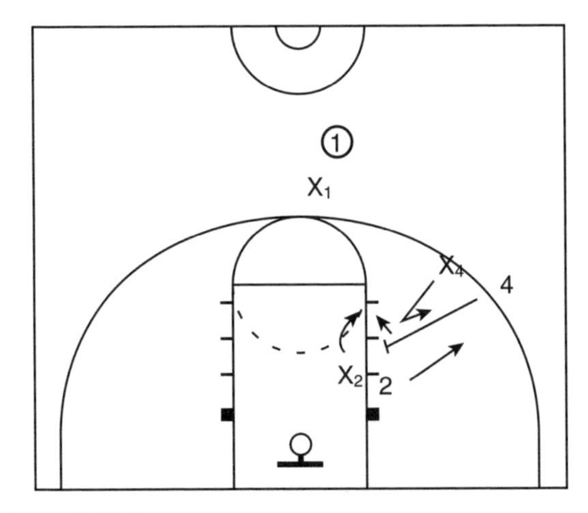

Figura 10.12 Cambio.

sor X4 cambia e impide un pase al jugador 2. El defensor X2 trata de lograr una posición defensiva sobre el lado del balón del bloqueador 4, que está rodando hacia canasta.

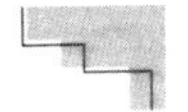

Error

En un cambio defensivo, el bloqueador se abre en un giro a canasta o una salida exterior para un tiro exterior.

Corrección

Si usted, como jugador que sufre el bloqueo, escucha la palabra clave cambio, debe lograr una posición defensiva al lado del balón del bloqueador.

Exprimir. A veces, cuando el cortador es un buen penetrador o le gusta hacer un rizo o cortar por el interior y el bloqueador es un buen lanzador y le gusta hacer continuación exterior para lanzar tras el bloqueo, debería exprimir al bloqueador. Esto ayuda a su compañero a tomar un atajo bajo usted y el bloqueador (ir de cuatro). Anuncie el bloqueo y grite "¡Exprimir!". Manténgase junto al bloqueador, dando espacio a su compañero para pasar bajo usted y hacerse con el cortador.

Como puede verse en la figura 10.13, el jugador 4 forma un bloqueo para el jugador 2. El defensor X4 comprime al bloqueador, permitiendo a su compañero X2 tomar una ruta de atajo bajo el bloqueador 4 y el defensor X4 ir cuarto).

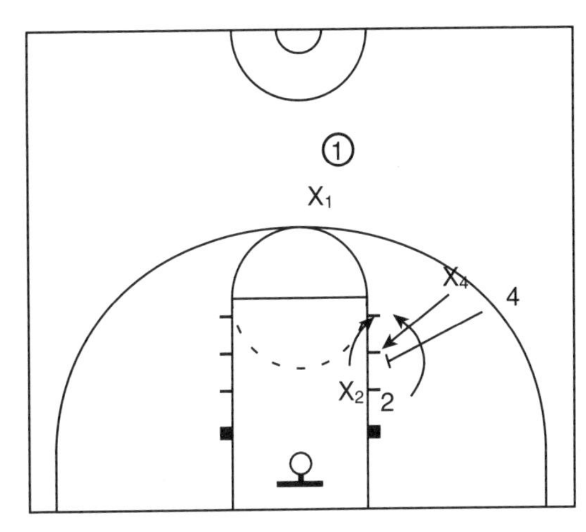

Figura 10.13 Exprimir.

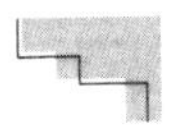

Error

Su compañero trata de pasar. Pero tropieza con usted.

Corrección

Anuncie el bloqueo y grite "¡Abierto!" o "¡Exprimir!". Retroceda (abierto) para que su compañero pueda moverse entre usted y el bloqueador o exprimir, de forma que su compañero pueda tomar un atajo entre usted y el bloqueador.

ROTACIONES DEFENSIVAS

Rotación defensiva significa que cuando un miembro del equipo deja al contrario que le ha sido asignado para defender a otro jugador, sus compañeros deben rotar sus posiciones defensivas para cubrir al jugador que ha quedado libre. Las rotaciones pueden implicar a los cinco defensores. Todos los jugadores defensivos deben jugar como equipo y comunicarse bien entre ellos. La comunicación se facilita con palabras clave o expresiones acordadas, como *cambio, el balón es mío, tengo el poste, he vuelto* o *estoy arriba.*

Imagine que su equipo se hace con el balón bien lejos de canasta o en el poste bajo. Uno de sus compañeros trata de realizar una penetración o un corte hacia un espacio libre. Cuando su equipo realiza un 2 contra 1 del balón, los defensores lejos del mismo deberían rotar hacia el balón para cubrir a los inmediatos receptores (figura 10.14). Al rotar, el defensor más alejado del balón debería recortar la distancia y defender a los dos atacantes más alejados del balón. Como puede verse en la figura 10.14, el defensor X2 deja al jugador 2 para coger al jugador 1. El defensor del lado débil (X4) rota para impedir el paso al jugador (2) del lado débil. El defensor más lejano (X5) cubre a los dos atacantes más alejados del balón (4 y 5).

Cuando uno de sus compañeros es superado por un cortador que penetra o en un corte atrás, los demás compañeros deben rotar las posiciones defensivas para acercarse al balón (figura 10.15). El defensor más próximo, tanto en el poste bajo

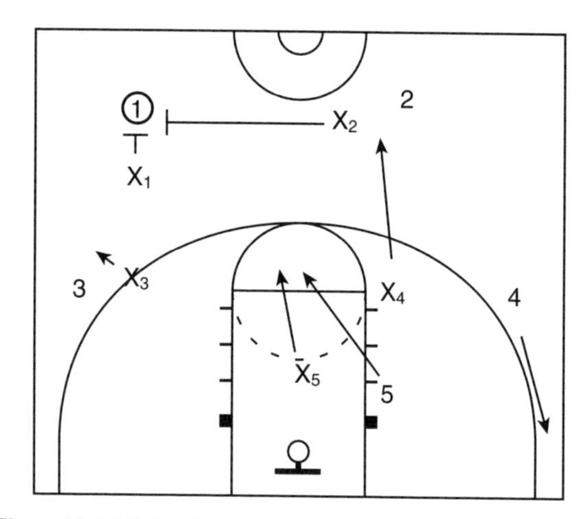

Figura 10.14 Rotando en un encierro base-base.

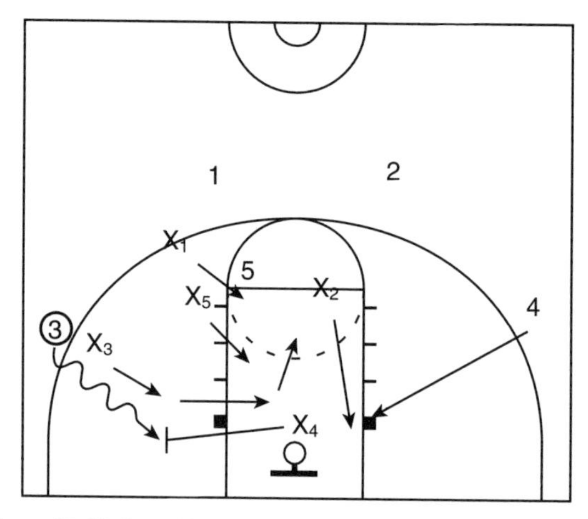

Figura 10.15 Rotación en retroceso para cubrir una penetración hacia la línea de fondo.

como en el lado débil, rota hacia el jugador con el balón. El defensor del base del lado débil retrocede para cubrir la canasta, y los defensores del poste alto y el base del lado fuerte retroceden hacia la zona. Como puede verse en la figura 10.15, el alero 3 supera al defensor X3 en una penetración a la línea de fondo. El X4 rota para ayudar y cambia al jugador 3. El jugador X2 rota hacia abajo para cubrir la posición de su compañero X4. X3 puede encerrar con el X4 o rotar hacia el lado débil, tratando de coger primero al jugador 4 y luego al 2. X1 y X5 retroceden dentro de la zona.

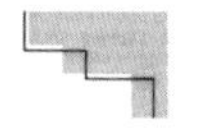

Error

Cuando deja al contrario asignado para defender a otro jugador, sus compañeros no son conscientes de lo que está haciendo, y no efectúan la rotación de sus posiciones defensivas para cubrir al jugador que ha quedado abierto.

Corrección

Es imperativo informar a sus compañeros de lo que está haciendo. Reaccionar ante cualquier situación defensiva, en especial si implica rotación, requiere que todos los jugadores defensivos trabajen en equipo y se comuniquen mediante sus expresiones clave.

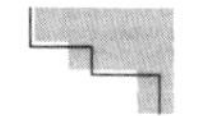

Error

Deja a su contrario asignado cerca de canasta para defender a otro jugador, pero sus compañeros no tienen tiempo para rotar sus posiciones defensivas y cubrir así al jugador que usted ha dejado abierto, lo que se traduce en un pase a su contrario para una fácil canasta.

Corrección

Utilice el criterio y una finta defensiva antes de dejar a un oponente cerca de canasta y bloquear sobre un jugador abierto. Eso le dará a sus compañeros tiempo para rotar hacia el jugador que está dejando.

Ejercicio nº 1 de rotación defensiva — *La concha defensiva*

Este ejercicio le permite practicar la posición defensiva sobre el balón así como la posición defensiva de ayuda y recuperación para defender el lado del balón y el base y pívot del lado débil. Este ejercicio requiere ocho jugadores, cuatro en ataque y cuatro en defensa.

Los cuatro jugadores defensivos comienzan con dos bases en el centro de la línea de tres puntos y dos aleros en los laterales. Cada defensor adopta la correcta posición defensiva. Uno de los jugadores atacantes es elegido como base o líder que dará órdenes. A la orden "¡Adentro!", el base pasa el balón al alero del lado fuerte. A la orden "¡Fuera!", el balón es devuelto al base del lado fuerte. A la orden "¡Fin!", el balón es pasado de base a base. Pase el balón en torno al perímetro (concha) en este ejercicio en seis pases: dentro, fuera, fin, dentro, fuera, fin. Compruebe la posición defensiva en cada pase.

Cada defensor se mueve en cada pase, ajustando su posición defensiva. Si el contrario que usted está defendiendo pasa el balón, usted debe moverse en la dirección del pase. Esta jugada se anuncia como "¡Salto al balón!". Al saltar hacia el balón, se sitúa en posición de defender un corte de su contrario y dar ayuda sobre el balón.

Permita que cada jugador defensivo juegue durante seis pases, adoptando todas y cada una de las cuatro posiciones defensivas. La defensa pasa entonces a asumir el ataque y viceversa.

Prueba

- Los defensores deben ajustar su posición en cada pase.
- Salte hacia el balón si el jugador que está defendiendo lo pasa.

Comprobación de resultados

Cada jugador logra 1 punto por cada cambio correcto de su posición defensiva en cada pase, hasta un máximo de 24 puntos.

Menos de 10 puntos = 0 puntos
10-14 puntos = 1 punto
15-19 puntos = 3 puntos
20-24 puntos = 5 puntos
Puntuación total ____

Ejercicio nº 2 de rotación defensiva

Ayuda y recuperación (concha)

Este ejercicio es el mismo que el ejercicio de la concha defensiva, salvo en que a cada jugador atacante con el balón se le permite un bote de penetración. Los defensores practican la ayuda y recuperación defensiva. También es un buen ejercicio ofensivo. Los jugadores atacantes trabajan para lograr una posición de triple amenaza y poner penetrar y pasar. Ocho jugadores forman dos equipos de cuatro jugadores cada uno, en ataque y defensa.

Los cuatro jugadores atacantes comienzan con dos bases en el centro de la línea de tres puntos y dos aleros en los laterales. Cualquier jugador atacante con el balón puede realizar un bote de penetración. El defensor más cerca del balón se mueve para ayudar a impedir la penetración. Una vez que el bote de penetración es impedido, el penetrador pasa el balón a cualquier compañero que haya dejado libre el defensor en ayuda. Tras ayudar a frenar la penetración, el defensor se recupera y toma a su contrario inicial. El jugador atacante que recibe el pase debería constituirse en triple amenaza de lanzar, pasar o penetrar.

El equipo atacante obtiene 1 punto cada vez que anota. Si la defensa comete falta, el ataque recibe el balón y comienza de nuevo. Si un jugador atacante falla un tiro y un compañero captura el rebote ofensivo, el juego continúa. La defensa logra 1 punto si roba el balón, captura un rebote o fuerza a un atacante a cometer una violación. Juegue a 5 puntos y luego intercambien papeles.

Prueba

- En el bote, muévase para impedir la penetración.
- Tras impedir la penetración, recupere posición sobre el jugador previamente asignado.
- En ataque, plantee la triple amenaza de lanzar, pasar o penetrar.

Comprobación de resultados

Este es un ejercicio competitivo. Cada equipo debe tratar de anotar más puntos que el equipo contrario, jugando un partido a 5 puntos. Concédase 5 puntos si su equipo es el ganador.

Puntuación total ____

Ejercicio nº 3 de rotación defensiva

Defensa sobre el cortador de la concha

Este ejercicio es el mismo que los demás ejercicios de la concha defensiva, salvo en que deben permitirse cortes a canasta y botes ilimitados. Este ejercicio aporta una práctica atacante en el corte frontal, el corte por puerta atrás o el corte en flash. Comience con dos equipos de cuatro jugadores cada uno, en ataque y defensa. Los cuatro jugadores atacantes son dos bases en el centro de la línea de tres puntos y dos aleros en posiciones laterales.

El corte se permitirá sólo para una de estas posiciones: el base del lado del balón, el base del lado débil o el alero del lado débil. Después de cortar a canasta, el cortador se mueve a una posición abierta en el lado débil. Cada uno de los jugadores atacantes puede rotar hacia la posición designada para el corte, de modo que usted podrá practicar la defensa de un corte por parte del base del lado del balón, el base del lado débil o el alero del lado débil.

Para defender al cortador, sitúese cerca del cortador y hacia el balón. No permita que el cortador se mueva entre usted y el balón. Esté preparado para resistir cualquier contacto que pueda producirse al impedir que el cortador se coloque entre usted y el balón. Si el cortador se acerca a la zona, choque con el cortador con la técnica de choque y separación, manteniéndose entre el cortador y el balón. Si su contrario realiza un corte a canasta por puerta atrás, mantenga una postura ceñida, mientras se mueve hacia el lado del balón del cortador, abriéndose hacia el balón mientras se produce el pase. Utilice su mano delantera para despejar el pase.

El equipo atacante logra 1 punto cada vez que anota. Si la defensa comete falta, el ataque recibe el balón y comienza de nuevo. Si un jugador atacante falla un tiro y un compañero se hace con el rebote ofensivo, el juego continúa. La defensa logra 1 punto si roba el balón, al capturar un rebote o si fuerza al bando atacante a cometer una violación. Jueguen a 5 puntos y luego intercambien papeles.

Prueba

- No permita que el cortador se sitúe entre usted y el balón.
- Esté preparado para resistir el contacto.

Comprobación de resultados

Éste es un ejercicio competitivo. Cada equipo debe tratar de conseguir más puntos que el equipo contrario, jugando a 5 puntos. Concédase 5 puntos si su equipo es el ganador.

Puntuación total ____

Ejercicio nº 4 de rotación defensiva

Ejercicio de concha

Comience el ejercicio con una penetración por línea de fondo o por puerta atrás a cargo de un alero atacante, lo que le concederá práctica defensiva en rotación de posiciones. Tras permitir que uno de los aleros defensivos sea superado por una penetración o un corte por puerta atrás, el ejercicio se aviva. El ataque trata de anotar y la defensa trata de impedir que anote, presionando al jugador con el balón y rotando las posiciones defensivas. El defensor del alero del lado débil grita "¡Cambio!" antes de presionar al jugador con el balón. El defensor del base del lado débil retrocede para cubrir al alero del lado débil, y el defensor del base del lado del balón retrocede en la zona y cubre al base del lado débil. El alero superado retrocede hacia canasta, tratando de recuperar al jugador que inicialmente defendía. Al ver una buena rotación, el alero hará bloqueo sobre el jugador abierto, el base del lado del balón.

Cuando los jugadores defensivos rotan, deben actuar como un equipo y comunicarse bien, mediante palabras o expresiones clave, tales como *cambio, tengo el balón, tengo el poste, vuelvo, estoy arriba.* El equipo atacante logra 1 punto cada vez que anota. Si la defensa comete falta, el ataque recibe el balón y comienza de nuevo. Si un jugador atacante falla un tiro y un compañero captura el rebote ofensivo, el juego continúa. La defensa logra 1 punto cada vez que roba el balón o lo consigue en un rebote, o si fuerza al ataque a cometer una violación. Jueguen a 5 puntos, y luego intercambien los papeles.

Prueba

- En defensa, comuníquese verbalmente con sus compañeros utilizando palabras o expresiones clave.
- Reaccione al ataque como equipo.

Comprobación de resultados

Este es un ejercicio competitivo. Trate de que su equipo anote más puntos que el equipo contrario, jugando a 5 puntos. Concédase 5 puntos si su equipo es el ganador.

Puntuación total ____

LA DEFENSA DE LA ZONA

Cuando su equipo plantea la defensa en zona, a usted le es asignado determinado sector de la pista, o zona, antes que un oponente individual. Su posición en zona cambia a cada movimiento del balón. Las zonas pueden ajustarse, desde recluirse en el interior hasta presionar sobre los tiros exteriores, pasando por presionar en las líneas de pase y hacer 2 contra 1 de balón. Las defensas en zona se designan según la alineación de los jugadores, desde el centro de la línea de tres puntos hasta canasta, por ejemplo, zonas 3-2, 2-3, 2-1-2, 1-2-2 y 1-3-1.

Cada defensa en zona tiene puntos fuertes y débiles. Las zonas 3-2 y 1-2-2 son fuertes contra tiradores exteriores, pero son vulnerables en el interior y en las esquinas. Las zonas 2-1-2 y 2-3 son fuertes en el interior y en las esquinas, pero vulnerables en el centro de la línea de tres puntos y en los laterales. La zona 1-3-1 protege el poste alto y las zonas laterales, pero puede dejar resquicios en los tacos y rincones, y también es susceptible de permitir un buen rebote ofensivo.

Hay muchas buenas razones para emplear una defensa en zona:

- Protege el interior de la zona contra un equipo con buenos penetradores y jugadores en el poste alto, y deficientes tiradores exteriores.
- Es más efectiva contra los bloqueos y los cortes.
- Los defensores pueden situarse en áreas conforme a su estatura y habilidad defensiva. A los jugadores más altos pueden asignárseles las áreas interiores para el bloqueo de tiro y rebote, mientras que los más bajos y más rápidos pueden asignarse a áreas exteriores, para presionar sobre el balón y cubrir las calles de pase.
- Los jugadores en mejor posición puede iniciar un contraataque.
- Es más fácil de asimilar y puede superar debilidades en los fundamentos defensivos individuales.
- Protege a los jugadores que tienen tendencia a cometer faltas.
- Cambiar a una defensa en zona puede alterar el ritmo del equipo contrario.

Sin embargo, las defensas en zona también tienen debilidades:

- Son vulnerables a un buen lanzamiento exterior, sobre todo el de 3 puntos, que puede aflojar la zona, creando resquicios en su interior.
- Un contraataque puede superar a una defensa en zona antes de que quede formada, porque los jugadores necesitan tiempo para ocupar las posiciones asignadas.
- Las rápidas jugadas de pase mueven el balón con mayor rapidez que a la que pueden desplazarse los defensores.
- Es débil contra la penetración.
- El equipo contrario puede frenarse más fácilmente contra una zona, haciendo que deba cambiar a defensa individual si el equipo va por detrás en el marcador avanzado el partido.
- Plantear una defensa en zona no desarrolla las cualidades defensivas individuales.

Defensa en zona 3-2

Comenzaremos con la defensa en zona 3-2. Los nombres de los defensores en una zona 3-2, sus alineaciones iniciales y sus responsabilidades son como sigue:

Balón en el centro de la línea de tres puntos (figura 10.16)

P = (Point) Base, en el centro y dentro de la línea de tres puntos, cubre el área de codo a codo.

W = (Wing) Alero, pie interior en el codo, cubre el área desde el codo a la línea de tiros libres prolongada.

D = (Deep) Profundo, línea puente de la zona por encima del pasillo. Cubre el área desde el interior de la línea de tiros libres hasta la esquina.

Las responsabilidades para los defensores cambian a cada movimiento del balón. Cuando el balón se encuentra en un lateral (figura 10.17), el alero del lado fuerte (lado del balón) defiende al jugador con el balón. El base retrocede hacia el codo del lado fuerte y sitúa la mano más cercana a canasta frente al poste alto. El jugador profundo del lado fuerte juega a medio camino entre el jugador del poste bajo y el jugador del rincón. El alero del lado débil retrocede al nivel del balón y dirige la defensa. El jugador profundo del lado débil se desliza

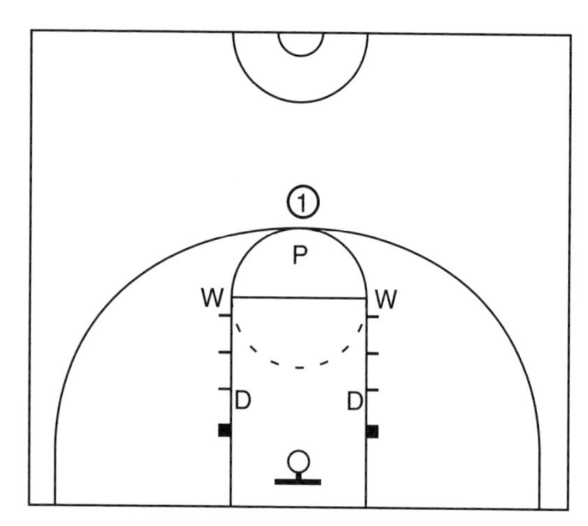

Figura 10.16 Zona 3-2: Balón en el centro de la línea de tres puntos.

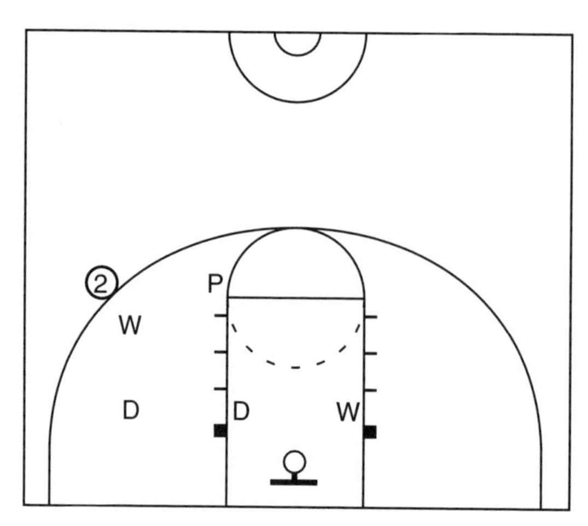

Figura 10.18 Zona 3-2: Balón en un rincón.

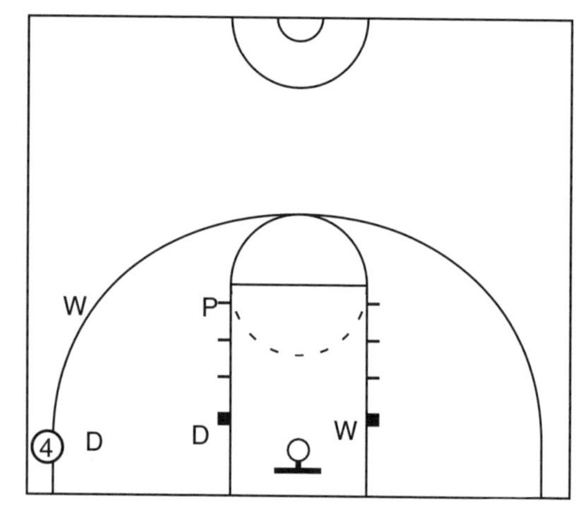

Figura 10.17 Zona 3-2: Balón en un lateral.

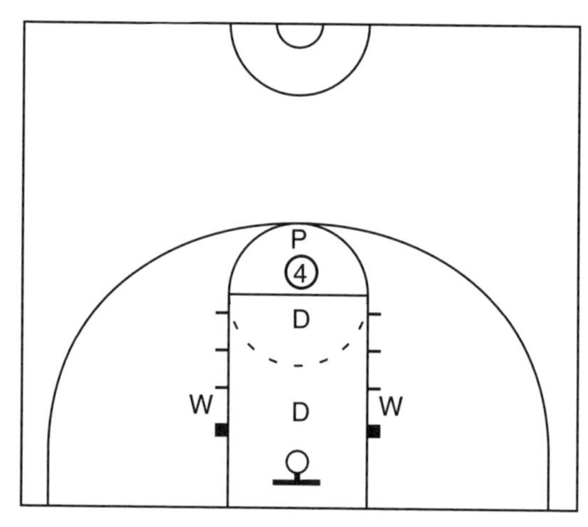

Figura 10.19 Zona 3-2: Balón en el poste alto.

hacia el centro e impide el pase al jugador del poste bajo, con un mano enfrente del jugador.

Cuando el balón está en el rincón (figura 10.18), el jugador profundo del lado fuerte defiende al jugador con el balón. El jugador profundo del lado débil le hace frente e impide el pase hacia el jugador del poste bajo. El base se sitúa enfrente e impide el pase al poste alto y bloquea al jugador del poste alto en un tiro. El alero del lado fuerte juega en la calle de pase al alero, forzando un pase en globo al alero, y ayuda en una penetración hacia el centro. El alero del lado débil retrocede hacia el pasillo del lado débil y es responsable del rebote en ese lado.

Cuando el balón se encuentra en el poste alto (figura 10.19), el jugador profundo del lado débil grita "¡Arriba!" y defiende al jugador con el balón. El jugador profundo del lado fuerte se desliza hacia el área de la canasta, tomando posición para cubrir un pase al poste bajo. El alero retrocede para cubrir un pase a la línea de fondo y es responsable de un rebote en el área del pasillo de tiros libres. El base defiende el poste alto.

Cuando el balón está en el poste bajo (figura 10.20), el jugador profundo del lado débil defiende al jugador del poste bajo con el balón. El jugador profundo del lado fuerte retrocede y cubre un pase a la línea de fondo. El alero del lado fuerte retrocede al nivel del balón y cubre el primer pase al lado fuerte. El alero del lado débil retrocede al pasillo de ese lado y es responsable de los cortes en el lado débil. El base cubre el pase al área del codo opuesto.

Defensa en zona 2-3

Los nombres, alineación inicial y responsabilidades de los defensores en una zona 2-3, son como sigue:

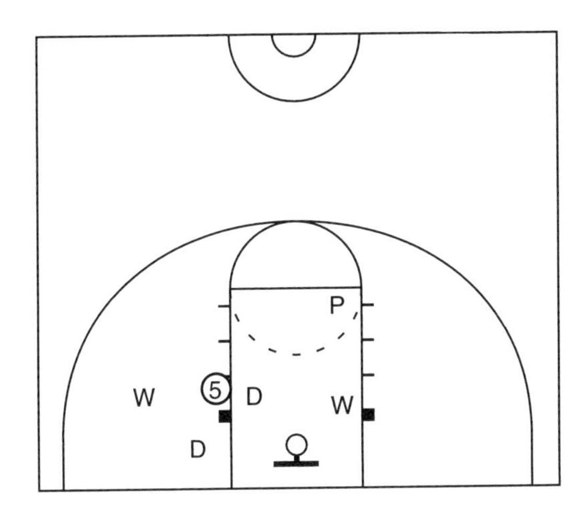

Figura 10.20 Zona 3-2: Balón en el poste bajo.

Balón en el centro de la línea de tres puntos (figura 10.21)

G = (Guard) Base, un base toma el balón y el otro retrocede hacia el codo, cubriendo el área desde el centro al lateral.
F = (Forward) Alero, calle de zona exterior por encima del pasillo. Cubre el área desde la línea de la zona a la esquina.
C = (Center) Pívot, entre canasta y la línea de tiros libres. Cubre el área interior de la zona.

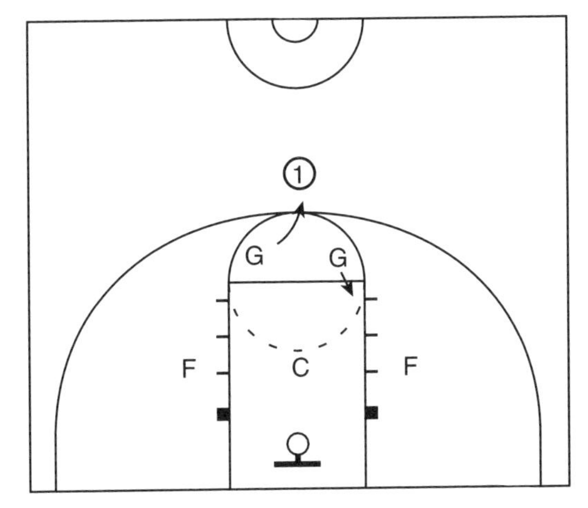

Figura 10.21 Zona 2-3: Balón en el centro de la línea de tres puntos.

Las responsabilidades de los defensores cambian a cada movimiento del balón. Cuando el balón se encuentra en un lateral (figura 10.22), el base del lado fuerte (lado del balón) en el codo se para allí, antes de defender al alero. El base en el centro de la línea retrocede hacia el centro de la línea de tiros libres. El alero del lado fuerte hace una jugada de choque (finta hacia el lateral hasta que el base del lado fuerte se va al lateral), y luego retrocede entre el jugador del poste bajo y el del rincón. El pívot cubre el área del poste bajo en el lado fuerte. El pívot del lado débil se desliza hacia el centro de la zona y dirige la defensa.

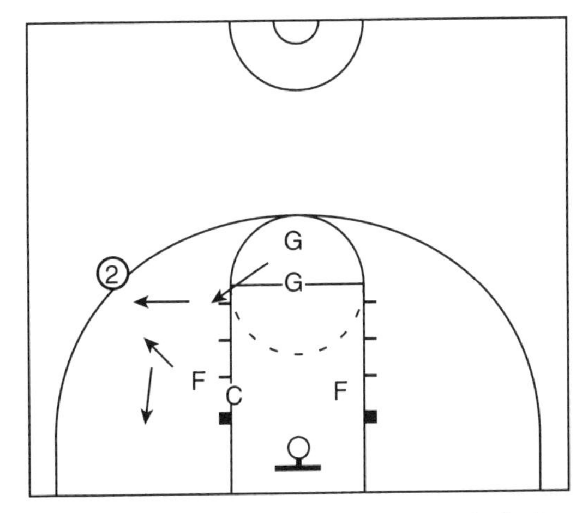

Figura 10.22 Zona 2-3: El balón en el lateral, jugada de choque.

Cuando el balón se encuentra en el rincón (figura 10.23), el alero del lado fuerte defiende al jugador con el balón. El pívot se enfrenta e impide el pase al jugador del poste bajo. El alero del lado débil cubre el pase al poste alto y bloquea al jugador del poste alto en el tiro. El base del lado fuerte retrocede y ayuda en el pase al poste bajo. El base del lado débil se mueve al interior de la línea de faltas y cubre un pase diagonal desde el rincón.

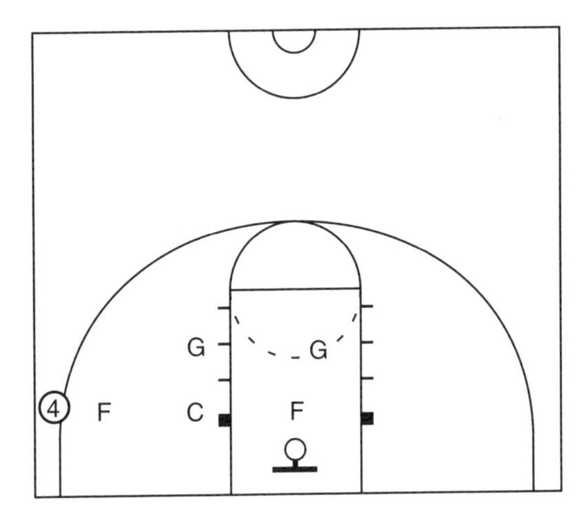

Figura 10.23 Zona 2-3: El balón en el rincón.

Cuando el balón se encuentra en el poste alto (figura 10.24), el pívot defiende al jugador del poste alto con el balón. Los aleros cubren el área del pasillo en sus respectivos sectores. Los bases

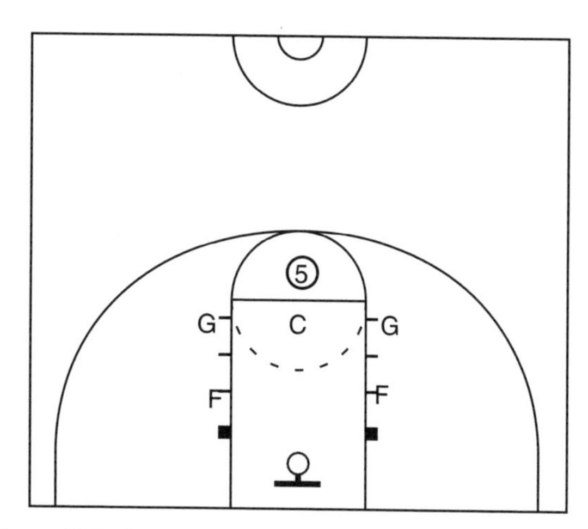

Figura 10.24 Zona 2-3: Balón en el poste alto.

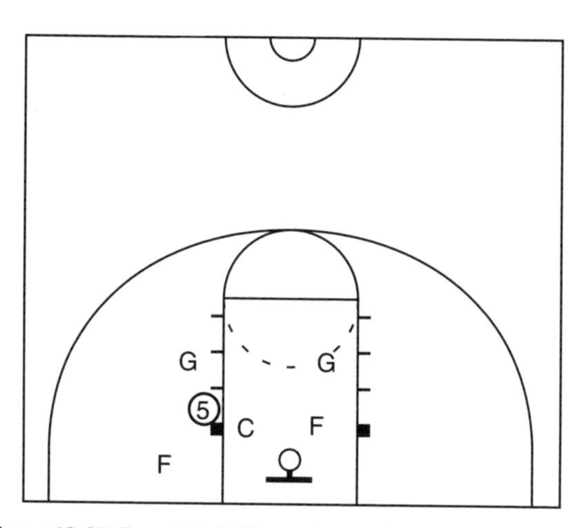

Figura 10.25 Zona 2-3: Balón en el poste bajo.

cubren las áreas de los codos en sus lados respectivos.

Cuando el balón se encuentra en el poste bajo (figura 10.25), el pívot defiende al jugador del poste bajo con el balón. El alero del lado fuerte retrocede y cubre un pase a la línea de fondo. El alero del lado débil cubre un pase al centro de la zona y es responsable de un rebote en el lado débil. El base del lado fuerte retrocede a medio camino entre el poste bajo y un pase al alero. El base del lado débil se mueve dentro de la línea de tiros libres y cubre un pase en diagonal.

Zona de ajustes

Cualquiera de las defensas en zona puede ajustarse a una zona de ajustes o *match-up*. Una zona de ajustes permite emparejar y defender a un oponente individual en su área de la zona. Si no hay nadie en su área, retroceda hacia canasta y el centro, buscando alguien que corra hacia la zona desde atrás. La zona de ajustes es particularmente efectiva contra un ataque no excesivamente dinámico.

DEFENSA MIXTA

En una defensa mixta, a uno o dos jugadores se les asigna oponentes individuales, por ejemplo, un tirador sobresaliente o un gran conductor de balón, y los demás jugadores se despliegan en áreas de zona. Se trata de defensas en situaciones especiales, no de defensas básicas. Entre las más habituales combinaciones defensivas se encuentran la caja y uno, el diamante y uno, y el triángulo y dos.

En la caja y uno, un jugador es asignado para impedir que el balón llegue al mejor anotador del equipo contrario o al mejor conductor de balón, mientras que los otros cuatro jugadores son dispuestos en una zona 2-2 en formación de caja.

El diamante y uno es similar a la caja y uno, en cuanto a que a un jugador se le asigna impedir el balón al mejor anotador, lanzador o conductor de balón del equipo contrario. Los otros cuatro jugadores, sin embargo, se disponen en una zona 1-2-1 o alineación en diamante.

En el triángulo y dos, a dos jugadores se les asigna la misión de defender individualmente a dos contrarios elegidos, mientras que los otros tres defensores se disponen en formación de zona 1-2 o triángulo, dentro de la línea de tiros libres.

RESUMEN DE DEFENSA COLECTIVA

Trabajar en defensa como un equipo es vital si su equipo debe frenar al contrario y recuperar el control del balón. Recuerde que sólo el equipo con la posesión de balón puede anotar. Así, recuperar la posesión del equipo atacante es crucial para el éxito.

En este paso final, debe recordar cómo ha realizado los ejercicios precedentes. En cada uno de los ejercicios propuestos en este paso, anote los puntos obtenidos y totalícelos para poder evaluar su acierto general.

Ejercicios de defensa sin balón	
1. Obstrucción de alero	___ de 5
2. Ayuda en el lado débil y recuperación	___ de 5
Ejercicio de defensa del poste bajo	
1. Obstrucción en el poste bajo	___ de 5
Ejercicios de defensa del flash	
1. Impedir el flash y el corte por puerta atrás	___ de 5
2. Seis aspectos defensivos	___ de 5
Ejercicios de rotación defensiva	
1. La concha defensiva	___ de 5
2. Ayuda y recuperación (concha)	___ de 5
3. Defensa sobre el cortador de la concha	___ de 5
4. Ejercicio de concha	___ de 5
Total	___ ***de 45***

Si ha conseguido usted 35 puntos o más, ¡enhorabuena! Eso significa que ha dominado los fundamentos de este paso. Si ha conseguido menos de 35 puntos, debería invertir algún tiempo en los fundamentos cubiertos en este paso. Practique de nuevo los ejercicios para desarrollar la maestría de las técnicas correspondientes e incrementar su puntuación.

Información sobre el autor

Hal Wissel ha sido entrenador adjunto de los Memphis Grizzlies de la National Basketball Association (NBA) desde 2002 hasta 2005. Cuando se incorporó a los Grizzlies, Wissel tenía acumulada mucha experiencia en la NBA, como entrenador y ojeador, y trabajó en primera línea de cancha. Wissel había sido ojeador de los Dallas Mavericks (2000-2002) y también había desempeñado funciones de entrenador adjunto/ojeador para los New Jersey Nets (1996-2000), además de director técnico de este mismo equipo (1995-1996). También fue ojeador y entrenador especial de los Milwaukee Bucks (1990-1995) y entrenador asistente y ojeador principal de los Atlanta Hawks (1976-1977).

Además de servir en la NBA, Wissel tiene acreditadas más de 300 victorias como entrenador principal con los equipos de Springfield College, la Universidad de Charlotte (Carolina del Norte), Florida Southern, Fordham, Lafayette y Trenton State. Clasificó al Florida Southern para cuatro semifinales de la II División de la NCAA, y en tres ocasiones para la *Final Four* de la II División (en 1980, 1981 y 1982), logrando el Campeonato de la II División de la NCAA en 1981. En 1972, Wissel entrenó a Fordham para el Torneo NIT. También entrenó a la selección nacional de la República Dominicana en 1975.

En 1972, Wissel fundó Basketball World, Inc., una empresa que organiza *clinics* de baloncesto, además de distribuir libros y vídeos de este deporte. La campaña *Lance mejor* de Basketball World, realizada en pequeños *clinics* y dirigida a jugadores de todos los niveles, ha tenido mucho éxito. La empresa está ahora dirigida por el hijo de Wissel, Paul.

En 1960, Wissel se licenció en Educación Física en Springfield College, con un *master* posterior en la Universidad de Indiana (1961), y se doctoró en Educación Física (1970), en Springfield College. Además de este libro, ha escrito *Becoming a Basketball Player: Individual Drills* (Cómo convertirse en jugador de baloncesto: ejercicios individuales), del que luego se han editado cinco vídeos.

Entre las muchas distinciones que le fueron concedidas, Wissel cuenta con la de *Entreñador del Año*, de la revista *Coach & Athlete* (en 1972), la misma con que la Sunshine State Conference le premió en 1979, 1980, 1981 y 1982, así como de la II División Nacional, por parte de la Asociación Nacional de Entrenadores de Baloncesto, en 1980. También fue incluido en el *Hall of Fame* del Southern College y de la Sunshine State Conference. En 1998, Wissel fue designado entrenador emérito de la Sunshine State Conference.

NOTAS

NOTAS

NOTAS

NOTAS